EL SAQUEO CULTURAL
DE AMÉRICA LATINA

FERNANDO BÁEZ

EL SAQUEO CULTURAL DE AMÉRICA LATINA

De la Conquista
a la globalización

DEBATE

El saqueo cultural de América Latina
De la Conquista a la globalización

Primera edición: febrero, 2008

D. R. © 2007, Fernando Báez
        c/o Guillermo Schavelzon & Asoc; Agencia Literaria
        info@schavelzon.com

Derechos exclusivos de edición en español reservados
para todo el mundo, excepto Venezuela y Colombia:

D. R. © 2008, Random House Mondadori, S. A. de C.V.
        Av. Homero No. 544, Col. Chapultepec Morales,
        Del. Miguel Hidalgo, C. P. 11570, México, D. F.

www.randomhousemondadori.com.mx

Comentarios sobre la edición y contenido de este libro a:
literaria@randomhousemondadori.com.mx

ISBN: 978-970-810-116-5

Impreso en México / *Printed in Mexico*

Índice

PRIMERA PARTE
EL SAQUEO CULTURAL DE AMÉRICA LATINA

Capítulo I
El primer etnocidio

SEGUNDA PARTE
EL SAQUEO CULTURAL EN LA HISTORIA:
GUERRA, COMERCIO E IMPERIO

TERCERA PARTE
TRANSCULTURACIÓN Y ETNOCIDIO
EN AMÉRICA LATINA

APÉNDICE
LEGISLACIONES SOBRE SAQUEO CULTURAL

*Dedicado a Diana Marcela
y Diego Fernando, con profundo amor*

Agradecimientos

He pasado cuatro largos años de escritura ininterrumpida, volcánica, y he aprendido —si es posible tal cosa— que una investigación de esta naturaleza es imposible, acaso insospechable, sin el apoyo irrestricto de decenas de instituciones, fundaciones, amigos y extraños. Hago manifiesta mi primera gratitud, que nunca será la última, a quien debo mi principal concepción sobre América Latina: a mi maestro y amigo José Manuel Briceño Guerrero, autor de esa obra magna que es *El laberinto de los tres minotauros*.

Agradezco a Arístides Medina, director de la Biblioteca Nacional de Venezuela; a Rosa Regás, ex directora de la Biblioteca Nacional de España; al personal de la Biblioteca del Museo Británico que se dignó a compartir sus inquietudes conmigo; a Horacio González, director de la Biblioteca Nacional de Argentina; a los referencistas de la Biblioteca Nacional de Colombia; a Alfonso Quintero, secretario ejecutivo de la Asociación de Bibliotecas de Iberoamérica; a Delmino Gritti; a Eliades Acosta, estudioso del neoimperialismo; al general Rafael Arreaza Castillo, comandante de las Escuelas Superiores del Ejército de Venezuela; al general José Arévalo, director del Instituto de Altos Estudios para la Defensa Nacional de Venezuela; a Ramón Rivas, historiador erudito, quien dedicó largas horas a conversar sobre los orígenes de la piratería en las islas del Caribe, sobre el mito de El Dorado y la vida intensa y misteriosa de Walter Raleigh; a Hebert López, coordinador del Doctorado en Seguridad y Defensa Integral de Venezuela, y a toda la cohorte de doctorandos; a Karín Ballesteros, a Daniel Canosa, a Florencia Bossie, a Samir Yusef, a Luis Carneiro; a Gustavo Merino, quien fue el pilar para crear el primer Doctorado de Patrimonio Cultural de América Latina;

a Olga Durán, rectora de la Universidad Latinoamericana y del Caribe, y a Milena Araujo, soporte moral; a Manuel Zamora, a Ramón Alberch y M. Carme Martínez, miembros de Archiveros sin fronteras; a Tomás Solari, Hugo García, miembros del Comité de Bibliotecarios Desaparecidos de Argentina; al personal de la Biblioteca Nacional, Archivo General de la Nación y Museo Nacional de Antropología de México; a todos los que me hicieron posible consultar facsímiles del *Códice Florentino* en la Biblioteca Laurenziana de Florencia. Una especial mención y reconocimiento a dos arqueólogos: Haroldo Rodas, pionero de este tema y autor del mejor estudio que existe sobre el saqueo cultural de Guatemala; y a Daniel Schavelzon, quien ha escrito los más completos estudios sobre expolio cultural en la Argentina.

Además de los ya mencionados, quisiera dar las gracias a tanta gente: a mi hermano de la vida Giovanny Márquez; a Martín Almada, quien descubrió los Archivos del Terror en Paraguay; a Luis Oporto, cuyo estudio sobre la destrucción de la memoria de Bolivia es ya un clásico; a Manuel Vélez; a Anisio Pires, a Deyvis Denis, a Alonso Pérez; a Rigoberto C. Bonet; a Douglas Passaratti; a Aída Mendoza Navarro, autora de estupendos estudios sobre destrucción de archivos en Perú; a Carlos Duarte; a Felipe Suárez; a Daniel J. Carlston; a John Caldwell; a Marvin Brent; a Luz Marina Silva; a Sylvia Hughett; a Hernán Invernizzi y Judith Gociol, cuyo volumen *Un golpe a los libros* me permitió adelantar con más profundidad el tema de la destrucción cultural en Argentina; a Ramón Salaberría, a Blanca Calvo, a María Isabel Vega, a Rigoberto Pereira, a César F. Masperet, a Balthasar Cordero, a Susana Molina, a Héctor L. Borderec, a Jesús Lestat, a Darío Vega, a Jaime Varela, a Luis M. Leyden, a Hermann Ramírez, a Luigi Bacciarini, a Vicente Gregorovich, a Estela Barradas, a Juan F. Díaz, a Juan M. Almeida, a Jordi Miró, a Rafael Hurtado, digno investigador español, a Marina Saita, a Félix Duque Carmona, a Luis Alfonso Colmenares, a Ismael Zabaleta, a Marisela Vega, a Ernesto Vidal, a Enrique Volcanes, a Gregorio Piñero, a Eleazar D. Vega, a Santiago Piñero, a Jorge Pastor, a Luis E. Moreno, a Sergio Vargas, a mi querido amigo Mario Pinto, a Néstor Berríos, a Waldo Ramírez, a J.M. Pantoja, a Carol Field, a María T. Annesigi, a Osman Gómez, quien me ha honrado con una amistad a prueba de todo percance en la vida; a Braulio Vitali, a Martín Ortiz, a Carlos Salcedo, a Alejandro Pardo, a German Sterling, a Carlos Danez, a Rodolfo Quintero Noguera, a

Rodrigo Benítez, a Orlando Bustamante, a Susana Reinoso, valiente periodista de *La Nación* de Buenos Aires; a Leonor Aguilera y Ignacio Muñoz Herrera, a Benito Destoux, a Jaime Ponce, a Alejandro Zerpa, cuyo *blog* sobre mi obra me ha estimulado a proseguir sin tregua; al mexicano y aristotélico Enrique García; al profesor y artista Luis Moros, quien me facilitó un valioso texto sobre el olvido; a Jorge Muñoz y a mi buen amigo Zbigniew Hraiulk.

Notas especiales

1. Durante la investigación sobre el tráfico ilícito de arte pasé por situaciones desagradables, cuya memoria quisiera omitir en este libro; en ese sentido he modificado los nombres de algunos nobles amigos que me suministraron información sobre el traslado de obras desde América Latina a Estados Unidos y Europa. En el periplo a Irak, en 2003, no corrí los riesgos que viví en lugares como México, Colombia o Bolivia, donde existen mafias de presión que se encargan de amenazar con suficiente fuerza a todos los que nos hemos atrevido a denunciar el expolio de asentamientos arqueológicos.

2. He seguido la costumbre general en la toponimia y onomástica de América Latina.

3. He elegido usar la palabra *quipus* y no *khipus* para referirme a las cuerdas usadas por los incas en Perú.

4. Uso indistintamente las palabras *mexica* y *azteca*.

5. Algunos términos usados en la primera parte son definidos en la tercera parte: etnomemoria, etnocidio, memoricidio, transculturación y genocidio.

*Los depredadores del mundo, cuando ya
lo han devastado todo y les falta tierra, miran al mar: si
el enemigo es rico, son mezquinos, y si es pobre, ambiciosos,
y ni Oriente ni Occidente bastarán para saciarlos:
desean para sí toda la riqueza y la miseria
para los otros. A saquear, matar y expoliar
le dan el mal nombre de imperio,
y allá donde crean un desierto, dicen que
hay paz.*

TÁCITO, *Discursos de vita Iulii Agricolæ, 30*

INTRODUCCIÓN

I

El secreto de Tenochtitlan

Todos los días encontraba en mi camino
campos abandonados, pueblos desiertos
y ciudades en ruinas. Con mucha frecuencia
encontraba también monumentos antiquísimos
y reliquias de templos, de palacios y de fortalezas,
de columnas, de acueductos y de mausoleos;
y este espectáculo excitó mi espíritu a meditar
sobre los tiempos pasados, y trajo a mi mente
pensamientos graves y profundos.

CONSTANTIN FRANÇOIS DE CHASSEBOEUF, conde de Volney,
Las ruinas de Palmira

En la austera y lánguida noche del 11 de septiembre del año 2004, las amplias calles que circunscriben la Plaza de la Constitución, mejor conocida como el Zócalo, estaban desbordadas por la aparición precipitada y exótica de turistas que interrumpían el tenaz silencio con sus gritos más envolventes. Al fin me encontraba en el casco histórico de México D.F., en el centro mismo de uno de los ejes de la resistencia cultural en el planeta, sede de polémicas internacionales constantes, pero una sutil ironía hizo que mi llegada, bajo el signo de una pertinaz llovizna, estuviera marcada por un inquietante desasosiego y entonces tuve la sensación invicta de que acontecía algo extraño, inmisericorde y enigmático porque la ciudad parecía detenida en un tiempo remoto y también inagotable. Un coche de 1948 o 1950 me convenció de que había viajado al pasado de forma fatal. Creo que ha sido la oportunidad en que he sentido con mayor peso la soledad, la fatiga y la confusión.

A las ocho me atreví a desafiar mi disminuida condición física y caminé, sin titubeos, junto a unos amigos, frente al Palacio Nacional, que resguarda los exuberantes murales del pintor revolucionario Diego Rivera, el amplio y depauperado edificio del gobierno del Distrito Federal, y comprobé que las noches mexicanas tienen una fama bien ganada. Descubrí, mientras hacía mi recorrido desconcertado por las luces de neón, que un ruido versátil y alegre brotaba justo ese mismo día después de las nueve, y la ciudad entera despertó como un solo grito prolongado y suficiente. Sin miedo a la intemperie, noté que numerosos estudiantes se divertían sin tregua. Había mariachis nocturnos, ancianos furtivos adormilados por el viento y voces cercanas. Algunas parejas simplemente caminaban, de la mano, o se detenían, y se besaban, nerviosos, mientras les tomaban fotos o admiraban en un mutismo genuino la elegancia en los gestos o el ritmo entrecortado de las risas inocentes.

El Zócalo, en las débiles horas de la medianoche, se mostró sin vacilaciones. "No vas a encontrar un lugar más extraño", dijo a mi lado el escritor Rafael Toriz, en un tono seco y continuó: "Aquí todo está escondido y lo evidente es falso". Sin embargo, estaba a punto de preguntarle algo, cuando miré la robusta, antigua y barroca fachada de la Catedral Metropolitana, primer monumento religioso de la región. Apenas la vi, pude constatar, boquiabierto, que el edificio entero parecía inclinarse levemente como la torre de Pisa y, con cierta alarma y a la vez curiosidad, la periodista Raquel Peguero se anticipó a mi perplejidad y comentó que la iglesia había sido construida con materiales procedentes del templo de una ciudad que había existido debajo de nosotros en siglos anteriores, llamada Tenochtitlan, que dominó Mesoamérica y tuvo más habitantes que París en el siglo XIV. Ante mi incredulidad pasajera, fui invitado a mirar en los costados de la catedral y encontré los restos tapiados del Templo Mayor, dedicados por los mexicas fervorosos al dios de la lluvia y del agua, Tláloc, y al dios de la guerra y del sol, Huitzilopochtli, y fue apenas en 1978 que fueron desenterrados a medias por un equipo escéptico de arqueólogos.

Recuerdo —y escribo aquí con la imagen atrapada entre mis ojos— aún mis pasos cautelosos por los alrededores y mi sorpresa ante las ruinas, mi asombro cuando escuché decir que la capital azteca o mexica fue fundada inicialmente en 1325, sobre la isla de un lago, al que hubo que ganarle terreno con pilotes del árbol de huejote, con piedra volcánica y tezontle. Como Venecia, Tenochtitlan venció parcialmente a las aguas y en sus orillas se establecieron decenas de poblados, y para la época en que llegaron los españoles albergó a unas doscientas cincuenta mil personas, dispuso de treinta palacios enormes, con un Templo Mayor que creció hasta contener setenta y ocho edificios, constaba de un gigantesco mercado en Tlatelolco, y estuvo dividida en cuatro barrios importantes: al sur-oeste el Zoquiapa, al sureste el Mayotlan, al noroeste el Cuepopan y al noreste el Atzacoalco. De alguna forma, además, Tenochtitlan fue una capital comercial, cultural y política que tuvo influencia sobre un área de cincuenta mil quinientas hectáreas que pudieron sostenerse por medio de alianzas con Tacuba, Texcoco y las comunidades cercanas.

No imagino una catedral cristiana construida sobre las pirámides de Egipto o sobre la Esfinge, no estimo creíble que se hubiera podido edificar una iglesia anglicana sobre Stonehenge, no concibo que se pudiera construir una capilla sobre el Partenón o sobre Angkor Vat, pero eso fue justo lo que sucedió en México en el siglo XVI. Los españoles, derrotados por el esplendor prehispánico, intentaron anular la cultura sometida mediante el uso de una arquitectura superpuesta. Los conquistadores arrasaron cientos de edificaciones en todo el país, pero las órdenes religiosas católicas se ocuparon de eliminar miles de muestras del arte religioso de los nativos, con la excusa de la evangelización, y aniquilaron 80% de los antiguos libros en los que mayas y aztecas almacenaban conocimientos sobre su propia historia, astronomía y medicina.

Destrucción, pillaje y genocidio: baste decir que los veinticinco millones de habitantes que tenía México en 1500 se redujeron a un millón entre 1519 y 1605; un descenso demográfico de 96%. México sufrió durante la conquista y colonización una tragedia humana sin precedentes que reflejó el ámbito cultural. En el siglo XIX, mientras la nación perdía la mitad de su territorio a manos de Estados Unidos, decenas de bibliotecas, archivos, ediciones únicas, piezas de arte prehispánico o colonial, eran arrasadas, olvidadas o vendidas a coleccionistas privados en el mundo. Pero el desastre continuó. Desde el siglo XVI hasta el XX, la introducción y supremacía de la lengua española costó la desaparición de cientos de lenguas de los pueblos sometidos; asimismo, se dispersaron quinientas mil piezas de museos o iglesias, y se consolidó la complicidad y el silencio con el orden unilateral de la depredación.

En el siglo XXI, he descubierto síntomas de que nada ha cambiado: cuatro de cada cinco obras de arte expoliadas nunca fueron recuperadas. Tengo información, además, de que 80% de los asentamientos de la península de Yucatán han sido asaltados, pero el Instituto Nacional de Antropología e Historia ha divulgado que entre 1999 y 2005 más de novecientas piezas de arte habían sido robadas en regiones como Puebla, Tlaxcala, México D.F., San Luis Potosí, Hidalgo, Guanajuato, Jalisco, Morelos y Zacatecas. La prestigiosa revista *Arqueología Mexicana* ha destacado que diez mil cuatrocientos ochenta y cinco mil sitios arqueológicos fueron expoliados de un total de treinta y cinco mil. Las cuatro millones de piezas de arte sacro, de las que está registrado 1.5%, corren un grave peligro. Es posible que en los próximos cien años, México haya perdido más de 50% de sus bienes culturales por falta de mantenimiento, accidentes, desastres naturales y, sobre todo, por el descarado tráfico ilícito de bienes culturales que crece día tras día.

II

Cuando borraron el Cusco

La siniestra experiencia de Tenochtitlan se repitió con escasas variaciones en Cusco, mítica localidad conocida como "el ombligo del mundo" y también como la antigua capital del reino de los incas, situada a tres mil cuatrocientos metros sobre el nivel del mar. Una avasallante tarde de octubre de 2004, mientras pensaba que nunca había visto en tan poco espacio un número tan grande de agencias de turismo, agotado por la altura y las calles ascendentes, laberínticas, acalorado y con una prisa escandalosa, cautivo de las bocanadas de la nostalgia, camino al barrio de artesanos de San Blas, encontré —si uso el verbo correcto— la llamada piedra de los doce ángulos, fascinante muestra construida con diorita, que perteneció al palacio del soberano Roca; una anciana que portaba un amuleto de madera me explicó que estaba en la ambigua calle Hatunrumiyoc, cuyo nombre se traduce del quechua como "piedra grande", y señaló que el edificio había dejado de ser un alto templo inca para convertirse en parte del Palacio Arzobispal. Por algún signo de mi destino desmesurado, llegué cuando habían sido pintados unos graffitis y este inesperado —inhóspito— rasgo aumentó el horror que significó ver cómo había operado, en lugares tan disímiles, la actividad de urdida destrucción desde el siglo XVI.

No sé, o sé pero no quiero transmitir mi desánimo —mi vacilación— de ese día cuando fui a mi hotel y me dediqué a leer en un folleto que toda la villa colonial del Cusco había sido construida sobre la antigua ciudad inca que diseñó el soberano Pachacútec para que sirviera de sede a los sacerdotes y regentes del imperio inca. El Cusco fue el polo del estado prehispánico más grande de Sudamérica, que se extendió desde Colombia, Ecuador, Perú, Bolivia, Chile hasta Argentina. El

27

Tawantinsuyu, nombre que recibió esta organización administrativa, religiosa, cultural y política, rigió los destinos de millones de seres humanos y erigió construcciones monumentales como la de Sacsayhuamán, Ollantaytambo, Machu Picchu o la misma Cusco, una ciudad sagrada con forma de puma que servía de enlace, según sus admiradores, entre el mundo de abajo y el mundo superior, y que hoy ha sido declarada Patrimonio Cultural de la Humanidad por la UNESCO.

El pánico es el producto de suponer que la adversidad es inviolable. El día de mi llegada a Perú quise irme, aterrado por lo que no sabía más que por lo que conocía. Esa tarde pude evadirme tomando un avión a cualquier parte. Pero me pareció muy simple, y no lo hice. No sé si me arrepiento. Algo del entorno me acongojaba. No puedo decir qué fue, justo ahora, ni nunca, porque no intento salvarme con esta historia. Simplemente sentí que se trataba de algo fundamental; decidí continuar, como siempre lo hecho, mi sutil expedición con todas las consecuencias irregulares del caso. En Huaytará, departamento de Huancavelica, tropecé con la iglesia de San Juan Bautista, que domina sobre todo el pueblo debido, por supuesto, a que fue construida (obligaron a los indios a erigir el nuevo templo) sobre una plataforma de seis metros de altura. El antiguo Intiwasi incaico apenas fue disimulado y hoy conforma la parte inferior de la iglesia cristiana. Cuando pregunté qué sucedía, anonadado, me pidieron que fuera al Convento de Santo Domingo, constituido por la Orden de Predicadores, y vi que se repetía la infame práctica de utilizar las bases de un templo indígena para soportar una iglesia. En este caso, el templo destruido fue el Coricancha o Inti Qancha, que incluía un largo muro labrado por canteros talentosos al que se añadió una lámina de oro. Servía para los rituales presididos por el Willac Umu o sacerdote sagrado.

Según me contó un cronista peruano, las extirpaciones de idolatría condenaron además a miles de obras de arte y templos a desaparecer sin remedio. Pablo Joseph de Arriaga, cínico sin saberlo, en su obra *La extirpación de la idolatría en el Perú* (1621) aclaró: "[...] de aquí adelante por ningún caso ni color alguno, ni con ocasión de casamiento, fiesta del pueblo, ni en otra manera alguna, los indios e indias de este pueblo tocarán tamborinos ni bailarán, ni cantarán al uso antiguo, ni los bailes y cánticos que hasta aquí han cantado en lengua materna, porque la experiencia ha enseñado que en los dichos cantares invocaban los nombres de su huacas, malquis y del rayo".[1]

La persecución militar y espiritual no pudo impedir, de cualquier modo, que los nativos mantuvieran clandestinos sus cultos sagrados, pero sufrieron calamidades innumerables, como sucedió cuando Francisco de Ávila descubrió en 1608 en Lima que existían ídolos, ritos y creencias que habían pasado inadvertidos por los sacerdotes. La represión se desató entonces contra las poblaciones de San Damián, San Lorenzo de Quinti, Santa María de Jesús, Chome, Sisicaya, y según las cifras que se aplicarían a los procesos de la provincia de Huarochirí, más de dieciocho mil ídolos movibles y dos mil ídolos fijos fueron destruidos y se torturó a los responsables. Como dato curioso, llama la atención el caso de la provincia de Cajatambo, donde tras las crueldades del censor Fernando de Avendaño, un sacerdote se rebeló, aludiendo a su dios Guari como "Señor padre quemado" y rechazó el silencio. Entre 1722, 1755 y 1777, los misioneros jesuitas y franciscanos se dedicaron en el Nayar a quemar los bultos funerarios de los coras para extirpar la idolatría.

Sin escepticismo, agradecí conocer que la imposición del idioma español devastó nada menos que doscientas lenguas y partió en pedazos el pasado de riqueza lingüística. A la par, seis millones de indígenas peruanos se redujeron a un millón entre 1532 y 1628. Pero todo empeoró: en el siglo XIX el vandalismo y los terremotos arruinaron pueblos enteros que se volvieron sombras; en el siglo XX sólo en la región andina y amazónica quedaron cientos de templos tapiados y cuarenta mil asentamientos arqueológicos sobre los cuales se han construido autopistas, estacionamientos y nuevas ciudades. Para aumentar esta catástrofe, los tristemente célebres "huaqueros", los saqueadores, en su afán por conseguir cerámicas del periodo Moche, Keros incas o remos labrados Chimú y Chincha, han contribuido a la destrucción de su país al disminuir en 50% el patrimonio cultural peruano.

Los chamanes creen que el asombro es un tímido pariente del miedo. De pronto, mientras permanecía en Perú, adquirí conciencia imprevista del problema en el que estaba metido. Alguien, cuyo nombre no entendí o no quise entender, me llamó al celular, y pidió una cita nocturna en la iglesia restituida de Pampa Libre, en la provincia de Chancay. Urgido y solo, con esa seguridad que procede del desconcierto o del recelo, la voz —o el hombre— afirmó que tenía en su poder pruebas del tráfico ilícito de obras de arte prehispánicas peruanas. Describió sus fotos como impecables, y aseguró que la policía no le había prestado atención.

Dijo, además, que denunciar el robo de arte en su país era tan inútil como denunciar a la mafia en Palermo.

Fijamos un encuentro para ese mismo día a las cuatro de la tarde, me comentó que lo reconocería fácilmente por su pelo rojizo y colgué, inocente de haber caído en una trampa.

Debo admitirlo: el hombre del teléfono no se presentó nunca. Seguí esperándolo de pie o en cuclillas, distraído en la lectura de un volumen oloroso a tabaco de Rodolfo Kush sobre las concepciones del mundo indígena, y a eso de las cinco miré el reloj en mi muñeca. Casi de inmediato caí en cuenta de un detalle, a la vez simple y misterioso: el plan había consistido en atraerme al pueblo de los huaqueros, los exploradores de las "huacas" antiguas que comerciaban con el patrimonio de las culturas prehispánicas con casi total impunidad. Lo cierto es que, al dejar el pueblo, me quedaban pocas palabras para tanto estrago.

La noche siguiente rodó sobre mí como una sola, pero me desayuné con la noticia de que los geoglifos de Nasca estaban siendo destruidos por carreteras ilegales construidas por los contrabandistas y otra fuente comentaba el hecho de que los turistas se habían convertido en voraces enemigos rezagados del país al arrancar, con destornilladores, pinzas o martillos, fragmentos insistentes de las ruinas incas o mochicas. Oleadas de cientos de curiosos se llevan, ciertamente y sin piedad, estatuillas, fragmentos, huesos, que apenas servirán para adornar una mesa remota en Ginebra, Oslo o en New Jersey.

Lo cierto es que, sin anticipo posible, volvió a sonar el móvil y el mismo hombre —o la voz— insinuó todos los días ignorados, excusó su descuido, pero sobre todo pidió que me fuera a toda prisa porque mi franqueza me había delatado en el hotel y unos hombres ya sabían que yo era la misma persona que había denunciado al gobierno de Estados Unidos por la destrucción cultural de Irak en 2003, y estaban recelosos de mi posible interés en el saqueo de bienes patrimoniales, así que podría salir herido. No tenía motivos para creerle, y por eso lo hice: un taxi que no pedí me llevó al aeropuerto y un vuelo sin número ya estaba reservado para que no volviera. Se cumplía mi destino irreversible de estar cerca y en ninguna parte.

III

Saqueo económico

No he vuelto a tener noticias, o no he podido, sobre las denuncias del desconcertante hombre anónimo; sin embargo, insistí en dedicarme a revisar más por inseguridad que por curiosidad, desde 2004 la historia de saqueos culturales en Perú y pronto entendí que era primordial indagar en la historia de América Latina,[2] la Abya-Ayala de los aborígenes, y encontré que existía también una cierta tendencia a la crónica yuxtapuesta, a la defensa preventiva, al adjetivo negativo inconcluso, al párrafo sesgado para ocultar la magnitud del desastre cultural sufrido por millones y millones de latinoamericanos durante siglos, simultáneo al saqueo económico.

"Es importante no olvidar que uno ha olvidado", decía mi padre, que fue colaborador del novelista Rómulo Gallegos y tuvo que pasar en silencio años de la vida pública que casi no tuvo, para no ser otra de las víctimas del dictador Marcos Pérez Jiménez, un asesino que pasó sus últimos días protegido en Madrid. Ciertamente, yo conservo esa frase y ahora mismo le doy sentido cuando pienso que en mi búsqueda de información para este libro tuve primero —o en última instancia— que saber que, desde hace quinientos quince años, América Latina ha sido sometida al pillaje más despiadado: sus veintidós millones de kilómetros cuadrados[3] han soportado despojo y destrucción creciente de la mayor parte de sus recursos naturales. Por turnos, con métodos distintos y a la vez vertiginosos, se han llevado, y se siguen llevando, el oro, la plata, el cobre, el carbón, el aluminio, pero también el hierro, el gas y el petróleo.

La catástrofe acaso comenzó en el momento exacto en que Cristóbal Colón, no sin emoción, entregó a los reyes de España las tierras que había descubierto el 12 de octubre de 1492: "Tan señores son vuestras

Altezas de esto como de Jerez o Toledo: sus navíos que fueren allí van a su casa. De allí sacarán oro; en otras tierras, para haber de lo que hay en ellas, conviene que se lo lleven, o se volverán vacíos […] el oro es excelentísimo, del oro se hace tesoro, y con él, quien lo tiene hace cuanto quiere en el mundo, y llega a que echa las ánimas al Paraíso".[4] Sin duda, Colón fue uno de los instigadores más perserverantes del mito que más daño causó en las tierras que él creía parte del Oriente y que un cartógrafo distraído denominó América por error: el mito aurífero. En el *Códice Florentino*, a propósito de la devastación de la capital azteca de Tenochtitlan a manos del ambicioso Hernán Cortés, el censurado historiador Bernardino de Sahagún comentaba sobre los españoles del siglo XVI: "como unos puercos hambrientos ansían el oro": se dice que no perdonaban en su codicia las narigueras, pendientes, pulseras, bezotes, cascabeles y broches para la ropa de los indígenas.

El cacique Hatuey, quien murió no sin pedir que le evitaran ir al cielo prometido de los cristianos para no encontrarse con los frailes ortodoxos que lo torturaron, un buen día le mostró a sus paisanos una canasta de oro y les advirtió sobre la voracidad de los invasores que los sometían: "Veis aquí su señor, a quien sirven y quieren mucho y por lo que andan; por haber este señor nos angustian; por éste nos persiguen; por éste nos ha muerto padres y hermanos y toda nuestra gente y nuestros vecinos, y de todos nuestros bienes nos han privado, y por éste nos buscan y maltratan; y por que, como habéis oído ya, quieren pasar acá, y no pretenden otra cosa sino buscar este señor, y por buscallo y sacallo han de trabajar de nos perseguir y fatigar, como lo han hecho en nuestra tierra antes".[5]

España, a la llegada de Colón, era ante todo una creación intelectual del Imperio romano. Para la época en que se inició la conquista del Nuevo Mundo, la antigua Hispania acababa de lograr la unidad como nación tras el genocidio, expulsión y requisa de los bienes de miles de árabes y judíos. En la celebración de la reconquista, Colón defendió su hallazgo y advirtió con precisión sobre la gran riqueza que ponía a disposición de los reyes católicos Fernando e Isabel, pero no imaginó que hacia 1660, es decir, ciento sesenta y ocho años después de su fatídico viaje, España obtendría de América Latina más de ciento ochenta y cinco mil kilos de oro y unos dieciséis millones de kilos de plata, sin contar lo que ingresó por contrabando.[6] Otros autores hablan de trescientos mil kilos de oro. Entre 1661 y 1811, se extrajeron setecientas toneladas de oro. El caso es que en 1785, ante una crisis económica que nadie podía o anhelaba explicar, el gentil conde de Aranda suplicaba al conde de Floridablanca que exprimiera al máximo a las colonias del llamado Nuevo Mundo,[7] y esto se cumplió a medias porque en el asalto comercial ya participaban ingleses, italianos, franceses, alemanes, portugueses y holandeses.

Del ambiguo territorio de Brasil, salieron novecientas ochenta toneladas de oro entre 1691 y 1850,[8] que no fueron suficientes para saciar a Portugal. Decía el perseguido dramaturgo Bertolt Brecht que fundar un banco o robarlo era lo mismo; los primeros bancos europeos se consolidaron por los resultados cómodos de los desmanes coloniales: "Conquista, pillaje, exterminio son la realidad de donde brota la afluencia de metales hacia la Europa del siglo XVI".[9] El alto rendimiento que produjo la esclavitud depredatoria, por ejemplo, fue considerable dada la baja inversión y la tasa desafiante de ingresos que representaba.

Desde 1600, año en que la reina Elizabeth I forja la Compañía Inglesa de las Indias Orientales, la Gran Bretaña, que sometió a sangre y fuego a los irlandeses y escoceses, decidió no dar un paso atrás en su proverbial conquista del Nuevo Mundo. En 1595, el pirata Walter Raleigh había intentado fundar una ciudad en Guyana y regresó fascinado por el mito aurífero. En 1625, sus compatriotas estaban en Barbados; en 1629, ya tomaban Quebec; en 1655, Jamaica. La expansión fue inevitable y cayeron una tras otra Dominica, San Vicente, Anguila, Bermudas, Antigua, Nevis, Tortuga, Tobago, Monserrate, y se incrementaron las expediciones para capturar parte de Mesoamérica en Belice, las islas de Bahía, Mosquitos y San Andrés, y especialmente Guyana. Con la derrota de la "Armada Invencible" que arrasaron a cañonazos en 1558, y la gestación de una flota de piratas fue posible, además, incorporarse al botín del oro y plata cuyo monopolio tenía España.

Desde la época colonial, las plantaciones se convirtieron en un instrumento para someter las economías locales y obtener ganancias debido al uso creciente de esclavos. Para dar una idea de los dividendos, vale la pena comentar que Inglaterra financió sus guerras contra Napoleón Bonaparte sólo con 10% de los altos ingresos obtenidos por sus plantaciones de azúcar. En 1747, el pragmático analista Malachy Postlethwayt escribía: "Las colonias no deben olvidar jamás lo que deben a la madre patria por la prosperidad de la que gozan. La gratitud que le deben las obliga a permanecer bajo su dependencia inmediata y subordinar sus intereses a los de la metrópoli. En consecuencia deben: 1) dar a la metrópoli mayor salida para sus productos; 2) dar ocupación a un mayor número de manufactureros, artesanos, marinos; 3) proporcionarle una mayor cantidad de los objetos que necesita".[10]

En la prisa por el saqueo de América Latina, Holanda estuvo a la vanguardia desde la creación en 1621 de la Compañía de las Indias Occidentales, a saber: la apetecida mitad de las ganancias españolas llegaba sin problemas a Amsterdam, pero los holandeses ratificaron su colmada presencia directa en lugares como Surinam, Curação, Bonaire, Aruba y en las costas brasileñas. En Francia, hubo un plan de ocupación de América desde Canadá, pero también se impusieron ciudades a lo largo del valle del río Mississippi; en 1625, el Caribe también era francés: se conquistaba Haití; en 1635, Martinica y el conjunto de Guadalupe con Saint-Barthélemy, Saint-Martin, Les Saintes, La Désirade y Marie-Galante; en 1650, Santa Lucía; y sólo por la guerra se entregaron Dominica, Granada, Tobago; en 1650, se colonizó Saint-Croix. En 1604, se había explorado y comenzó la colonización de la Guayana. Es irónico, pero mientras se proclamaban los derechos del hombre en París y se abolían los privilegios del antiguo régimen entre 1789 y 1796, la brutalidad de los franceses fue devastadora con los pueblos indígenas y africanos.

Lo cierto, lo que importa, es que durante siglos la política frenética ecocida en tierras latinoamericanas tuvo su costo porque, a la par de la actividad minera, destruyó sin remedio la biodiversidad de la región en 47%. En Brasil, la explotación de azúcar y caucho arruinó millares de hectáreas; en Argentina y Paraguay, los bosques de quebracho fueron devastados; en Venezuela, las plantaciones de cacao sólo dejaron ruina a su paso; en Colombia, el café fue la principal causa de extinción de tierras cultivables y esta tragedia se repitió en Centroamérica con la fruta. Ninguna de las ganancias de estas plantaciones contribuyó al desarrollo de los países donde se encontraban y en cambio enriqueció a una decena de potencias.[11] En 2005, la selva de la región amazónica había sufrido la destrucción de dieciocho mil kilómetros; entre 2003 al 2004, fueron arrasados veintisiete mil kilómetros. Pero nada peor que los años de 1994-1995, en los que las políticas del neoliberalismo a ultranza auspiciaron sin vértigo la aniquilación de veintinueve mil kilómetros cuadrados.

Lo incongruente es que en el año 2007, tras la extorsión y robo de sus recursos desde el siglo XVI, América Latina era la insolvente: todavía adeuda a los bancos, a Europa, a Estados Unidos y a instituciones financieras multilaterales como el Fondo Monetario Internacional o el Banco Mundial una cifra estimable en ochocientos ocho mil millones de dólares, que se concentran en casi 65 % entre Brasil, México y Argentina. Entre 1980 y 2006, la deuda se incrementó en 261%. Cada niño latinoamericano que logra llegar a los diez años debe la mitad del resto de su vida. Según Jacobo Schatan, "el volumen de exportaciones de AL ha aumentado desde 1980 hasta 1995 en un 245%. Entre 1985 y 1996 se habían extraído y enviado al exterior 2.706 millones de toneladas de productos básicos, la mayoría de ellos no renovables. El 88% corresponde a minerales y petróleo. Haciendo una proyección hacia el 2016 se calcula que el total de exportaciones de bienes materiales de AL hacia el Norte sería de 11.000 millones de toneladas. Entre 1982 y hasta 1996, en catorce años, AL había pagado 739.900 millones de dólares, es decir, más del doble de lo que debía en 1982 —unos 300.000 millones de dólares— y sin embargo seguía debiendo 607.230 millones de dólares".[12]

Los fraudulentos consorcios petroleros de Estados Unidos y Europa impusieron sus reglas de extracción en el siglo XX, destruyeron comunidades enteras, ecosistemas maravillosos y en poco tiempo concibieron un expolio precipitado. Más de 75% de los golpes militares o civiles —inciviles— en América Latina han sido fomentados para defender intereses externos. Cualquier estudio serio sobre los países con mayores recursos naturales de la región revelaría que han sido los más empobrecidos. Las minas de Perú, Bolivia y México enriquecieron a los prestamistas alemanes en el siglo XVI. Venezuela era en 1928 el primer exportador de petróleo del mundo[13] y, pasadas siete décadas de explotación indiscriminada que aniquilaron el resto de las industrias nacionales y arruinaron a los agricultores del país, en 1992 sólo quedaba como resultado de políticas erradas 80% de la población empobrecida.

Desde el principio, América Latina, que subsidió el comercio de las grandes potencias con la complicidad de élites dirigentes dóciles y corruptas, fue una vasta fábrica de pobreza y de hambre: en el siglo XVI sólo dos por ciento de la población poseía la riqueza. En 2007, el continente ya contaba con quinientos setenta millones de habitantes, pero doscientos treinta millones eran pobres. Lo más descabellado es que esta penuria no ha conocido sino los extremos: ochenta y un millones son indigentes y nueve millones viven con un dólar por día. Año tras año, mueren doscientos mil niños de hambre. De los treinta y siete millones de pobres que había en Estados Unidos en 2004, los emigrantes hispanos constituían 21% de esa población.

En América Latina hay seiscientos setenta y un pueblos indígenas, y es un sector tan abandonado que representa el ochenta por ciento de la pobreza más indignante, pese a que en sus espacios conviven en muchos casos con transnacionales petroleras y mineras. Los indígenas han sufrido ejecuciones extrajudiciales, desapariciones forzadas, torturas, detenciones arbitrarias, y amenazas y eliminación de sus aldeas. Su protesta social es criminalizada en países como México. Rodolfo Stavenhagen, relator especial sobre los pueblos indígenas, presentó un informe exhaustivo al Consejo de Derechos Humanos de Naciones Unidas el 20 de marzo de 2007 y sus conclusiones fueron aterradoras: las masacres prosiguen porque las compañías transnacionales han descubierto minerales, agua o petróleo y atacan a los poblados que se niegan a abandonar el territorio,[14] como sucede con las tribus akawaios, macusis, wapichan y waiwais que han sido víctimas de los buscadores de oro en Guyana. Los *garimpeiros* de Brasil violan y secuestran a las hijas de los indígenas, y cuentan con el silencio de las autoridades.

IV

Genocidio

Mientras indagaba no sólo supe del saqueo comercial sino del genocidio. Durante la funesta época de conquista, una minoría de soldados famélicos exterminó casi totalmente a una población de setenta a cien millones de indios.[15] Hoy sólo quedan veintiséis millones. En Santo Domingo, por ejemplo, la población nativa que inicialmente contaba con casi cuatro millones de personas en 1496, en 1570 era apenas de ciento veinticinco mil seres humanos. El cronista melancólico Gonzalo Fernández de Oviedo disertaba sobre Cuba: "[...] falló el almirante, cuando estas islas descubrió, un millón de indios e indias, o más de todas edades, o entre chicos e grandes, de los cuales todos, e de los que después nascieron, no se cree que hay al presente en este año de mill e quinientos y cuarenta e ocho, quinientas personas, entre chicos e grandes, que sean naturales e de la progenie e estirpe de aquellos primeros. Porque los más que agora hay son traídos por los cristianos de otras islas, o de la Tierra Firme para se servir dellos. Pues como las minas eran muy ricas, y la codicia de los hombres insaciable, trabajaron algunos excesivamente a los indios; otros no les dieron tan bien de comer como convenía; e junto con esto, esta gente, de su natural es ociosa e viciosa, e de poco trabajo, e melancólicos, e cobardes, viles e mal inclinados, mentirosos o de poca memoria e de ninguna constancia. Muchos dellos por su pasatiempo, se mataron con ponzoña por no trabajar, y otros se ahorcaron con sus propias manos".[16]

A miles y miles de mujeres violaron o asesinaron arrojándoles perros para que las despedazaran.[17] Y como si esto no fuera suficiente, los conquistadores crearon harenes donde sometieron a niñas de edades comprendidas entre 12 y 14; años más tarde pululaban en los márgenes de las ciudades principales centenares de huérfanos que morían de hambre, sed y enfermedades espeluznantes. Hubo casos de suicidios individuales y colectivos causados por la desesperación: los indios optaban por quitarse la vida ante la posibilidad de la esclavitud, la tortura y la injusticia. Los rebeldes habitantes de la isla Cubagua, explotados por los buscadores de perlas, se mantenían bajo el agua hasta perder la conciencia y se amarraban piedras para nunca más volver a la superficie. En un reclamo furibundo al Consejo de Indias, el cacique rebautizado como Diego de Torres, vacilante, advertía que los muiscas no soportaban los crueles tratos y preferían la muerte antes que resignarse a una vida indigna.[18] En el asentamiento de Naco, que contaba con diez mil habitantes a la llegada de los españoles, la cifra se redujo a diez por la crueldad. En el Concilio de Lima de 1583, que ordenó la destrucción de la memoria escrita de los incas, se decía que los indios eran "bárbaros y poco accesibles a la razón, y que por esto necesitan más que otros la corrección corporal". Con esto se aludía a los azotes: miles y miles de indios se suicidaron por el dolor que les causaban las heridas recibidas en los castigos. Las indias sofocaban a los hijos en los ríos para que no sufrieran el mismo destino de sus padres, o les cortaban los brazos para que los españoles los clasificaran como inútiles y los dejaran en paz.

Si hay algo que me impresiona es cómo ha quedado desmentido que la mentalidad de los españoles era insensible a las masacres. Sabían lo que hacían; eran fanáticos. En el furibundo sermón *Una voz que clama en el desierto*, el dominico Antonio de Montesinos se atrevió a deslegitimar la conquista el domingo anterior a la oscura Navidad de 1511: "Decid, ¿con qué derecho y con qué justicia tenéis en tan cruel y horrible servidumbre a estos indios? ¿Con qué autoridad habéis hecho tan detestables guerras a estas gentes que estaban en sus tierras mansas y pacíficas?". Fray Bartolomé de Las Casas en su *Brevísima Relación de la destrucción de las Indias*, título bastante sugestivo, se quejaba en su momento: "Porque son tantos y tales los estragos y crueldades, matanzas y destrucciones, despoblaciones, robos, violencias y tiranías".[19]

En una carta destinada a refutar un editorial de la *Royal Gazette* de 1815, Simón Bolívar escribió: "Sería inútil llamar la atención de Ud. a los innumerables e incomparables asesinatos y atrocidades cometidos por los españoles para destruir a los habitantes de América después de la conquista, con el fin de conseguir la tranquila posesión de su suelo nativo. La historia relata ampliamente aquellos espantosos acontecimientos que han sido tan profundamente deplorados por el ilustre historiador Dr. Robertson, apoyado en la autoridad del gran filósofo y filántropo Las Casas, que vio, con sus propios ojos, esta nueva y hermosa porción del globo poblada por sus nativos indios, regada después con la sangre de más de veinte millones de víctimas".[20]

Contrario a lo que se argumenta, Steven Katz ha aducido que se trata de la mayor catástrofe demográfica del mundo.[21] Tzvetan Todorov ha sido el más contundente al repudiar a los historiadores que intentaron negar este suceso:

> Si alguna vez se ha aplicado con precisión a un caso la palabra genocidio, es a éste. Me parece que es un récord, no sólo en términos relativos (una destrucción del orden de 90% y más), sino también absolutos, puestos que hablamos de una disminución (*sic*) de la población estimada en 70 millones de seres humanos. Ninguna de las grandes matanzas del siglo XX puede compararse con esta hecatombe. Se entiende hasta qué punto son vanos los esfuerzos de ciertos autores para desacreditar lo que se llama la "leyenda negra", que establece la responsabilidad de España en este genocidio y empaña así su reputación. Lo negro está ahí, aunque no haya leyenda. No es que los españoles sean peores que otros colonizadores: ocurre simplemente que fueron ellos los que entonces ocuparon América, y que ningún otro colonizador tuvo la oportunidad, ni antes ni después, de hacer morir a tanta gente al mismo tiempo.[22]

Ni Gengis Khan, ni Hitler, ni Slobodan Milosevic, ni los verdugos que obedecían complacidos al tirano Josef Stalin, pudieron matar a tantos hombres, mujeres y niños como los europeos en América; el revisionismo académico no va a impedir que este horror pueda olvidarse. Las enfermedades epidémicas transmitidas por los soldados provocaron, en añadidura, millones de muertes; estos guerreros provenían de una España asolada por las pestes: la epidemia del norte de España dejó, por ejemplo, quinientos mil muertos desde 1599.[23] Para Henry F. Dobyns, 95% de la población de América Latina murió en los ciento treinta años siguientes a la llegada de Colón, y 90% de los nativos incas murió por las epidemias de viruela, tifus, difteria y sarampión que se sucedieron desde 1529.[24] Y lo más increíble es que América Latina decuplicaba el número de habitantes de España y Portugal.[25] La responsabilidad de las epidemias, en todo caso, se enmarca dentro de los crímenes voluntarios y no accidentales, pues los conquistadores causaron este daño con premeditación. Usaron a los enfermos que traían para diezmar a los indígenas y desmoralizarlos; no lo evitaron.

Para compensar este insólito genocidio, disculpado e innombrable, se concibió una solución más atroz. Debido a las protestas por el abuso contra los nativos, algunos miembros sentimentales de la Iglesia católica como Las Casas solicitaron piedad a los reyes y los asesoraron para buscar negros que hicieran los trabajos difíciles, y pronto se puso en práctica una bestial cacería humana en el territorio del África: Senegal, Guinea, Gambia, Cabo Verde, Sierra Leona, Congo, Angola, Benín y Mozambique.

Traficantes portugueses e ingleses, con participación de franceses, suecos y daneses, transportaron casi quince millones de seres humanos, y causaron cinco o seis millones de muertos en los viajes por mar o por hambre y un número superior falleció de fatiga en los puertos y minas, bajo la crueldad más inefable. Otros se suicidaron aterrados o ultrajados.[26] Los guerreros *bidyogos*, por decir, preferían morir a someterse, se doblaban la punta de la lengua hacia atrás, empujaban la glotis sobre la tráquea impidiendo la entrada y salida de aire de los pulmones y se asfixiaban.

V

Etnocidio, transculturación y memoricidio

Mientras investigaba estos datos, mudo de terror, en las bibliotecas solitarias de tres continentes, comprendí que la rapiña, sin embargo, no había sido exclusivamente económica; el genocidio tampoco se restringió a la masacre pura y simple. A mayor robo de materias primas, descubrí que más impulsiva y descarada fue la destrucción cultural o etnocidio; cada asesinato proporcionó excusas para aniquilar con más fuerza los símbolos de las víctimas; cada nuevo atropello demandó una transculturación más acelerada. Desde un primer instante, en la etapa de exploración, la desnaturalización y descertificación de la memoria histórica de América Latina significó manipulación, quema, desarticulación o censura y esto fue una constante vil que prevaleció en todas las naciones que contribuyeron con tan indignantes crímenes. No hubo excepciones: el monopolio comercial y delictivo fue cultural.

No fue suficiente con la temida extracción y usufructo, sino que se aplicó un procedimiento de exclusión por medios menos sutiles de discriminación, desprecio y rechazo cultural. La transculturación o sustitución de la memoria de América Latina se ejecutó con perfidia en tres fases: 1) Resquebrajamiento de la memoria sometida, evidente en las pérdidas y nostalgias. 2) Incorporación forzosa de la cultura dominante. 3) La supervivencia elaboró las estrategias de resistencia e integración híbrida que el grado del contacto asignó.

Hasta el nombre del continente fue arrebatado como derecho y se impuso la imaginación europea que se refirió a las "Indias", el "Nuevo Mundo", la "Vera Cruz" y que consagró el término América y no Colombea (como quisieron muchos), y nadie pensó en recuperar los nombres de las civilizaciones mexicas, mayas, caribes, andinas. Hoy los latinoamericanos afrontan otro estigma porque no son considerados "americanos": este honor se ha reservado a los habitantes de Estados Unidos. Si un mexicano, de origen maya, se autodenomina "norteamericano", es ridiculizado.

En todo caso, el proceso de apropiación y asimilación cultural fue lento, sistemático, feroz e implacable: sesenta por ciento de toda la memoria colectiva de América Latina fue robada o devastada con mezquindad: nada quedó a salvo de la depredación. A la pregunta de qué son los latinoamericanos, problema interpretado desde las más eclécticas propuestas, se anticipa el olvido deliberado de la amputación que sufrieron millones de su identidad al perder parte esencial de su memoria y reconfigurar su desgarramiento desde la ambivalencia y la ilusión dolorosa. Se ha olvidado incluso que este olvido se consagró.

En el inventario de notables ausencias, deben incorporarse hoy muestras de escritura como las que elaboraron aztecas y mayas, pero además obras de todas las etnias afectadas: pinturas, esculturas, tejidos, danza, canciones, composiciones musicales, fórmulas médicas, instrumentos, herramientas, cientos de patrimonios naturales y patrimonios culturales intangibles determinantes en el hacer simbólico y en la necesidad de comprensión de la realidad.

Extirpación o etnocidio: la labor de evangelización e hispanización, más una cruzada que una conquista,[27] fue una implantación radical que provocó quemas de miles de objetos de las religiones y culturas autóctonas. Los frailes definieron como demonios y objetos malignos casi todo el arte religioso nativo. Fray Diego Durán, quien pedía con sinceridad que se vigilara lo que soñaban los indios,[28] advirtió con desconfianza que existía la posibilidad de que éstos acudiesen a las iglesias sólo porque los edificios habían sido construidos con pedazos de sus vetustos templos. La incomprensión era tal que se confundían las obras de arte y las religiosas: en su entrada del diario correspondiente al día 29 de octubre de 1492, Colón comentaba que había hallado "muchas estatuas en figura de mujeres y muchas cabezas en manera de caratona muy bien labradas. No sé si esto tienen por hermosura o adoran en ellas".[29] No lo sabía y pocos lo supieron.

En su *Historia natural y moral de las Indias*, dada a conocer en la Sevilla de 1590, Joseph de Acosta reclamaba que no bastaba con eliminar los ídolos "demoniacos" de los indios para vencer la idolatría: era preciso desarraigar sus ideas sobre religión. En México, los ídolos de la destruida ciudad de Tenochtitlan fueron transportados a destinos ignotos, y en su busca los sacerdotes ordenaron el asesinato y tortura de decenas de nativos.

Hubo, por supuesto, destrucción premeditada y desidia, saqueo directo, devastación permanente y un mestizaje desigual que enmascaró los orígenes: según un especialista hubo mil setecientas cincuenta lenguas antes de la llegada a América de los europeos[30] y la implantación obligatoria de seis idiomas importados causó la extinción de mil lenguas y, sin embargo, pueden perderse mientras escribo trescientas setenta y cinco adicionales.

El idioma taíno, familia del arahuaco, primero en escuchar los españoles en el Caribe, resultó barrido en el exterminio de sus hablantes. En Brasil, 75% de las lenguas indígenas se extinguió desde su hallazgo en 1500. En Argentina, se hablaban lenguas ya extintas como el chané, el vilela, el selknam, el haush, el teushen, el gününa küne, el allentiac y el micayac. Para el siglo XVI, en México existían ciento setenta lenguas, pero para inicios del siglo XX apenas quedaban ciento diez y en el siglo XXI apenas existen sesenta y dos. La lengua kiliwa tenía en 2005 unos ocho hablantes de entre 43 y 89 años, aunque quedan unos cien descendientes de esta cultura con cinco milenios repartidos sobre todo en el municipio de Ensenada. De Guatemala, hay devastadores ejemplos como el del idioma aguacateco, que sólo hablan ahora unas veintitrés personas del municipio de Aguacatán en el departamento guatemalteco de Huehuetenango.

La cristianización produjo la negación temida de miles de rituales; la importación de expresiones musicales y literarias eurocéntricas desestimó las canciones populares, que se perdieron en su mayoría, y composiciones literarias de notable originalidad fueron desechadas. Se instaló un plan de énfasis psicológico de desmoralización. Bernardino de Rivera, conocido como Bernardino de Sahagún, señaló: "Esto es lo que, literalmente, ocurrió a los indios con los españoles. Fueron hasta tal punto pisoteados y destruidos ellos y toda su sociedad que no les quedó ya ninguna apariencia de lo que eran antaño".[31] Pero no debe falsificarse la historia atribuyendo exclusivamente a los españoles esta mentalidad destructiva: casi todos los europeos sucumbieron a sus propios fantasmas en América.

Este etnocidio que describo fue acompañado de un fenómeno de eliminación de la memoria, acreditado popularmente como "memoricidio" tras la catástrofe en la antigua Yugoslavia a fines del siglo XX, y tuvo sus comienzos en la época del humanismo clásico. Salvo excepciones honrosas, los mejores pensadores europeos consideraron que los indígenas eran ignorantes y bárbaros, seres sin alma, salvajes que debían ser sometidos a un nuevo orden político, económico, cultural y religioso; y teólogos como Ginés de Sepúlveda expresaron su convicción por medio de coartadas razonadas: "Siendo por naturaleza siervos los hombres bárbaros, incultos e inhumanos, se niegan a admitir la dominación de los que son más prudentes, poderosos y perfectos que ellos; dominación que les traería grandísimas utilidades, siendo además cosa justa, por derecho natural, que la materia obedezca a la forma, el cuerpo al alma, el apetito a la razón, los brutos al hombre, la mujer al marido, los hijos al padre, lo imperfecto a lo perfecto, lo peor a lo mejor, para bien universal de todas las cosas. Éste es el orden natural que la ley divina y eterna manda observar siempre. Y tal doctrina la han confirmado no solamente con la autoridad de Aristóteles, a quien todos los filósofos y teólogos más excelentes veneran como maestro de la justicia y de las demás virtudes morales y como sagacísimo intérprete de la naturaleza y de las leyes naturales, sino también con las palabras de Santo Tomás".[32] Nunca se creyó que los indígenas tuvieran una cultura valiosa y cuando se creyó no importó.

En el nombre inflexible de Aristóteles o Tomás de Aquino, el daño premeditado quiso ser justificado: el proyecto intentaba someter a indígenas y africanos a una derrota total. En buena medida, la guerra justa fue una de las nociones que se aplicó para la conquista de América Latina. El erudito Francisco de Vitoria, desesperado por no encontrar sentido a su vida, pensaba que el rechazo de los indígenas al comercio y a la evangelización eran de por sí una injuria suficiente como para legitimar una acción de guerra.[33]

En 1579, como respuesta a los innumerables abusos que fabricó la institución de la Encomienda, el cacique Oberá ("el que brilla") de los guaraníes, se rebeló contra los conquistadores y misioneros en una guerra perdida de antemano que se extendió sin tregua hasta Guarambaré. Entre las muchas cosas que defendía este valiente hombre, estaba el derecho a conservar su *tekohá*, es decir, "el lugar del tekó", que es como se referían a su hábitat comunal, donde se preservaba la cultura. Su *ñande reko* era su vocablo para "modo de ser" y en uno de los ataques más divulgados se dice que los guaraníes enfrentaron a los españoles con una danza de guerra para mostrarles que no era parte de su identidad la posibilidad de rendirse. A un jesuita que quiso adoctrinarlo, "uno de los principales caciques le dijo con mucha determinación y dureza que se volviese para su tierra porque ellos no habían de admitir otro ser (su frase es ésta) al que sus abuelos heredaron".[34]

Sin embargo, la tradición de pillaje y devastación cultural fue indetenible y no se confinó a los siglos XVI y XVII: la verdad es que jamás cesó tal descalabro. En ese sentido, he observado que el saqueo ha tenido tres etapas: conquista, colonialismo y poscolonialismo. Entre los siglos XVIII y XXI, los sistemas culturales corrieron grave peligro al ser vaciados de sus contenidos primordiales: piezas de arte prehispánico o colonial y de la etapa modernista y surrealista, bibliotecas, archivos y ediciones únicas, expresiones orales únicas, no resistieron el embate criminal. Templos, caminos y monumentos prehispánicos quedaron en ruinas o fueron tapiados con propuestas arquitectónicas de las nuevas culturas, con trazados cuadriculados de origen helénico. El Cusco es un ejemplo que se repite por toda la región.

VI

Estados Unidos contra América Latina

Durante los choques de emancipación en el siglo XIX, las grandes potencias europeas no pudieron contener el repudio popular, pero el costo de esta reacción fue muy alto porque la guerra asoló buena parte de la memoria que permanecía y de la nueva memoria que produjo la era colonial con sus documentos y obras artísticas. La anarquía permitió a Inglaterra suplantar con persistencia a España, a Francia y a Portugal en el despojo de América Latina, aunque no evitaría que Estados Unidos asumiese el control absoluto de sus más próximos vecinos. John Adams había escrito en 1804 que "México centellea ante nuestros ojos. Lo único que esperamos es ser dueños del mundo". Esta ambición confirmó que la voraz expansión estadounidense en el hemisferio sería un mal inevitable: México perdió la mitad de su territorio y comenzaron cientos de intervenciones militares y políticas en distintos países bajo la consigna del "Destino Manifiesto", y se promovió al mismo tiempo un dominio cultural que debió ser asumido como inexorable. Para 1898, se habían apropiado de Cuba, Puerto Rico y dividieron a Colombia para asegurar el canal de Panamá. En 1912, William Howard Taft dijo: "No está lejano el día en que tres banderas de barras y estrellas señalen en sitios equidistantes la extensión de nuestro territorio: una en el Polo Norte, otra en el Canal de Panamá y la tercera en el Polo Sur. Todo el hemisferio será nuestro de hecho, como en virtud de nuestra superioridad racial ya es nuestro moralmente".[35]

Para consolidar ese proyecto, se instaló una infraestructura para remplazar con eficiencia la labor de pillaje de los europeos, y fue imprescindible utilizar mecanismos inéditos de penetración que en dos siglos terminarían por comprometer el campo de la educación o los medios de comunicación radiales, impresos o televisivos en el siglo XX. Desde la doctrina Monroe, el corolario Roosevelt, o los pactos incumplidos como la Alianza para el Progreso de John F. Kennedy, el Nuevo Diálogo de Richard Nixon y Henry Kissinger y la Iniciativa Empresarial para las Américas de George W. Bush, todo apuntó a articular una influencia cultural basada en el temor y en la incapacidad de resistencia, en la apertura de mercados económicos para las compañías voraces. Aldeas de indios y campesinos desaparecieron como consecuencia de la instalación de campos petroleros o mineros. En Brasil, el ecocidio contra los bosques en el Amazonas no se gestó sin ruptura cultural de las comunidades nativas que fueron extorsionadas y escarnecidas. Pueblos enteros fueron arrasados para edificar ciudades que representaran el nuevo tiempo: los tractores pasaron por encima de los asentamientos como parte de un plan de construcción con base en la deslegitimación del pasado.

Después de 1945, mientras el mundo contemplaba sin aliento la guerra fría más tibia de la historia, las agencias de inteligencia de Estados Unidos financiaron y formaron a decenas de militares latinoamericanos surgidos de una estrategia para combatir el marxismo o el indigenismo y la guerra supuso masacres, devastación de estructuras que perdieron por completo su vigor inicial y apenas subsistieron en escombros. Al igual que durante la oscura época del mccarthismo, decenas de personas que se negaron a ser sumisos fueron asesinados desde México hasta Tierra del Fuego, pero también se borró todo recuerdo suyo: hoy son los desaparecidos, los anónimos. El anuncio de este conflicto destinado a borrar la memoria colectiva contemporánea de la región fue expuesto por el general Videla en Argentina el 8 de julio de 1976: "La lucha se dará en todos los campos, además del estrictamente militar. No se permitirá la acción disolvente y antinacional en la cultura".

El frente cultural antimarxista intimidó en el sur: hoy se conocen casos de autores que quemaron sus propios manuscritos y libros en el interior de sus casas para no ser atormentados o asesinados. Y hasta la fecha presente, como prueba de la enorme amnesia que marca los destinos de estos pueblos, no hay un solo oficial detenido por el enorme memoricidio desatado contra toda señal de oposición. De hogar en hogar, se realizaron operaciones de purga y esto se mantuvo en silencio. Hoy no hay juicios abiertos en ningún país de América Latina por los daños culturales causados por las dictaduras del siglo XX con el apoyo invariable de gobiernos estadounidenses.

VII

Negligencia y tráfico ilícito

En la tremebunda historia del saqueo cultural de América Latina, no valen las conjeturas a medias. Todo ha sido y es perturbador: todo parece haber contribuido con la calamidad.

En los actuales momentos, por decir, están desapareciendo cientos de incunables y miles de libros antiguos debido a la falta de presupuesto para su restauración y conservación. El 50% de las bibliotecas de América Latina soporta abandono y desidia e igual pasa con los archivos, incendiados o descuidados para ocultar prácticas administrativas o políticas deplorables. También la memoria oral ha sufrido desfalco porque cientos de comunidades han sido alteradas y sus tradiciones han ido desapareciendo. El fenómeno del colonialismo se acentuó: la independencia de muchos países fue a medias política, raras veces económica o cultural. El etnocidio se combinó con la etnofagia: la insistencia internacional en los derechos humanos obligó a las grandes potencias a diseñar un programa sutil para devorar los rasgos centrales de las culturas pequeñas por medio de la seducción económica global.

América Latina ha sido considerada como la más confiable despensa de bienes culturales. El tercer delito más rentable en la región, según las cifras de Interpol, es el tráfico ilícito de obras de arte, libros antiguos, fotografías, piezas religiosas y objetos arqueológicos: una agresión que aprovecha la falta de seguridad en museos, bibliotecas y asentamientos y responde a un mercado clandestino de compradores inescrupulosos interesados en cualquier muestra fundamental de las culturas prehispánicas.

En su busca, los traficantes han destruido monumentos, tumbas e iglesias en Ecuador, Colombia, Belice, Guatemala y Honduras. Los asentamientos recuerdan los paisajes lunares que hemos visto gracias a los telescopios. En Amazonas, roban las urnas de las tribus; en Costa Rica y Panamá trafican con águilas colgantes de oro. No hay un museo arqueológico que no haya sido robado con saña y bajo la astuta complicidad de los vigilantes. En el Museo Carlos Zevallos Menéndez, de Guayaquil, una banda disimuló el robo de máscaras Tumaco-Tolita con un incendio en el edificio que arruinó cientos de obras. Los pecios, localizados bajo las aguas con los restos de barcos que transportaban oro y plata o minerales a España, hoy atraen a cientos de piratas modernos que utilizan buzos y submarinos especiales para saquear estos hallazgos que, por falta de presupuesto, son explorados sin continuidad.

Se trata de una realidad apenas visible. Los historiadores resaltan con vergüenza la quema de libros de Alemania en 1933; condenan la destrucción de la cultura musulmana a manos de los serbios; critican la devastación de estatuas budistas en Bamiyán; pero en el fondo subestiman e ignoran, por ejemplo, las consecuencias del exterminio realizado por los europeos y estadounidenses con millones de latinoamericanos y su patrimonio cultural. Por mera ironía, los destructores han sido beatificados por las élites culturales: fray Juan de Zumárraga, inquisidor y destructor de los aztecas, ha pasado a las crónicas como bibliófilo y fundador de bibliotecas. Diego de Landa, destructor de los mayas, hoy da nombre a institutos de filología. Los traficantes han sido premiados como salvadores. Los museos estadounidenses y europeos que adquirieron por medio del robo sus colecciones han recibido distinciones excepcionales.

Las evidencias documentales de saqueo y destrucción de América Latina han sido eliminadas en gran parte, o desaparecidas por largos periodos como sucedió con los manuscritos de fray Sahagún, que se perdieron en dos oportunidades y obligaron al erudito a reescribir su obra ya anciano, y su manuscrito final fue publicado completo en 1979, cientos de años después de su composición. El manuscrito de la *Historia de las Indias de Nueva España* del dominico Diego Durán, escrito entre 1576 a 1581, se mantuvo oculto hasta el siglo XIX. La obra de Eduardo Galeano titulada *Las venas abiertas de América Latina* ha sido quemada y vetada: se han encontrado cuerpos en Argentina asesinados por poseer ese libro. Pese a los esfuerzos evidentes por entender el pasado desde una perspectiva más plural, me parece que hay un vértigo internacional a la hora de examinar la historia latinoamericana. Hay temor por la magnitud de los daños y lo que representa este vacío. Las pugnas políticas han propiciado un discurso exaltado, improvisado y panegírico sobre cada aspecto cultural.

Por eso, y por el resto que detallo en las páginas que siguen, he creído oportuno examinar con atención las causas del etnocidio de América Latina. He pasado mi vida investigando sobre casos de saqueo cultural en distintas épocas o lugares y hoy puedo asegurar que estoy horrorizado. He comprendido —más bien asumido— que el etnocidio ha sido la causa intransitable de la dependencia cultural y de los graves problemas de identidad que afectan a los latinoamericanos. Sólo se puede ser lo que recuerda que se es; y si los recuerdos están mutilados, la identidad aparece vulnerada, confusa, intimidada.

En este libro, quise insistir primero en la crónica histórica del desastre contra la cultura latinoamericana desde la llegada de Colón al tráfico ilícito de bienes culturales que se mantiene en el siglo XXI. La segunda parte proporciona una reflexión sobre el papel de las conquistas y guerras en los saqueos culturales, en la historia de la humanidad, presento una discusión actual sobre la relación entre imperio y cultura e imperio y lengua, y finalizo con la exposición de los rasgos de la guerra contra la diversidad cultural. La tercera parte presenta un análisis de cómo funciona socialmente el mecanismo de eliminación o manipulación de la memoria para dar inicio a los procesos posteriores o simultáneos de transculturación. Los pueblos latinoamericanos fueron transculturados, pero también translinguados. Asimismo he revisado el significado esencial que tiene la memoria mítica y social y la indisoluble relación entre memoria, cultura e identidad. Como bien se sabe, la élite de cada imperio histórico (español, portugués, holandés, francés, inglés) ha reconocido que la supremacía no puede sostenerse por la fuerza de las armas o de un modelo económico, político y religioso: se requiere la imposición de formatos culturales y la práctica de lo que los romanos denominaban *damnatio memoriae* o *memoria damnata* sobre los pueblos vencidos.[36] Dado que la memoria colectiva —el acervo de registros materiales e inmateriales de una comunidad— es el vínculo más importante de la identidad nacional, debemos notar que es lo primero en ser amenazado o atacado durante un proceso de etnocidio. Según propongo, la ideología hegemónica está destinada a provocar vergüenza por la singularidad pasada.

Los programas educativos de América Latina sólo han servido, salvo excepciones, para estimular la negación del gran saqueo sufrido.

El futuro de América Latina depende más de la justicia que de la omisión; creo que la labor intelectual debe apuntar a subrayar que la justicia sin memoria es un instrumento metafísico y que el desarrollo sin justicia es una emboscada contra la dignidad.

PRIMERA PARTE

El saqueo cultural de América Latina

Es preciso entender que la destrucción
del patrimonio cultural de un país,
que la indiferencia ante la destrucción
de la identidad cultural que ha mostrado
la mayoría de los gobiernos de los
países de América Latina, no es el producto
de una posición fortuita. Es, por el contrario,
originada en una concepción ideológica
de las historias nacionales, que niega su validez
a la creatividad de los pueblos autóctonos.

IRAIDA VARGAS Y MARIO SANOJA,
Historia, identidad y poder, 1993

CAPÍTULO I

El primer etnocidio

Barbaridades que la presente edad ha rechazado
como fabulosas, porque parecen superiores
a la perversidad humana; y jamás serían creídas
por los críticos modernos, si constantes y repetidos documentos
no testificasen estas infaustas verdades.

SIMÓN BOLÍVAR, *Carta de Jamaica*, 1815

EL ASESINATO DE LA MEMORIA

El 13 de agosto de 1970, los mexicanos asisiteron atónitos al descubrimiento de una estatua de tres mil kilos y casi tres metros, distinguida por garras filosas y colmillos, adornada con una falda de serpientes y un collar de corazones, y se supo entonces que había sido ocultada bajo tierra, en el siglo XVI, al igual que ocurrió con la ciudad de Tenochtitlán, la gran capital de los aztecas. Se trataba de la representación de la diosa Coatlicue, dueña de la vida y la muerte de los hombres.

La obra fue transportada, con reservas, al patio de la Universidad de México, donde una comisión de teólogos y eruditos admiró la gran habilidad del artista, elogió su valor y, días más tarde, la rechazó y sugirió sepultarla otra vez porque su sola presencia despertaba el recuerdo agitado de la religión antigua entre los indios escépticos a las bondades del cristianismo que los había devastado.[1] En 1804, el barón Alexander von Humboldt pidió ver esta muestra de arte, cuya belleza había llegado a sus oídos, y las autoridades desconsoladas permitieron con resignación que el sabio alemán la examinara y luego procedieron a enterrarla de nuevo hasta 1982, fecha en la que el gobierno aceptó que se expusiera al público.

Pero esta curiosa historia se repitió el esperado 17 de diciembre del mismo año de 1790. Un grupo indiferente que trabajaba en la construcción del costado sur de la Plaza Mayor, descubrió la Piedra de Sol, un gigantesco y misterioso monolito con un calendario azteca solar y ritual. Desanimados, los frailes no encontraron otra forma de impedir una revuelta que adosando la obra a un muro de la Catedral Metropolitana, donde fue tiroteada por diversión, y sólo la presión pública permitió que este monumento extraordinario se conservase y fuese separado de las manos de la iglesia y llevado a un museo.

Encubrimiento y silencio, pero sobre todo complicidad impar para la utopía del olvido: la vasta operación de adhesiones al saqueo cultural no tuvo repercusiones entre quienes estaban llamados a denunciar el fenómeno y la crítica se sostuvo en áreas económicas y sociales. Raras veces se divulgó lo concerniente al patrimonio histórico, que fue apenas la vaga reminiscencia de grupos académicos sin mayor poder de convocatoria política o el reclamo sin dolientes de las etnias. La nostalgia pasiva determinó durante siglos los esfuerzos teóricos destinados al catálogo del escamoteo en el ámbito de la cultura.

Es una situación absurda si se considera la profunda crisis psicológica que este pillaje provocó no sólo entre los descendientes de los africanos e indios, sino también entre todos los que perdieron arte, costumbres, gastronomía, e incluso modos de ser bajo la presión de un choque cultural asimétrico sin precedentes en la historia de la humanidad. Lo más curioso es que el especialista que pretende romper este cerco y aproximarse, por ejemplo, al pasado escrito o artístico de América Latina, debe viajar al extranjero porque los objetos de estudio se encuentran repartidos en cientos de museos europeos, estadounidenses y canadienses y cientos de colecciones particulares en el mundo: en la Fundación Carnegie, Yale, en el Británico, Mankind, o en la Universidad de Oxford, en Bolonia, Faenza, Ciudad del Vaticano, Roma, Finlandia, Israel, Rusia, Dinamarca, en el Museo de América o el Instituto Gómez Moreno de España y asimismo en los museos Braux-Arts, de L'Homme y el Ensamblée Nationale, en el Rietberg Zurich, en el Völkerkunde, y un largo etcétera.

Ante el intento sorprendente de restituir o recuperar las bases para aproximarse a los elementos más valiosos perdidos en la vorágine inédita de la crónica común, ha persistido la semblanza habitual, la descripción fenomenológica tatuada sobre la indiferencia de los investigadores, el contrabando de análisis, y de este modo explica lo que son los pueblos de América Latina a partir de una visión incompleta donde lo preservado y lo destruido se complementan de una forma generosa y transformadora. No obstante, el acoso al que fue sometida la región por turnos no creó una consciencia de reacción o impulso (para recuperar, por ejemplo, los símbolos robados) sino de apatía, ironía, rencor y confusión entre quienes podían haber asumido el discurso crítico sobre la cultura.

ANTECEDENTES

Debo insistir —sin reparos— en que la etapa occidental de América Latina, entre equívocos, asombros iniciales, desencantos, gestos disolutos y usura de frases hechas, fue inquisitiva. Es importante saber que cuando España llegó a América en 1492, ya había sido creada la Inquisición en 1478: en los Autos de Fe de 1481 fueron quemados vivos seis acusados. La incipiente nación había sufrido siete siglos de guerra desde que en el año 718 el monarca Pelayo se rebeló contra el poder musulmán que dominaba en el territorio de la antigua Hispania. El 2 de enero de 1492, Isabel de Castilla y Fernando de Aragón finalizaron los combates en el asedio de Granada, el último bastión del reino Al-Andalus, y consiguieron la rendición de Abu Ad´ Allah, popularizado como Boabdil. El triunfo dilatado implicó la expulsión y exterminio de cientos de miles de musulmanes. La unidad religiosa y política conseguida por la fuerza, sin embargo, corrió peligro porque el sector mayoritario de los campesinos estaba arruinado, las arcas del tesoro real y clerical se habían vaciado después de la guerra, y, por tanto, era necesario un milagro, aunque era inimaginable entonces que la solución podría derivar de una zona del planeta presentada por los filósofos, y considerada inexistente por los geógrafos y teólogos.

Un misterioso personaje probablemente genovés llamado Cristóbal Colón, lector asiduo de Marco Polo, apareció cuando nadie podía predecir qué sucedería en el futuro y convenció a los reyes de financiar un insólito proyecto que ya había presentado con mala fortuna en Portugal para descubrir una nueva ruta a las Indias, y recibió dinero y permiso para poder emprender el viaje desde el puerto de Palos el 3 de agosto de

1492, en la misma fecha en la que el Decreto de la Alhambra establecía que todos los judíos debían abandonar España. Sin saberlo, o a sabiendas, Colón, un obsesivo buscador del mítico Cipango, tras cruzar el océano Atlántico, encontró el 12 de octubre un nuevo mundo que se convertiría en la salvación del proyecto español. Fernán Pérez de Oliva desenmascaró este propósito en su *Historia de la invención de las Indias*, cuyo manuscrito estuvo perdido casi cuatrocientos cincuenta años y reapareció en 1965. En su obra, este cronista insistió en que el plan era "dar a aquellas tierras extrañas forma de la nuestra",[2] lo que desenfundó la teoría de las maquetas exportables.

De los cuatro mil kilómetros cuadrados que tenía la Corona española en la reconquista para 1490, el apetito territorial pasó a cincuenta mil kilómetros cuadrados en 1500, y para 1540 ya contaban con dos millones de kilómetros cuadrados.[3] Desde el primer momento, la invasión de América fue una empresa destinada a salvar a la aristocracia naciente en España de la situación de caos que se avecinaba y todo fue lícito: el genocidio de indios y negros, el tráfico de esclavos y el pillaje confeso. Colón, temeroso de no ser creído a su vuelta de lo visto y vivido, secuestró el 14 de octubre a siete indios taínos y advirtió sobre lo que sería la más trágica realidad en los años venideros: "con cincuenta hombres los podemos tener a todos dominados".[4]

Llama la atención el contraste que se puede observar entre la visión de los españoles y los nativos. Bernal Díaz del Castillo apuntaba sobre México: "nos quedamos admirados, y decíamos que parecía a las cosas de encantamiento que cuentan en el libro de Amadís…y no es de maravillar que yo escriba aquí de esta manera, porque hay mucho que ponderar en ello que no sé cómo lo cuente: ver cosas nunca oídas, ni aun soñadas, como veíamos".[5]

Por otra parte, los indígenas denunciaban la conquista de Tenochtitlan en 1521: "Y cuando hubieron llegado a la casa del tesoro, llamada Teucalco, luego se sacan afuera todos los artefactos tejidos de pluma, tales como travesaños de pluma de quetzal, escudos finos, discos de oro, collares de los dioses, las lunetas de la nariz, hechas de oro, las grebas de oro, las ajorcas de oro, las diademas de oro. Inmediatamente fue desprendido de todos los escudos el oro lo mismo que de todas las insignias. Y luego hicieron una gran bola de oro, y dieron fuego, encendieron, prendieron llama a todo lo que restaba, por valioso que fuera: con lo cual todo ardió".[6]

¿Cómo pudo la admiración transformarse súbitamente en una depredación semejante? Durante la exploración de las islas del Caribe, el asombro coincidió con la destrucción de imágenes religiosas y artísticas. Mientras se elogiaba la naturalidad de los indios, se arrasaban sus costumbres. Los españoles estaban confundidos: en la guerra de reconquista pelearon contra pueblos islámicos sin imágenes religiosas; los indios, en cambio, tenían miles de obras veneradas por su estética y su connotación religiosa. Habría mucho que decir al respecto, pero baste señalar que en el ataque a Tenochtitlan se perpetró el primer gran saqueo cultural de América Latina. Y nada lo ha impedido desde entonces: desde 1492 hasta 2007, son quinientos quince años de rapiña. Las obras de arte, en su mayoría, fueron fundidas en oro en el siglo XVI e inundaron las capitales europeas como todavía lo hacen los objetos que el tráfico ilícito coloca en esas mismas ciudades. Acaso han cambiado las cantidades; no el procedimiento.

LOS TAÍNOS Y LA PRIMERA EXPERIENCIA DE DESTRUCCIÓN

Lo que iba a suceder en el resto del Nuevo Mundo fue experimentado inicialmente con una crueldad ilimitada e inagotable en la pequeña y replegada isla que Cristóbal Colón bautizó con el nombre de La Española o Hispaniola, residencia natural de los taínos, una tribu tan particular que hasta su nombre significaba "bueno" en su lengua.

A saber, los taínos eran arahuacos; estaban organizados socialmente en "aldeanos", "chamanes" o sacerdotes y "caciques" (la palabra quería decir "que tiene casa"); eran adversarios de los feroces indios caribes, y se distinguieron como agricultores competentes que cultivaban yuca; entre sus obras de arte creaban cerámicas, tejidos, huesos y piedras talladas y obras hechas en oro que servían para homenajear a sus numerosos dioses o a los cemíes. No tenían escritura, pero transmitían sus conocimientos por medio de la música, y utilizaban tambores: "Tienen por costumbre inmemorial, particularmente en las mansiones de los reyes, hacer que sus boicios o sabios instruyan a sus hijos de memoria en el conocimiento de las cosas. Con esta enseñanza son dos fines que persiguen: uno general, tocante al origen y sucesión de los acontecimientos, y otro particular, que atañe a las ilustres hazañas en la paz y en la guerra de sus padres, abuelos, bisabuelos y demás antepasados. El contenido de ambas enseñanzas lo tienen en versos a que llaman 'areítos', y como entre nosotros los tañedores de cítara, ellos los cantan, acompañándolos de danzas, al son de atabales".[7]

Pedro Mártir de Anglería, designado primer cronista oficial de las Indias, fue autor de este párrafo y de otros en los que idealizó a los taínos al comentar que vivían "desnudos, sin pesas, sin medidas y, sobre todo, sin el mortífero dinero en una verdadera Edad de Oro, sin jueces calumniosos y sin libros, satisfechos con los bienes de la naturaleza, y sin preocupaciones por el porvenir".[8] Este mito del buen salvaje, por supuesto, fascinó a todos los europeos que lo conocieron y a quienes sólo lo imaginaban; no obstante, eso no impidió que los primeros hombres secuestrados de América Latina fueran taínos y que fueran sometidos casi a la extinción. Con el plan de someterlos, Colón dejó a treinta y nueve hombres en la isla durante su primer viaje, que cometieron todo tipo de excesos y al final perecieron, y emprendió su segundo viaje confiado en conseguir oro con mil doscientos o mil quinientos hombres de los más variados oficios, y colocó a sus hermanos en la administración; pidió a uno de los religiosos, llamado Ramón Pané, que aprendiera las costumbres y la lengua de los taínos, lo que finalmente hizo y redactó el primer libro de un europeo en las tierras recién descubiertas titulado *Relación acerca de las antigüedades acerca de los indios*, cuyo original se perdió y fue sospechosamente transcrito por Hernando Colón. Esa obra, en particular, revela datos chocantes de la cultura posteriormente aniquilada.

En 1500, ante un desastre incontenible que incluía asesinatos contra los indios y violaciones contra sus mujeres, Francisco de Bobadilla, un soldado procedente del asedio feroz de Granada, apresó a los hermanos Colón, a quienes trasladó con grilletes hasta España. Por orden de los reyes, Nicolás de Ovando viajó a La Española con treinta barcos y dos mil quinientos colonos entre los que se encontraba Francisco Pizarro y Bartolomé de Las Casas. Ovando tenía la misión de asegurar los nuevos dominios y por eso no vaciló en propiciar escarmientos para someter a los taínos, cuya población se redujo por epidemias, exceso de trabajo o masacres como la de Xaragua, hasta alcanzar la cifra de treinta mil habitantes en 1502. Ovando, además, importó esclavos negros, introdujo cultivos nuevos como la caña de azúcar, estimuló la minería, borró la cultura nativa a la que superpuso un urbanismo de naturaleza europea, auspició la evangelización y logró imponer la figura de la encomienda.

La "extirpación de idolatrías" contra los taínos apuntó a eliminar sus cemíes, que eran estatuas de piedra o madera. Pané contaba: "Los de madera se hacen de este modo; cuando alguno va de camino dice que ve un árbol, el cual mueve la raíz; el hombre con gran miedo se detiene y le pregunta quién es. Y él le responde: llámame a un behique y él te dirá quién soy. Y el hechicero o brujo corre enseguida a ver el árbol (...) y le pregunta: Dime quién eres, y qué haces aquí, y qué quieres de mí y porqué me has hecho llamar. Dime si quieres que te corte, o si quieres venir conmigo, y cómo quieres que te lleve (...) Entonces aquel árbol o cemí, hecho ídolo o diablo, le responde diciéndole la forma en que quiere que lo haga".[9] Sobre las estatuas de piedra, advirtió el cronista que servían para "hacer parir a las mujeres preñadas. Hay otros que hablan (...) otros tienen tres puntas, y creen que hace nacer la yuca." Este animismo, por supuesto, fue combatido y se quemó vivos a todos los adoradores de esta religión.

HERNÁN CORTÉS DESTRUYE TENOCHTITLAN

Antes de llegar a Tenochtitlan, Hernán Cortés (1485-1547) siguió una ruta de destrucción cultural extravagante. Según el cronista López de Gomara, Cortés había confesado que su propósito de ir a la guerra con los indios no había sido otro que quitarles sus ídolos,[10] es decir, practicar la idoloclastia.[11] En el capítulo primero de sus ordenanzas, Cortés, que disimulaba sus apetencias de riqueza, admitió que su principal motivación era "apartar e desarraigar de las dichas idolatrías a todos los naturales destas partes".[12] En 1519, visitó los pueblos de Cozumel y vio el templo de la diosa Ixchel, que representaba el arcoiris y era protectora de la fecundidad. No pudo no asombrarse de la pirámide con escalinatas y del fervor que le profesaban los indígenas, pero aun así interrumpió las ceremonias religiosas y pidió que se sacaran las estatuas que encontró para colocar en el altar una Virgen, ordenó que se arrojaran todos los ídolos y luego encargó a los indígenas cuidar con sus vidas la nueva imagen cristiana.[13] Es posible, según la crónica de Pedro Mártir de Anglería, que hubiese visto una enorme colección de textos: "¡oh, Padre Santo!, libros innumerables".[14] Nada de esta enigmática biblioteca se preservó.

También Cortés arrasó Cholula, donde se encontraba el centro religioso más importante de la región. La pirámide, con ciento veinte escalones, permitía dar un vistazo a una villa que para entonces tenía ciento cincuenta mil habitantes. Con el respaldo de los indios tlaxcaltecas y los cempoaltecas (no fue excepcional que algunas tribus se uniesen a los españoles para enfrentar a sus enemigos), Cortés permitió que se cometiera una masacre y se conoce que el templo de Huitzilopochtli ardió durante al menos dos días. Los sacerdotes que acompañaban al conquistador aprovecharon para blanquear las paredes de los templos y colocar cruces para purificar los magníficos edificios.

A ochenta y tres kilómetros de Cholula, el emperador de los aztecas, Moctezuma, temeroso por augurios terribles quiso disuadir a los conquistadores de aproximarse a Tenochtitlán, pero finalmente se resignó con un valor sin temple y decidió recibirlos con regalos y atenciones especiales. Cortés, estupefacto y a la vez animado por una insaciable curiosidad, no se negó al buen trato y se alojó al principio con sus hombres en el palacio de Axayácatl, en las proximidades de la Plaza Mayor. Al día siguiente, el 9 de noviembre de 1519, los españoles pasearon por las calles de la ciudad y conocieron el mercado de Tlatelolco, subieron a la pirámide de ciento trece gradas, descubrieron tesoros ocultos, pero pronto sintieron cansancio y recelo y apresaron sin piedad a Moctezuma, quien pasó de ser el orgullo de su pueblo a ser el súbdito vacilante de un grupo pequeño que representaba los intereses prejuiciados de un imperio lejano.

Cortés, sedicioso, aniquiló la cultura de los aztecas por su propia mano, como lo ha contado en su testimonio Andrés de Tapia:

El marqués fue al patio de los ídolos, e habie enviado de su gente por tres o cuatro partes a ver la tierra, e ciertos dellos a apaciguar cierta tierra que Muteczuma dijo que se le rebelaba, ochenta leguas de México, e otros eran idos a recoger oro por la tierra en esta manera: que Muteczuma enviaba por su tierra mensajeros que iban con españoles, e llegados a los pueblos, dicien al señor del pueblo: "Muteczuma y el capitán de los cristianos os ruegan que para enviar a su tierra del capitán, les deis del oro que tuviéredes"; e así lo daban liberalmente, cada cual lo que quirie. Así que a la sazón que el marqués fue al patio de los ídolos, tiene consigo poca gente de la suya; e andando por el patio me dijo a mí: "Subid a esa torre, e mirad qué hay en ella"; e yo subí e algunos de aquellos ministradores de la gente subieron conmigo, e llegué a una manta de muchos dobleces de cáñamo, e por ella había mucho número de cascabeles e campanillas de metal; e queriendo entrar hicieron tan grande ruido que me creí que la casa se caie. El marqués subió como por pasatiempo, e ocho o diez españoles con él; e porque con la manta que estaba por antepuerta, la casa estaba escura, con las espadas quitamos de la manta, e quedó claro. Todas las paredes de la casa por de dentro eran hechas de imaginería de piedra, de la conque estaba hecha la pared. Estas imágenes eran de ídolos, e en las bocas destos e por el cuerpo e partes tenían mucha sangre, de gordor de dos e tres dedos, e descubrió los ídolos de pedrería, e miró por allí lo que se pudo ver, e suspiró habiéndose puesto algo triste, e dijo, que todos lo oímos "¡Oh Dios! ¿por qué consientes que tan grandemente el diablo sea honrado en esta tierra? e ha, Señor, por bien que en ella te sirvamos"; e mandó llamar los intérpretes, e ya al ruido de los cascabeles se había llegado gente de aquella de los ídolos, e díjoles: "Dios que hizo el cielo y la tierra os hizo a vosotros y a nosotros e a todos, e cría lo con que nos mantenemos, e si fuéremos buenos nos llevará al cielo, e si no, iremos al infierno, como más largamente os diré cuando más nos entendamos; e yo quiero que aquí donde tenéis estos ídolos esté la imagen de Dios y de su Madre bendita, e traed agua para lavar estas paredes, e quitaremos de aquí todo esto". Ellos se reían, como que no fuera posible hacerse, e dijeron: "No solamente esta ciudad, pero toda la tierra junta tienen a estos por sus dioses, y aquí está esto por Uchilobos, cuyos somos; e toda la gente no tiene en nada a sus padres e madres e hijos, en comparación deste, e determinarán de morir; e cata que de verte subir aquí se han puesto todos en armas, y quieren morir por sus dioses". El marqués dijo a un español que fuese a que tuviesen grande recaudo en la persona de Muteczuma, e envió a que viniesen treinta o cuarenta hombres allí con él, e respondió e aquellos sacerdotes: "Mucho me holgaré yo de pelear por mi Dios contra vuestros dioses, que son nonada"; y antes que los españoles por quien habie enviado viniesen, enojóse de palabras que oie, e tomó con una barra de hierro que estaba allí, e comenzó a dar en los ídolos de pedrería; e yo prometo mi fe de gentilhombre, e juro por Dios que es verdad que me parece agora que el marqués saltaba sobrenatural, e se abalanzaba tomando la barra por en medio a dar en lo más alto de los ojos del ídolo, e así le quitó las máscaras de oro con la barra, diciendo: "A algo nos hemos de poner por Dios".[15]

Moctezuma, tal vez confundido, aceptó que fueran expulsados sus dioses y trasladó con desconfianza sus ídolos a lugares más seguros; pactó que una imagen de la Virgen y de San Cristóbal fuesen colocados en el Templo Mayor.[16] Cortés, que ya enfrentaba una rebelión entre sus propios hombres, salió posteriormente de Tenochtitlan, sin saber que ya nada volvería a ser igual. A su retorno, se enteró de que Pedro de Alvarado, responsable de la ciudad en su ausencia, no tuvo la autoridad para mantener el control y ante un ataque de la población causó una cruel matanza entre la aristocracia azteca y no pasó mucho tiempo antes de que se desatara una insurrección que acabó con la vida del mismo Moctezuma, quien quiso mediar a favor de los conquistadores y recibió a cambio pedradas contra su cuerpo y una herida mortal que lo condenó pronto a la muerte.

Lo cierto es que el 30 de junio de 1520, se registró un hecho conocido como la Noche Triste porque la población de Tenochtitlan atacó a las tropas de Cortés, que fueron obligadas a retirarse de Tenochtitlan. Según las crónicas, el lago se llenó de cadáveres de españoles que prefirieron ahogarse antes que entregar todos los objetos que habían robado. No es imposible que se perdieran en este evento cientos de obras de arte, documentos como el de la Villa Rica de la Vera Cruz, mantas y tocados de plumas.

Tres meses pasó Cortés obsesionado por la idea de destruir a los mexicas: primero asedió Tenochtitlan y no cedió hasta la caída de la ciudad, ocurrida el 13 de agosto de 1521. Todo quedó entonces en ruinas, incendiado, saqueado y devastado por los cañones y arcabuzazos. El historiador Hugh Thomas ha resumido los efectos de este funesto episodio: "El precio fue terrible. Tenochtitlan no quedó destruida por azar, sino como consecuencia de una táctica deliberada, aplicada cuidadosa y metódicamente, con toda la energía de una guerra europea y sin pensar en que se arruinaba una obra maestra de diseño urbano".[17]

Un *cuicapicqui* o poeta náhuatl resumió lo sucedido en 1521:

> [...] En los caminos yacen dardos rotos,
> los cabellos están esparcidos.
> Destechadas están las casas,
> enrojecidos tienen sus muros.
> Gusanos pululan por calles y plazas,
> y en las paredes están los sesos.

Rojas están las aguas, están como teñidas,
y cuando las bebimos, es como si bebiéramos agua
[de salitre.
Golpeábamos, en tanto, los muros de adobe,
y era nuestra herencia una red de agujeros.
Con los escudos fue su resguardo, pero
ni con escudos puede ser sostenida su soledad.
Hemos comido palos de colorín (eritrina),
hemos masticado grama salitrosa,
piedras de adobe, lagartijas, ratones, tierra
en polvo, gusanos [...][18]

LA ELIMINACIÓN DE LA MEMORIA AZTECA

Lo asombroso, lo inaceptable, sobreviene cuando se piensa en que el ataque español redujo a cenizas una cultura tan poderosa y de tanta importancia. Según la lengua náhuatl, la palabra "verdad" era *neltiliztli*, derivado de "cimiento", y si a ver vamos, lo que intentaron aniquilar los conquistadores fueron precisamente los fundamentos históricos mexicas (aztecas), como lo prueba que provocaran la desaparición de los escritos que preparaban los *tlamatinime* o sabios de las pinturas sobre astronomía, historia, religión y literatura. Es sabido que en los *Calmécac*, o centros superiores de formación, se cantaban los llamados códices: "se les enseñaba con esmero a hablar bien, se les enseñaban los cantares".[19] Hay un antiguo poema que refleja esta concepción:

Yo canto las pinturas del libro,
Lo voy desplegando,
Soy cual florido papagayo,
Hago hablar a los códices
En el interior de la casa de las pinturas.[20]

En la literatura náhuatl encontramos referencias frecuentes al ejercicio poético o artístico por medio de la figura de la flor y el canto, símbolos de la poesía. Tenían una división que consistía en establecer que la poesía era *cuícatl*, o sea, "canto" o "himno"; y la prosa se conocía como *tlahtolli*, o sea "palabra". Existía una tradición azteca importante conocida la *Itoloca*, cuyo significado vendría a ser "lo que se dice de alguien o de algo". Según fray Diego Durán, lo usual era que se conservaran "sus memorables hechos, sus guerras y victorias (...) todo lo tenían escrito (...) con cuentas de años, meses y días en que habían acontecido".[21]

La escritura mexica, cuyo desarrollo estaba en ciernes a la llegada de los conquistadores, fue un sistema creado con autonomía, basado en glifos o pictogramas ideográficos que podían exponer ideas como la de *teotl* o dios con la figura de un sol. Hubo tres grupos de escritura: numeral, calendárica y la que conformaba el resto de conceptos. El historiador Miguel León-Portilla destacó algunos principios generales de esta escritura:

1. Sabemos con certeza que los nahuas desarrollaron un sistema de glifos para representar fonéticamente numerosas sílabas y algunas letras (la a, e y o).

2. Esos glifos fonéticos, silábicos y alfabéticos se derivaban, como sucedió con la escritura alfabética de otras culturas, de la representación estilizada de diversos objetos, cuyo nombre comenzaba por el sonido que se pretendía simbolizar.

3. La escritura fonética náhuatl llegó a poseer plenamente caracterizados con unos cuantos rasgos: a) glifos silábicos en general; b) glifos monosilábicos que representaban prefijos o sufijos, *te-* (referencia a "alguien" o "algunos"), *tlan-* (locativo), *pan-* (encima de...), y c) glifos que representaban letras, concretamente la a, como resultado de la estilización del glifo pictográfico de *a-tl* (agua); la e del glifo de *e-tl* (frijol) y la o del *o-tli* (camino).[22]

En nahuatl, la palabra "tlacuilolitztli" significaba escribir y pintar. Los mexicas tenían sus propios libros, llamados ámatl, códices o *amaxtli* hechos con fibra de la corteza del *amacuahuitl*, o árbol de amate (*Ficus sp.*), aunque se han encontrado textos en cuero (o pergamino) de venado que reproducían dibujos. Eran preparados por unos escribas o *tlacuilos* y guardados en unos depósitos llamados *amoxcalli*. Díaz del Castillo precisó: "Hallamos las casas de ídolos y sacrificios...y muchos libros de su papel, cogidos a dobleces".[23] Muchos de estos códices desaparecieron a los pocos años de haber sido descubiertos.

Uno de los grandes enemigos de la cultura azteca fue fray Juan de Zumárraga, nacido en 1468[24] en el mítico pueblo vasco de Durango, en España, hijo de un terrateniente. Entre sus primeras tareas como monje de la Orden de Abrojo estuvo examinar los casos de brujería más conocidos de su región, lo cual lo llevó al ejercicio platónico del exorcismo. La recomendación de un amigo lo allegó al endeudado emperador Carlos V, quien admiró su celo, su fidelidad y el 20 de diciembre de 1527 dictó el decreto que lo enviaba a México. En una época de trámites lentos, llegó pasado un año.

Como protector de los indios, un insensato cargo que no se ajustaba a su carácter temperado, envidioso y tirante, sancionó a quien pudo sin síntomas de misericordia y consiguió el apoyo para reunir materiales en una hoguera destinada a enviar una advertencia a los que todavía mantenían el culto religioso de sus tradiciones. Asimismo quería borrar el pasado y dar paso a nueva etapa. Juan Bautista Pomar relató que entre las grandes pérdidas de los indígenas estaban sus pinturas "en que tenían sus historias, porque al tiempo que el Marqués del Valle con los demás conquistadores entraron por primera vez en Tetzcoco, se las quemaron en las casas reales de Nezahualpiltzintli, en un gran aposento que era el archivo general de sus papeles".[25]

En el año 1530, en Tetzcoco, Zumárraga hizo una hoguera con todos los escritos e ídolos que consiguió de los mexicas. El apasionado fray Servando Teresa de Mier escribió: "Al primer obispo de México se le antojó que todos los manuscritos simbólicos de los indios eran figuras mágicas, hechicerías y demonios y se hizo un deber religioso de exterminarlos por sí y por medio de los misioneros, entregando a las llamas todas las librerías de los aztecas, de los cuales sólo la de Tetzcoco, que era su Atenas, se levantaba tan alta como una montaña, cuando de orden de Zumárraga la sacaron a quemar".[26] Esto lo ha ratificado el arqueólogo C. W. Ceram, quien ha revelado que Zumárraga "destruyó en un gigantesco auto de fe cuantos documentos pudo obtener".[27]

Fray Juan de Torquemada, tío del inquisidor Tomás de Torquemada que quemó cientos de libros en España, escribió con ironía: "Porque los religiosos y el obispo primero don Juan de Zumárraga, quemaron libros de mucha importancia para saber las cosas antiguas de esta tierra, pues entendieron que era demostración de supersticiosa idolatría; y así quemaron todos cuantos pudieran haber a las manos, que a no haber sido diligentes algunos indios curiosos en esconder parte de estos papeles y historias, no hubiera ahora de ellos aun la noticia que tenemos".[28]

Una tradición insomne católica ha intentado salvar la imagen de este religioso presentándolo de otra forma. Hoy es un lugar común en todas las leyendas sobre el libro atribuirle la introducción de la imprenta en México, pues en 1533 trajo a los primeros expertos en impresión desde España. Asimismo, y como paradoja, se señala que fue el creador de la primera biblioteca pública. A petición suya, Juan Cromberger creó una sucursal de su imprenta en México y con ese propósito envió a Giovanni Paoli (Juan Pablos), de Brescia, Italia, quien comenzó su labor al editar, en 1539, la *Breve y más compendiosa doctrina christiana en lengua mexicana y castellana*, el primer libro español en América, del cual no se conserva, irónicamente, ningún ejemplar de la impresión inicial.[29] La violencia contra los símbolos fue estatutaria y la importación de la imprenta intentaba suplantar la técnica antigua indígena para certificar la difusión del evangelio con veintinueve doctrinas y doce confesionarios editados en el siglo XVI. Un estudio de los impresos de la época revela que la orden más activa fue la de los franciscanos con cuarenta y un textos, los dominicos con diecisiete y los agustinos con dieciséis.[30] Cuando murió Zumárraga en 1548, reacio a reconocer a los suyos, distante y seguro, sus fieles lo lloraron.

Un censo tenaz de los pocos códices aztecas preservados puede dar una vaga idea del valor de lo perdido. Los primeros en conservarse serían los códices mixtecos prehispánicos:

1. *Códice Vindobonensis Mexicanus 1*, localizado en la Biblioteca Nacional de Viena, saqueado por Hernán Cortés y enviado a Carlos V. Presenta una crónica del pueblo de Tilantongo.

2. *Códice Nuttall o Zouche-Nuttall*, en el Museo de la Humanidad de Londres, con registro de las dinastías de Teozacualco, Cuilapan y Tilantongo. Fue saqueado y llevado a Europa.

3. *Códice Becker I,* pintado en el pueblo de Tututepec, con relación con el *Códice Colombino*, acaso formaban uno solo para referirse a la vida del Señor 8 Venado. Hoy el *Códice Becker* está en Viena, en tanto el *Códice Colombino* está en el Museo Nacional de Antropología e historia.

4. *Códice Bodley 2858*, localizado en la Biblioteca Bodleyana de Oxford, saqueado, con detalles del personaje 8-Venado.

Han sobrevivido otros códices prehispánicos, como el *Códice Boturini* o la *Tira de la peregrinación*, que narra la salida de los primeros mexicas de la mítica ciudad de Aztlán, un texto que pertenecía a la colección del italiano Lorenzo Boturini Benaducci (1702-1751); también se encuentra la *Matrícula de Tributos,* que hoy se halla en la Biblioteca Nacional de Antropología e Historia de México. El *Códice Borbónico* (cuyo nombre se ha solicitado que se cambie por *Códice Ciuacóatl*), actualmente en la Biblioteca Borbón de Francia, era un almanaque religioso.

De la región central de México se han preservado un conjunto de libros conocidos como "Grupo Borgia", fechados en el Postclásico Tardío (*circa* 1200 a 1300), que fueron transportados a Europa:

1. *Códice Borgia* (en la Biblioteca Apostólica Vaticana, Roma), que perteneció al cardenal Stefano Borgia, quien lo salvó de unos niños que le habían prendido fuego, y finalmente lo donó. Con treinta y nueve pliegues, es considerado uno de los más hermosos por su pictoglifos calendáricos y rituales.
2. *Códice Vaticano B* (Biblioteca Apostólica Vaticana, Roma), con cuarenta y nueve pliegues, era un breviario sacerdotal.
3. *Códice Laud* (Librería Bodleiana, Universidad de Oxford, Oxford), perteneció a William Laud, arzobispo de Canterbury, y su contenido consiste en predicciones sobre el destino de los hombres.
4. *Códice Fejervary-Mayer* (Merseyside County Museum, Liverpool), con veintidós pliegues, ha sido renombrado por los especialistas como *Tonalámatl de los pochtecas,* dado que refiere predicciones sobre los mercaderes pochtecas.
5. *Códice Cospi* (Biblioteca Universitaria, Bolonia) fue regalado al marqués Ferdinando Cospi (1606-1685). Tiene veinte pliegues que fueron juzgados como parte de una obra de origen chino, y su contenido trata sobre la relación de destinos posibles durante el calendario de doscientos sesenta días.

Existen copias de documentos indígenas anteriores, al menos unos treinta, dispersos por el mundo, elaborados con pericia "mestiza", durante el siglo XVI, por los escribas o *tlacuilos.* El primer virrey de la Nueva España, don Antonio de Mendoza, encargó a los escribas indígenas una obra para compilar el conocimiento de los antiguos mexicas con el propósito de someterlos con más facilidad y el resultado fue un libro de setenta y cinco hojas. Entusiasmado, el virrey lo envió a España en 1542, pero fue saqueado por un pirata francés, adquirido por el humanista inglés Richard Hakluyt y acabó depositado hasta su redescubrimiento en 1831 en la Biblioteca Bodleiana de la Universidad de Oxford. En esta misma universidad se halla el *Códice Mendocino,* realizado aproximadamente en 1541.

En la Biblioteca Nacional de París hay códices obtenidos por ventas dudosas y saqueos como el *Códice Xólotl, Tlotzin, Quinatzin,* el *Códice en Cruz, Códice Aubin, Mexicanus, Azcatitlán* (sobre la migración desde Aztlán y en sus hojas finales refiere hechos de la conquista), *Cozcatzin* (que refiere los hechos acaecidos entre 1439 y 1572 en las luchas de tenochcas y tlatelolcas), *Vergara, Historia Tolteca-Chichimeca, Códice Ixtlilxóchitl, Códice Telleriano-Remense* (preparado en 1562 y adquirido por el obispo de Reims) y varios manuscritos testerianos y del grupo Techialoyan. Los *Anales de Tlatelolco,* códice fundacional de los mexicanos compuesto en 1528, se encuentra en París, y sorprende porque es uno de los primeros intentos de los sabios nahuas por utilizar la base de escritura alfabética latina para transmitir su dolor a los pueblos del mundo. En el Museo de América de Madrid se halla el *Códice Tudela...* La lista es extensa, y produce vértigo conocer que los más importantes se hallan en Europa, saqueados.

Como anécdota no menos desigual conviene rememorar que algunos sabios aztecas intentaron rendirse cuando se sintieron derrotados y en un acto alegórico acudieron con sus libros en mano: "Y a tres sabios de Ehécatl (Quetzalcóatl), de origen tetzcocano, los comieron los perros. No más ellos vinieron a entregarse. Nadie los trajo. No más venían trayendo sus papeles con pinturas (códices). Eran cuatro, uno huyó: sólo tres fueron alcanzados, allá en Coyoacán".[31] No sabemos qué ocurrió con sus enigmáticos escritos.

El destino del arte azteca fue y sigue siendo trágico. Lo que había sido trabajado en oro fue fundido o pasó a ser un trofeo de las colecciones europeas. El penacho del emperador Moctezuma Xocoyotzin (1466-1520), por decir, que es un tocado de plumas de quetzal engarzadas en oro y piedras preciosas, elaborado por los amantecas mexicas, pasó por varias colecciones hasta llegar a donde se encuentra actualmente: el Museo de Etnología de Viena, en Austria. Tras innumerables intentos del gobierno mexicano, ha sido imposible su devolución.

Los templos mexicas fueron arrasados. Lo que ocurrió con el Templo Mayor de Tenochtitlan fue común. Las obras de arte se confundieron con los ídolos y entre 1524 y 1604 se desató un proceso de "idoloclastia" para combatir con denuedo, desde la misma raíz, toda la cosmovisión de los dominados, y crear una nueva forma colectiva de memoria.

El sacerdote Motolinía contaba fascinado:

En cada pueblo tenían un ídolo o demonio al cual principalmente como su abogado tenían y llamaban, y a éste honraban y ataviaban de muchas joyas y ropas, y todo lo bueno que podían haber le ofrecían, cada pueblo como era y más en las cabezas de provincias. Estos principales ídolos que digo, luego como la gran ciudad de México fue tomada de los Españoles con sus joyas y riqueza, escondieron los Indios en el más secreto lugar que pudieron mucha parte del oro que estaba con los ídolos, y en los templos, y dieron en tributo a los Españoles a quien fueron encomendados [...] Estos principales ídolos con las insignias y ornamentos o vestidos de los demonios, escondieron los Indios, unos so tierra, otros en cuevas y otros en los montes. Después cuando se fueron los Indios convirtiendo y bautizando, descubrieron muchos, y traíanlos a los patios de las iglesias para allí los quemar públicamente. Otros se podrecieron debajo de tierra, porque después que los Indios recibieron la fe, habían vergüenza de sacar los que habían escondido, y querían antes dejarlos podrecer, que no que nadie supiese que ellos los habían escondido; y cuando los importunaban para que dijesen de los principales ídolos y de sus vestiduras, sacábanlo todo podrido, de lo cual yo soy buen testigo porque lo vi muchas veces. La disculpa que daban era buena, porque decían: "Cuando lo escondimos no conocíamos a Dios, y pensábamos que los Españoles se habían de volver luego a sus tierras; y ya que veníamos en conocimiento, dejábamoslo podrir, porque teníamos temor y vergüenza de sacarlo". En otros pueblos estos principales ídolos con sus atavíos estuvieron en poder de los señores o de los principales ministros de los demonios, y éstos los tuvieron tan secreto que apenas sabían de ellos sino dos o tres personas que los guardaban, y de éstos también trajeron a los monasterios para quemarlos grandísima cantidad. Otros muchos pueblos remotos y apartados de México, cuando los frailes iban predicando, en la predicación y antes que bautizasen les decían, que lo primero que habían de hacer era, que habían de traer todos los ídolos que tenían, y todas las insignias del demonio para quemar; y de esta manera también dieron y trajeron mucha cantidad que se quemaron públicamente en muchas partes; porque adonde ha llegado la doctrina y palabra de Dios no ha quedado cosa que se sepa ni de que se deba hacer cuenta; porque si desde aquí a cien años cavasen en los patios de los templos de los ídolos antiguos, siempre hallarían ídolos, porque eran tantos los que hacían; porque acontecía que cuando un niño nacía hacían un ídolo, y al año otro mayor, y a los cuatro años hacían otro, y como iba creciendo así iban haciendo ídolos, y de éstos están los cimientos y las paredes llenos, y en los patios hay muchos de ellos. En el año de 39 y en el año de 40 algunos Españoles, de ellos con autoridad y otros sin ella, por mostrar que tenían celo de la fe y pensando que hacían algo, comenzaron a revolver y a desenterrar los muertos, y apremiar a los Indios porque les diesen ídolos; y en algunas partes llegó a tanto la cosa, que los Indios buscaban los ídolos que estaban podridos y olvidados debajo de tierra, y aun algunos Indios fueron tan atormentados, que en realidad de verdad hicieron ídolos de nuevo, y los dieron porque los dejasen de maltratar.[32]

Para apaciguar la fe de los habitantes de la nueva ciudad, se obligó a los indios a destruir sus *teocalli* y labrar bajo reglas distintas las pesadas piedras para construir iglesias al precio de borrar así lentamente su propio pasado.

EL LAMENTO MAYA

En relación con los mayas, otro de los más importantes grupos prehispánicos mesoamericanos, es sabido que sojuzgaron por siglos un área de trescientos veinte mil kilómetros cuadrados que abarcaba los actuales estados mexicanos de Yucatán, Quintana Roo, Campeche, Chiapas, Tabasco, además de países como Guatemala, El Salvador, Honduras y Belice. Poseían un sistema de escritura con glifos, un calendario solar de trescientos sesenta y cinco días y otro ritual de doscientos sesenta días; calcularon que el ciclo de Venus era de quinientos ochenta y cuatro días y su arte, en su periodo clásico, alcanzó la perfección en la talla del jade.[33] Su escritura, que en 2007 asombró a todos cuando se supo que existen vestigios de hace dos mil trescientos años, consistía en cuatrocientos cincuenta signos principales y doscientos cincuenta signos adicionales. Para calcular, utilizaban las cabezas de sus trece principales dioses, llamados *Oxlahuntiku*; creían que el futuro no existía hacia delante sino hacia atrás.

Cuando los españoles los avasallaron en 1520, ya se encontraban en una extraña decadencia inexplicable que había comenzado en el siglo X y XI; esto no impidió que su arte fuera saqueado y sus escritos fueran transformados en cenizas. Lo que quedó de las glorias de Palenque, Yaxchilán, Tikal y Copán se puede conocer hoy porque los sabios persistieron en su anhelo de que el contenido de los textos destruidos fuese preservado en la memoria oral y una nueva tradición escrita clandestina.

Fray Diego de Landa (1524-1579) fue uno de los grandes enemigos de la cultura maya. Pertenecía a la orden de los franciscanos, y se había educado en el Convento de San Juan de Los Reyes, en Toledo, donde supo con admiración desmedida de otro célebre alumno de esa casa de estudios religiosos, el cardenal Francisco Jiménez de Cisneros, el mismo que quemó los manuscritos islámicos de la cultura árabe en España para que los musulmanes asumieran la derrota final. Al parecer, ambos aprendieron una teología radical, porque sus acciones así nos lo muestran.

Como muchos otros sacerdotes de su tiempo, Landa consultó a los indígenas, revisó por meses la escritura maya y legó un tratado donde describió su excéntrica experiencia filológica, pero no aprendió la lengua por interés histórico, sino para conocer mejor la personalidad de los indígenas; quería adoctrinarlos de modo concluyente. No compartía las barbaries excesivas de los conquistadores: "Hicieron crueldades inauditas, les cortaron narices, brazos y piernas, y a las mujeres los pechos y las echaban en lagunas hondas con calabazas atadas a los pies; daban estocadas a los niños porque no andaban tanto como las madres, y si los llevaban en colleras y enfermaban, o no andaban tanto como los otros, cortábanles las cabezas por no pararse a soltarlos (…) Que los españoles se disculpaban con decir que siendo pocos no podían sujetar tanta gente sin meterles miedo con castigos terribles".[34] En mayo de 1562, supo que los indios de Maní, a setenta y cinco kilómetros de Mérida, persistían en la adoración de sus ídolos con el apoyo de sacerdotes mayas, y autorizó la tortura de cuatro mil quinientos indios. Fue una acción despiadada que causó ciento cincuenta y ocho muertos. Asimismo hizo quemar cinco mil ídolos y veintisiete códices mayas.

En su ventajoso relato autobiográfico justificó su desacreditado ataque al advertir: "Usaba también esta gente de ciertos caracteres o letras con las cuales escribían en sus libros sus cosas antiguas y sus ciencias, y con estas figuras y algunas señales de las mismas, entendían sus cosas y las daban a entender y enseñaban. Hallámosles gran número de libros de estas sus letras, y porque no tenían cosas en que no hubiese superstición y falsedades del demonio, se los quemamos todos, lo cual sintieron a maravilla y les dio mucha pena".[35]

El padre Acosta dejó otra versión de esta quema en la *Historia natural y moral de las Indias*. Dado que su texto es poco citado, conviene recordarlo: "En la provincia de Yucatán (…) había unos libros de hojas a su modo encuadernados o plegados, en que tenían los indios sabios la distribución de sus tiempos, y conocimiento de plantas y animales, y otras cosas naturales, y sus antiguallas; cosa de grande curiosidad y diligencia. Parecióle a un doctrinero que todo aquello debía de ser hechizos y arte mágica, y porfió que se habían de quemar, y quemáronse aquellos libros, lo cual sintieron después no sólo los indios, sino españoles curiosos, que deseaban saber secretos de aquella tierra. Lo mismo ha acaecido en otras cosas, que pensando los nuestros que todo es superstición, han perdido muchas memorias de cosas antiguas y ocultas, que pudieran no poco aprovechar. Esto sucede de un celo necio, que sin saber, ni aun querer saber las cosas de los indios, a carga cerrada dicen, que todas son hechicerías".[36]

Esta acción produjo un conflicto que terminó con crímenes inverosímiles: a Landa lo responsabilizaron por la tortura de cuatro mil quinientos indios. Una investigación conducida por él mismo lo exoneró de toda responsabilidad, y posteriormente fue nombrado segundo obispo de Yucatán. Las crónicas lo han exaltado y reivindicado como autor de uno de los más grandes estudios de los mayas, titulado *Relación de las cosas de Yucatán* (1566). Esto, por supuesto, no resulta increíble.

No todos los frailes aprobaron su auto de fe, pero sobre todo porque creían que con la quema se habían perdido documentos valiosos para conocer mejor la forma de pensar de los indios con el propósito de reducirlos con más contundencia. Uno de los más críticos fue Durán, quien escribió que "erraron mucho los que, con buen celo, pero no con mucha prudencia, quemaron y destruyeron al principio todas las pinturas de antiguallas que tenían, pues nos dejaron tan sin luz, que delante de nuestros ojos idolatran y nos los entendemos: en los mitotes, en los mercados, en los baños y en los cantares que cantan, lamentando sus dioses y sus señores antiguos, en las comidas y banquetes".[37]

Fue tan dramática la furia de negación, el tormento, el entusiasmo pirómano que permanecieron apenas tres códices mayas prehispánicos, que fueron saqueados y llevados a Europa:

1. El *Códice Dresdensis*, actualmente en Alemania en la Biblioteca Estatal de Sajonia, en Dresden. Sacado de la región de Chichén Itzá, Yucatán, llegó en 1744 a manos de Johann Christian Götze, director de la Biblioteca Real de Dresde, y hubo complicidad para derivar la misteriosa compra a un coleccionista de Viena que habría pensado en salir de la pieza en 1739. En 1744, Götze lo dio a la Biblioteca Real, donde todavía reside. Consta de veintinueve hojas y refiere una cuenta calendárica y astrológica que sufrió grandes daños cuando la ciudad alemana fue bombardeada. En las páginas 46-50 hay evidencia de que están exhibidos los ciclos del planeta Venus.

2. El *Códice Pereziano*, en posesión de la Biblioteca Nacional de París, es apenas una parte de un libro mayor, acaso pintado en el siglo XIII. Consta de once hojas y abarca los *katunes* o ciclos para sus correspondientes predicciones. Fue elaborado hacia el siglo XIV.

3. El *Códice Tro-cortesiano o de Madrid*, preservado por el Museo de América en España. Consta de 56 hojas, elaboradas en la península yucateca, y presenta una visión astrológica de amonestación, con cómputos de tiempo muy precisos.

En los últimos años se ha debatido la posibilidad de un cuarto códice bautizado inexplicablemente como *Grolier*, pero hay bastantes dudas sobre su autenticidad (podría ser del 1300) y el estado lamentable en que se encuentra no permite demasiadas conjeturas sobre sus cómputos calendáricos sobre Venus. Fue descubierto en una cueva de Chiapas y fechado alrededor del año 1300; actualmente está en el Museo Nacional de Antropología de México.

Salvo el deteriorado e incompleto *Grolier,* ninguno de los códices prehispánicos mayas completos se encuentra en México o Guatemala. De los siglos IV y VII hay varios restos de libros arruinados sin remedio que se descubrieron en Altún Ha, asentamiento situado a cincuenta kilómetros de la ciudad de Belice, pero hay mínimas muestras en Uaxactún, en Guaytán de San Agustín Acasaguastlán y Nejab. Se estima que se ha perdido 70% de la literatura y ciencia maya escrita.

Además de estos documentos, los mayas redactaron durante la colonia textos que preservaron sus opiniones y concepciones, aunque no siempre con éxito, en total secreto, como fue el caso de *Popol Vuh*, libro del pueblo donde se condensaban ideas cosmológicas y religiosas. En su preámbulo, el *Popol Vuh* ya advertía que existía "el libro original, escrito antiguamente, pero su vista está oculta al investigador y al pensador".[38] ¿Oculto o destruido? El aporte de los *chilamoob* o sacerdotes permitió que se divulgaran los textos del *Libro de Chilam Balam*, un conjunto de dieciocho mensajes religiosos y cronológicos procedentes de la península de Yucatán.

De la región yucateca han quedado los *Cantares de Dzitbalché*, el *Códice de Calkiní*, el *Códice Pérez*, la *Crónica de Maní*, la *Crónica de Yaxkukul*, las *Crónicas de los Xiú*, los *Documentos de Tierras de Sotuta*, los *Documentos de Tabí*, los *Libros de judío*, el *Ritual de los Bacabes*, los *Títulos de Ebtún* y el *Texto Chontal* (una copia de 1614). De la lengua quiché quedaron el *Rabinal Achí*, *Título de los Señores de Totonicapán*, *Título C'oyoi*, *Títulos Nijaib*, *Título del Ajpop Huitzitzil Tzunún*, *Título de los indios de Santa Clara la Laguna*, *Título de los Señores de Sacapulas* y el *Título Tamub*. En cakquichel, sobrevivieron los *Anales de los cakchiqueles*, las *Historias de los Xpantzay* y el *Título Chajoma*. En pokonchi, puede hallarse el *Título del barrio de Santa Ana* (1565). Y en español, está el *Papel del origen de los señores o Título Zapotitlán*, que es de 1579, y la *Relación de los caciques y principales del pueblo de Atitlán o Relación Tzutubil*, fechado en 1571.

En una confidencia que conmemora la novela *Farenheit 451* de Ray Bradbury, el historiador fray Francisco Ximénez dijo que "como fue con todo sigilo que se conservó entre ellos con tanto secreto, que ni memoria se hacía entre los ministros antiguos de tal cosa, e indagando yo aqueste punto, estando en el curato de Santo Tomás Chichicastenango, hallé que era doctrina que primero mamaban con la leche y que todos ellos casi lo tienen de memoria, y descubrí que de aquestos libros tenían muchos entre sí".[39] Sin ese afán de mantener en total condición recóndita sus tradiciones, tal vez no hubiera llegado nada hasta nosotros.

En el *Libro de Chilam Balam de Chumayel* se puede leer: "[los españoles] enseñaron el miedo; y vinieron a marchitar las flores. Para que su flor viviese, dañaron y sorbieron la flor de los otros (...) No había Alto Conocimiento, no había Sagrado Lenguaje, no había Divina Enseñanza en los sustitutos de los dioses que llegaron aquí. ¡Castrar al Sol! Eso vinieron a hacer aquí los extranjeros.Y he aquí que quedaron los hijos de sus hijos aquí en medio del pueblo, y esos reciben su amargura".[40]

En la historia de la religión católica, se han prohibido constantemente las comedias (de hecho se atribuye a esta causa la desaparición de las obras de numerosos comediógrafos griegos y latinos), pero no se ha considerado con atención que entre los métodos de transculturación, los frailes se negaron a permitir las representaciones teatrales mayas. A saber, en Chichén Itzá, en el templo de Kukulcán, existían dos teatros frente a la escalera del norte con escaleras y con losas superiores. El propio Landa describió los espectáculos que pudo ver:

> [...] los indios tienen recreaciones muy donosas y principalmente farsantes que representan con mucho donaire (...) Tienen atabales pequeños que tañen con la mano, y otro atabal de palo hueco, de sonido pesado y triste; táñenle con un palo larguillo, puesto al cabo cierta leche de un árbol y tienen trompetas largas y delgadas de palos huecos, y al cabo unas largas y tuertas calabazas; y tienen otro instrumento de toda la tortuga entera con sus conchas y, sacada la carne, táñenle con la palma de la mano, y es un sonido lúgubre y triste. Tienen chiflatos de huesos de cañas de venado y caracoles grandes y flautas de cañas; y con estos instrumentos hacen son a los bailantes y tienen dos bailes muy de hombre y de ver. El uno es un juego de cañas y así le llaman ellos Colomché que lo quiere decir; para jugarlo se junta una gran rueda de bailadores con su música que les hacen son, y por su compás salen dos de la rueda el uno con un manojo de bohordos y baila con ellos enhiesto; el otro baila en cuclillas, ambos con compás de la rueda; y el de los bohordos, con toda su fuerza los tira al otro, el cual con gran destreza, con un palo pequeño arrebátalos; acabado de tirar, vuelve con su compás a la rueda y salen otros a hacer lo mismo. Otro baile hay en que bailan ochocientos y más y menos indios con banderas pequeñas, con son y paso largo de guerra, entre los cuales no hay uno que salga de compás; y en sus bailes son pesados, porque todo el día entero no cesan de bailar.[41]

El más perverso sistema de destrucción cultura maya se instaló con la vigilancia extrema de las costumbres que impusieron los colegas de Landa y que obligó a los indígenas a dirigirse a sus antiguos dioses en privado, a riesgo de ser torturados o mutilados. En lo más apartado de las espesas selvas de Guatemala, decenas de templos sepultados por la maleza sirvieron a grupos aislados que intentaron mantener su espíritu de resistencia incólume.

EL EXTERMINIO CULTURAL DE LOS INCAS

En 1532, Francisco Pizarro, un sanguinario conquistador nacido en Trujillo en 1478, sometió al gran Atahualpa y le pidió un rescate para liberarlo. Con ingenuidad, el emperador de los incas le entregó cientos de objetos que luego fueron fundidos en seis mil ochenta kilos de oro y once mil ochocientos setenta y dos kilos de plata. De esta forma se aniquilaron obras de arte valiosísimas. Posteriormente, las tropas españolas acudieron al Templo del Sol en Cusco y arrasaron, como lo hicieron los cruzados en Constantinopla en 1204, con lo que encontraron a su paso y las esculturas de oro las fundieron sin misericordia.

Pizarro capturó los tesoros cusqueños y los remitió a Carlos V en España:

> He aquí la relación de piezas de oro y plata labradas, recibidas en Sevilla: una figura de oro medio cuerpo de indio; otra de india; un retablillo con dos medias figuras; dos fuentes; un ídolo en figura de hombre; una caña de maíz de oro; un retablillo de plata y oro; otra figura más de indio; una vasija de oro a manera de alcarraza. En 1538 llegaron a la Casa de Contratación además de veinte tinajas repletas de plata, estas obras de arte: tres carneros y un cordero; veinticuatro figuras de mujer, tablas y tablones de plata enteros y en piezas. Entre las piezas de oro había seis carneros, veinte figuras de mujer, dos de hombre, enanos con bonete y corona, etc. Algunas de las figuras de oro pesaban 150 marcos [...] Entre los tesoros del Cusco, además de 700 planchas de oro que cubrieron las paredes exteriores del templo del Sol, un disco de oro macizo y estatuas de tamaño natural, y en el mismo templo un jardín metálico que imitaba árboles, fuentes, pájaros, llamas y pastores, todo vaciado en oro y de tamaño natural. Pizarro, según los textos, retuvo, entre otras labores, el trono en que llevaban los suyos al inca cuando cayó prisionero; pesaba 83 kilos de oro de 15 quilates, y valía, según Gómara, 25 000 pesos.[42]

Tampoco se salvaron las muestras de escritura, elaboradas con nudos de cuerda conocidas como *quipus*, que fueron destruidas porque los "servidores de la Iglesia católica los creyeron obra del diablo".[43] Antes se pensaba que se trataba exclusivamente de un sistema numérico primitivo; hoy esta idea ha sido puesta en duda por los investigadores. Charles C. Mann ha dicho que los *quipus* "son los documentos escritos en tres dimensiones más antiguos del mundo (el braille es una traducción de la escritura sobre papel), y son los únicos que emplean un sistema de información codificada que al igual que al igual que los sistemas de codificación que se emplean hoy en día en el lenguaje informático, se estructuraba primordialmente con un código binario".[44]

Hoy se considera que los *quipus* eran libros leídos de modo táctil y que estaban basados en un sistema decimal de numeración que solía presentarse con diferentes colores que representaban acciones. En el Cusco, el rojo aludía, por ejemplo, a la guerra. A saber, unos funcionarios llamados *quipucamayoc* llevaban los registros numéricos e históricos del imperio inca, perdidos ahora para siempre. Se sospecha que cada cuerda colgante podría contener datos a partir de:

1. material (algodón o lana)
2. color / clase de color
3. torsión
4. manera de anudamiento a la cuerda principal

y cada nudo presente en una cuerda colgante pueda llevar información cifrada por:

5. dirección del nudo
6. clase de número cifrado (un número completo / incompleto)
7. información decimal o no-decimal[45]

Al igual que en el caso mexicano, los asentamientos urbanos peruanos fueron aniquilados o abandonados. Cieza de León contaba que a 15 años de la invasión de cuanto se conoce como Huánuc Pampa del reino de Tawantinsuyu, los palacios y templos estaban en ruinas y las yerbas crecían libremente en las plazas.

No se conocen muchos casos de envenenamiento de los historiadores para anular el pasado de un pueblo. Pero nuevo datos han permitido conocer con precisión cómo Pizarro atrajo a los guerreros e historiadores incas más relevantes y les hizo beber vino con arsénico, como lo han revelado los polémicos documentos descubiertos por Clara Miccinelli. En una carta hoy discutida que dirigió a Carlos V desde Cajamarca el 5 de agosto 1533, el conquistador Francisco de Chaves denunció a Pizarro por estos tristes hechos. Al parecer, los datos contenidos en este documento que cambiaría la forma de estudiar la historia de Perú, se encuentran en *Exsul Immeritus Blas Valera Populo Suo* (que podría traducirse como "El de ahora en adelante", 1533) y la *Historia et Rudimenta Linguae Piruanorum* (Historia y rudimentos de la lengua de los peruanos, 1600-1638), dos obras jesuíticas que ya han sido sometidas a todas las pruebas de autenticidad y cuestionan severamente la autoría de la *Nueva Crónica* de Guamán Poma.[46]

En Chan Chan, capital del señorío peruano Chimú (en muchik significa Sol), no sirvió de nada la colaboración contra los incas porque los tesoros de la comunidad fueron arrasados. En 1620, el franciscano Antonio Vásquez de Espinosa informó que en la población de Chimocápac había suntuosas huacas con grandes tesoros, que se otorgaron al rey de España.

Se conoce que en 1802, Alexander von Humboldt fue al encuentro de un cacique Astorpilco, quien descendía de los más remotos incas, y mientras recorrían un palacio arruinado en Cajamarca, el sabio alemán preguntó: "¿No sentís a veces el antojo de cavar en busca de los tesoros para satisfacer vuestras necesidades?". La respuesta fue magnífica: "Tal antojo no nos viene. Mi padre dice que sería pecaminoso. Si tuviéramos las ramas doradas con todos los frutos de oro, los vecinos blancos nos odiarían y nos harían daño".[47]

En 1782, Carlos III manifestó su preocupación por la memoria inca. En un decreto del Consejo de Indias de 1783, redactado tras la derrota de Túpac Amaru II de 1780, queda claro que el plan consistía en "ir desterrando poco a poco todo lo que recuerde la antigüedad y gentilismo de los indios, pero con cuidadosa política y de forma que fácilmente no adviertan las intenciones y fines con que se ejecuta".[48] En el párrafo 11 de dicho documento se proponía asimismo que "con igual cuidado y política debe procederse para la extinción que juzga conveniente de los trajes de la gentilidad, de las pinturas de los incas, representaciones, funciones e instrumentos que promuevan su memoria".[49] El fin consistía, por tanto, en apartar todas las tradiciones incaicas por temor a una nueva rebelión.

LA CONQUISTA DE LOS SÍMBOLOS PREHISPÁNICOS

He descrito, con pesadumbre, el proceso para consolidar el saqueo de la memoria de las culturas de los taínos, mexicas y mayas, pero el exterminio cultural fue extenso y alcanzó en verdad a todos los pueblos autóctonos (de forma sucesiva), lo cual hace imposible no mencionar aquí las consecuencias que tuvo el esquema de reducción cultural en el resto de la América prehispánica.

Por medio del engaño o el ataque directo, en el choque estructural, acelerado por los prejuicios raciales, hubo un esfuerzo por obligar a los indígenas a aceptar su nueva condición; el proceso de etnocidio mutiló la unidad identitaria de 80% de las culturas ya establecidas y el desastre fue incontrolable. Numerosos grupos estaban en plena formación en el momento del ataque y su producción artística fue interrumpida con la introducción de instituciones como las temidas encomiendas, en las cuales se coaccionó a los indios para oprimirlos con un aparato burocrático represivo. El patrimonio político indígena fue fraccionado por esas encomiendas, que acabaron por ser instrumentos para el avasallamiento y la negación de los modelos iniciales de economía y sociedad. El comercio que realizaban los indios entre sus comunidades y sus vecinos fue rechazado para crear mayor dependencia.

La conquista de los símbolos fue planificada para el cumplimiento del derecho de botín. La regla: territorio sometido, cultura expoliada. Las expediciones no distraían el propósito de la riqueza, y el arte de metales preciosos fue examinado no por su valor como creación sino por sus materiales. Los taínos estuvieron entre los primeros en ser expoliados; Colón participó en el saqueo de su arte, que llevó a España para mostrar la cultura descubierta.

En su paso por Castilla del Oro, actual Panamá, Vasco Núñez de Balboa arrasó con los indios y al cabo de unos años ya había tomado todo el oro que pudo, no sin despreciar los objetos de arte, a los que destruyó. En la guerra de Cabo Frío, en Brasil, el gobernador de Río de Janeiro, llamado Antônio Salema, aniquiló primero a quinientos guerreros de la Confederación de los Tamoyos, y luego exterminó a mil indígenas, incendió sus aldeas y confiscó sus objetos culturales.

El primer fundador de un convento en Nicaragua, fray Francisco Bobadilla, hizo reunir todos los códices de las culturas locales, las crónicas de los güegües o consejo de sabios de los náhuatl, y ordenó su quema en 1529 en el denominado Auto de Managua. No fue un atropello aislado, porque ya el conquistador Pedro Arias Dávila, llamado Pedrarias, había aniquilado a los indígenas y confiscado su arte e imágenes religiosas.

En Darién había ocurrido una anécdota que despertó la atención de Mártir de Anglería y se la contó a su amigo el papa León X:

> Otra cosa que a mi entender, no debo silenciar: un cierto Corrales conocedor del derecho y alcalde de los darienenses dice haberse tropezado con un fugitivo de las grandes tierras del interior (...). Viendo el indígena que el alcalde estaba leyendo, dio un salto lleno de admiración y exclamó: "¡Cómo!, ¿también vosotros tenéis libros y os servís de caracteres para comunicaros con los ausentes?". Y así diciendo, solicitaba que se le mostrase el libro abierto creyendo que iba a contemplar la escritura patria, pero se encontró que era diferente. Decía que las ciudades de su país estaban amuralladas, que sus compatriotas estaban vestidos y se gobernaban por leyes. ¿Qué dices a esto, Beatísimo Padre?[50]

En Colombia, la depredación condenó el arte de los muiscas o chibchas, quienes intercambiaban esmeraldas como monedas. En 1536, Jiménez de Quesada prefirió comer ratas y no rendirse para conseguir oro. Al llegar a los primeros pueblos chibchas el 9 de marzo de 1537, los españoles encontraron mil ciento setenta y tres pesos de oro fino y setenta y tres pesos de oro menor. En la rapiña del lugar arrancaban a los cadáveres objetos ornamentales de oro y esmeraldas.

En 1636, Juan Rodríguez Freyle describió una versión de una increíble costumbre del pueblo muisca que despertó la codicia:

> En aquella laguna de Guatavita se hacía una gran balsa de juncos, y aderezábanla lo más vistoso que podían (...) A este tiempo estaba toda la laguna coronada de indios y encendida por toda la circunferencia, los indios e indias todos coronados de oro, plumas y chaguales (...) Desnudaban al heredero (...) Y lo untaban con una liga pegajosa, y rociaban todo con oro en polvo, de manera que iba todo cubierto de ese metal. Metíanlo en la balsa, en la cual iba parado, y a los pies le ponían un gran montón de oro y esmeraldas para que ofreciese a su dios. Entraban con él en la barca cuatro caciques, los más principales, aderezados de plumería, coronas, brazaletes,

chagualas y orejeras de oro, y también desnudos (...) Hacía el indio dorado su ofrecimiento echando todo el oro y esmeraldas que llevaba a los pies en medio de la laguna, seguíanse luego los demás caciques que le acompañaban. Concluida la ceremonia batían las banderas (...) Y partiendo la balsa a la tierra comenzaban la grita (...) Con corros de bailes y danzas a su modo. Con la cual ceremonia quedaba reconocido el nuevo electo por señor y príncipe.[51]

En 1580, hubo un intento de drenar el mítico lago y de alguna forma, la leyenda de El Dorado nació justo cuando la poderosa imagen del cacique fue comentada en Quito por los hombres de Sebastián de Belalcázar, quienes creyeron que este hábito indígena indicaba que existía abundante oro y que debía existir una ciudad en la que todo estaba construido de oro. Guiados por este reino legendario, Francisco de Orellana y Gonzalo Pizarro salieron desde Quito en 1541 hacia el Amazonas en una fatídica expedición.[52] Y tras este fracaso, hubo otros, peores sin duda, cuyos detalles hemos perdido, aunque la práctica común fue el despojo irracional de toda muestra de arte labrada en oro.

El cronista tardío José de Oviedo y Baños describió las provincias de Venezuela y se alegró al manifestar que todos sus cultos habían sido exterminados: "sus adoratorios más ordinarios eran en profundas quebradas o montes encumbrados, sirviéndoles los cóncavos de las peñas o huecos de los árboles de templos para colocar sus ídolos, que labraban de oro, barro o madera, de figuras extrañas y diversas, aunque en algunas partes usaban casas grandes de paja, que llamaban caneyes, donde se juntaban los mohanes, y al son de sus roncos fotutos invocaban al demonio, a quien ofrecían ovillos de hilo de algodón por víctimas, y manteca de cacao, que quemada en braserillos de barro, servía de holocausto al sacrificio; pero ya reducidos al gremio de nuestra sagrada religión, viven ajenos de toda idolatría".[53]

Entre los rasgos del saqueo de Venezuela, debe mencionarse que el 27 de marzo de 1528, presionado por deudas enormes, el rey Carlos V cedió a las peticiones de la familia Welser, un grupo de banqueros que controlaban el imperio español junto a la familia Fugger, y entregó la tierra venezolana para que fuera colonizada y explotada por los alemanes, situación que persistió hasta 1548. Es un hecho curioso, porque los Welser se enfrentaron con toda la mayor violencia posible contra los indios, pero también fueron repudiados por los españoles, que por primera vez sufrieron una labor en la que toda la ganancia iba dirigida a los alemanes.

El primer gobernador y al mismo tiempo capitán general fue Ambrosius Ehinger o Ambrosio de Alfinger, quien comenzó su campaña en 1529 y, según los cronistas, se asombró de la resistencia encontrada; en 1531, contribuyó a eliminar a indígenas como los tamalameques y obtuvo sesenta mil castellanos de oro, que envió cautelosamente con un grupo mal constituido de hombres que se devoraron entre sí por el hambre. El canibalismo, que se atribuyó a los indios, fue practicado con frecuencia por los españoles. En territorio de la Nueva Granada, Alfinger no perdonó una sola aldea, borró toda memoria de los indios y su inclemencia fue la de un psicópata: ordenó despedazar a los prisioneros e incendió todas las aldeas conquistadas. Como el resto de los conquistadores, en poco tiempo causó un memoricidio imposible de cuantificar en nuestros días.

Lope de Aguirre (1510-1561), uno de tantos ambiciosos que enloquecieron en América, debe ser colocado entre los grandes destructores de la cultura latinoamericana prehispánica. Animado por los grandes tesoros que llevó Pizarro a España, participó en numerosos incidentes en Perú hasta que se unió a la expedición de 300 hombres marañones y 500 indios que partió en 1560 en busca de El Dorado. La sed, el hambre, la ambición insatisfecha por el fracaso de la marcha, la enfermedad y la muerte frecuente, provocaron que un año más tarde Aguirre se rebelara obligando a los soldados a reconocerlo como príncipe de Perú y se dedicó al pillaje y devastación. En la isla de Margarita, "lo primero que puso por obra su descaro fue ir a las casas que servían de caja real, y sin tener paciencia para pedir las llaves, echó las puertas abajo, rasgó los libros, rompió las arcas y sacó porción considerable de oro y perlas de lo procedido de los quintos de las pesquerías de Cubagua, que estaban en aquel tiempo en el aumento de su mayor grandeza; a cuya imitación los demás soldados, divididos en cuadrillas, fueron metiendo a saco la ciudad, cometiendo los insultos e insolencias, que se puede discurrir en la intención depravada de aquella gente perdida".[54] Sin límites, borró del mapa todas las poblaciones indígenas o españolas que cruzó, se atribuyó rasgos divinos, asesinó finalmente a su hija para que ningún mortal pudiera tocarla, asesinó a sus compañeros y cayó en una lucha sin tregua que le costó la vida. Sus restos fueron arrojados a los perros en distintos lugares de Venezuela, pero su funesto recuerdo persistió en la fantasía popular. El mito de Eróstrato (quien destruye, consagra su nombre) se cumplió en su caso.

Es obvio que el saqueo de objetos de arte prehispánicos incluyó un ataque genocida atroz y al mismo tiempo un proceso de gravamen de valores religiosos y jurídicos. En la imposición de las lenguas europeas, al menos cincuenta lenguas prehispánicas venezolanas fueron olvidadas. En la conquista, miles de poblados fueron arrasados sin piedad. En la evangelización, decenas de cultos religiosos se extinguieron y dos mil ritos fueron lentamente desechados.

Desde el siglo XX, pueden leerse recopilaciones de la literatura indígena en general. Los datos más acertados indican que la poesía y la narrativa oral de los indígenas sufrió una merma de 70%, y las compilaciones que se preservaron, distorsionadas en muchos casos para adaptarlas a las convicciones de los recopiladores, apenas son un reflejo de la extraordinaria creatividad de los aborígenes.

Sobre este tema, Ernesto Cardenal escribió: "Algún día nos daremos cuenta de que la poesía más grande de América es la de nuestros indios. Mucha de la mejor poesía de América pertenece a tribus ya extintas o confinadas en las espesas selvas del Amazonas o el Orinoco".[55] Los programas escolares de literatura en América Latina comienzan sus crónicas con Miguel de Cervantes, y alusiones vagas a los mayas y aztecas: nunca se mencionan las extradinarias cosmovisiones teogónicas, cosmogónicas y antropológicas que respondían a profundas ideas indígenas sobre la vida y la muerte. Esta corriente pre-mestiza, de enorme originalidad, fue desestimada por siglos, condenada al olvido y rechazada con odio por los críticos. El canto ritual, individual o colectivo, fue manejado por medio de metáforas de gran belleza forjadas para rescatar la ilusión concisa del tiempo mítico y el respeto a la naturaleza.

Como muestra de lo perdido, acaso convenga rescatar un canto de los indios piaroa del Amazonas, que rechazan toda forma de violencia:

Si tú me miras,
soy como la mariposa roja;
si me hablas,
soy el perro que escucha;
si me amas,
soy la flor, que se calienta,
entre tus cabellos.
Si me rechazas,
soy como una canoa vacía

que boga por el río
y los peñascos destrozan.[56]

En el *Chilam Balam de Chumayel* ha quedado registrada una queja eterna: "Solamente por el tiempo loco, por los sacerdotes, que fue entre nosotros la tristeza, que entró en nosotros el cristianismo. Porque los muy cristianos llegaron aquí con el verdadero dios; pero ese fue el principio de la miseria nuestra, el principio del tributo, el principio de la limosna, la causa de la miseria de donde salió la discordia oculta, el principio de las peleas con armas de fuego, el principio de la esclavitud por las deudas [...] el principio de la continua reyerta, el principio del padecimiento".[57]

Las comunidades más afectadas fueron, por supuesto, las que estaban más cerca de los focos de interés económico, donde los españoles insistieron en instalar una infraestructura de desplazamiento que arrojó a los indígenas a las márgenes de la vida cotidiana y contribuyó a debilitar su sentido de pertenencia. Las tribus fueron trasladadas y reubicadas; el acentuado despoblamiento conllevó la mudanza de comunidades enteras secuestradas en otras partes para suplir los indios muertos. La mutilación de la memoria colectiva produjo consecuencias tales como la intimidación y el desconcierto. La explotación indiscriminada originó también la violación de costumbres ancestrales, lo que explica la increíble soledad y tragedia cultural que vivieron millones de seres humanos en la conquista.

Con amargura, fray Bernardino de Sahagún se refirió a lo sufrido por estos pueblos prehispánicos: "Esto a la letra ha acontecido a estos indios, con los españoles, pues fueron tan atropellados y destruidos ellos y todas sus cosas, que ninguna apariencia les quedó de lo que eran antes. Así están tenidos por bárbaros, y por gente de bajísimo quilate (como según verdad, en las cosas de política, echan el pie delante a muchas otras naciones que tienen gran presunción de políticas, sacando fuera algunas tiranías que su manera de regir contenía). En esto poco con gran trabajo se ha rebuscado; parece mucha la ventaja que hicieran, si todo se pudiera haber".[58]

En este punto, conviene advertir que los latinoamericanos de hoy reflejan estos vacíos abismales en su memoria. Por eso, las élites culturales subordinadas a las culturas hegemónicas mundiales han insistido en aprovechar toda amnesia como llamado a abandonar cualquier resistencia.

EVANGELIZACIÓN E INQUISICIÓN

Para consolidar el proyecto de conquista, saqueo y destrucción de los bienes culturales prehispánicos en América Latina, fue imprescindible que España y Portugal justificasen sus acciones ante el mundo como parte de un programa de expansión de la religión cristiana: una suerte de nueva cruzada moral que emulase las que se habían emprendido en Europa contra los musulmanes. Se definió un escenario de guerra religiosa.

No fue un decisión sin un fuerte debate, pues entre 1550 y 1551, Las Casas y Juan Ginés de Sepúlveda discutieron en la Junta de Valladolid sobre cómo llevar a cabo la evangelización entre los indios y, pese a que los argumentos del primer teólogo suavizaron las medidas, predominó la tendencia del segundo que suponía la legitimación de la conquista bajo la tesis de que era necesario salvar las almas de todos aquellos a quienes se consideraba súbditos proclives a la idolatría.

En su bula *Inter Coetera*, el papa Alejandro VI "donó" a los españoles las nuevas tierras descubiertas con la aclaratoria de que debían ser convertidos los indios a la fe católica, y este mandamiento, que se extendió en el Tratado de Tordesillas de 1494 a los portugueses, permitió establecer los principios rectores que con el tiempo se transformarían en las misiones de catequización general. No era, francamente, nada nuevo, porque el papa Gregorio VII había otorgado a los españoles *dominium* sobre los territorios reconquistados a los musulmanes a cambio de cumplir con la difusión de la religión cristiana y pagar el correspondiente tributo.

Una de las instituciones importadas para certificar la pureza del proceso religioso fue la de la Inquisición, cuya actividad significó en Europa y en los países donde actuó, un terrible periodo de censura, hostigamiento, tortura y destrucción de vidas humanas y libros. Su historia, en cualquier caso, sólo resume y legitima una concepción humana bastante antigua, la cual queda en evidencia cuando se revisan sus circunstancias originarias y finales.

El dogmatismo ha requerido siempre órganos de protección e intimidación y la Inquisición, en ese sentido, sirvió fielmente a la consolidación política de la Iglesia católica. Algunos hechos pueden facilitar la explicación de este comentario. Digamos, por ejemplo, que la pluralidad de movimientos religiosos aparecida en Europa casi desde el mismo momento en el cual se consolidaba el poder y autoridad de la Iglesia, hizo necesario recurrir a medidas y estrategias de disuasión a través de la excomunión, la tortura, la inmisericorde ordalía o "prueba de Dios", la quema de los herejes o el ataque contra poblaciones enteras. Este procedimiento era inquisitorio; posteriormente, el proceso se institucionalizó, sobre todo a partir de la Reforma planteada por Martin Lutero, catalogada como el desafío más peligroso para el catolicismo oficial.

En 1520, una bula del papa León X excomulgó a Martín Lutero y públicamente prohibió la difusión, lectura o cita de cualquiera de sus escritos. En las calles, el pueblo quemaba libros y efigies de Lutero, quien a su vez hizo destruir la bula en una hoguera. Carlos V, preocupado por la expansión de la doctrina de Lutero, ordenó la destrucción de todos sus libros. El fracaso de esta medida tuvo sus consecuencias: el 14 de octubre de 1529 se prohibió la impresión de cualquier libro no autorizado por un cuerpo sacerdotal. El 29 de abril de 1550 repitió su antigua orden y en una ordenanza condenó a muerte a todos los autores e impresores de libros heréticos.

Podemos recordar cómo, tres siglos antes, el rey Federico II, desde su coronación ocurrida en Roma en 1220, promulgó una ley de carácter imperial con el propósito de autorizar la confiscación de todos los bienes de los herejes, y esta ley sirvió a Gregorio IX para legitimar en 1231 la quema de herejes pertinaces. Por su parte, Inocencio IV promulgó la bula *Ad extirpanda* en 1252 y ratificó a dos órdenes eclesiásticas como defensoras de la Iglesia y encargadas del cumplimiento de las penas contra los herejes: los Dominicos y los Franciscanos. Poco después, fue imprescindible organizar las técnicas de combate a la herejía y se escribió el primer manual con las instrucciones precisas para el juicio: *Practica inquisitionis heretice pravitatis*, obra de 1323 de Bernardo Guidonis, un dominico fanático que durante toda su carrera como inquisidor en Toulouse participó en 930 sentencias, con 42 penas de muerte a la hoguera y al menos 307 confinamientos.

Los éxitos sociales del protestantismo, no sus proposiciones, alarmaron al clero romano, y en 1542, el papa Pablo III constituyó la *Sacra Congregatio Romanae Universalis Inquisicionis seu Sancti Officii* (Congregación de la Inquisición), que algunos han preferido abreviar como Santo Oficio. Es interesante observar que la inquisición medieval fue dura contra todas las herejías proclives a causar problemas políticos, en tanto que el

Santo Oficio se interesó por los teólogos y sacerdotes, rastreando a través de espías y mercenarios cualquier idea dudosa. El papa Pablo IV, un fanático con enormes problemas emocionales, ordenó a la congregación redactar una lista con todos los nombres de los libros más peligrosos para la fe, y en 1559, fue publicado, sin erratas, un temible *Índice de Libros Prohibidos*, titulado en latín *Index seu catalogus librorum qui prohibentur mandato Ferd. De Valdez Hispal. Archiep. Inquisitoris generalis Hispaniae*. No obstante, ya había índices de este tipo en la Sorbona (1544 y 1547), en la Universidad de Lovaina (1546 y 1550), en Luca (1545), en Siena (1548) y Venecia, donde, en 1543 se había editado el *Index generalis scriptorum interdictorum*.

Hacia 1583, la Universidad de Salamanca culminó un índice dividido en dos partes: obras prohibidas y pasajes prohibidos. De esta manera se añadió un detalle expurgatorio referido a la supresión de frases, párrafos o partes de la misma para hacer posible la edición o circulación de un libro. Los índices de Quiroga, como se conocieron, se reeditaron en 1612, 1632, 1640, 1707, 1747 y 1790.

En España, la palabra Inquisición adquirió un nuevo matiz. En 1478, el rey Fernando V y la reina Isabel I pidieron permiso al papa y pudieron crear un capítulo de la Inquisición en las tierras de España. Desde entonces, se persiguió a los árabes y a los judíos. Quienes no se convirtieron, fueron ejecutados. La llegada de Felipe II al poder en España instaló un verdadero aparato de censura católica. El duque de Alba, ejecutor de sus medidas, ahorcó a autores y editores y llamó al servicial decano de la Facultad de Teología de Lovaina, Arias Montano, a fin de establecer un catálogo oficial en 1570 con el título de *Index Librorum prohibitorum*. El edicto del 15 de febrero de 1570 dio legalidad al catálogo, y sirvió para la confiscación y destrucción de miles de obras en toda Europa.

La Inquisición española estaba formada por un inquisidor general al frente del Consejo Supremo de la Santa Inquisición, compuesto por siete miembros. Cada tribunal particular constaba de tres inquisidores, un fiscal, tres secretarios, un alguacil mayor y tres receptores, calificadores y consultores. En España había catorce de estos tribunales, tres en Portugal y tres en América (México, Lima y Cartagena de Indias). Las actividades de la Inquisición perfeccionaron los autos de fe contra el pensamiento alternativo. De los *Índices*, iniciados en 1559, se pasó pronto a la acción frenética contra toda opinión contraria.

La audacia en el pensamiento costó a fray Luis de León dos procesos de censura. El primero comenzó en 1572, y la acusación consistió en cuestionar su rechazo al texto de la *Vulgata* latina de la Biblia y en la publicación de una traducción directa del hebreo del *Cantar de los cantares*. Desde marzo de 1572 hasta 1576, fray Luis de León estuvo detenido en una cárcel de la inquisición de Valladolid. Años más tarde, en 1582, volvió a estar envuelto en un proceso inquisitorial, por defender al jesuita Prudencio de Montemayor. Y este caso se repitió con otros teólogos y escritores. El humanista Francisco Sánchez, El Brocense,[59] nacido en 1522 y muerto en 1600, fue llevado hasta los tribunales de la Inquisición por sus afirmaciones heréticas y sinceras sobre aspectos particulares del culto católico. Él, que era ante todo un gramático, rechazaba hincarse de rodillas y adorar las imágenes, aseguraba que los Reyes Magos no eran reyes, y que no habían venido a adorar a Cristo unos días después de nacer éste, sino dos años después, que Cristo no había nacido en diciembre, sino en septiembre... en fin. Hacia 1600, cumplió prisión en casa de su hijo, pero no murió sin admitir francamente su adhesión al catolicismo.

La Real Cédula de la Regenta Juana del 7 de septiembre de 1558, había prohibido expresamente la importación de libros y se notificó a todos los impresores sobre la urgencia de solicitar licencias al Consejo de Castilla. Se incrementó el número de penas para quien practicara el contrabando de libros prohibidos. El *Índice* vetaba todas las Biblias en lenguas vulgares y el procedimiento de censura bíblica daba el privilegio de investigación sobre las mismas a las universidades de Salamanca y Alcalá. Tampoco se autorizaba la circulación de escritos de Lutero, Calvino y Zwinglio, el Talmud, el Corán, los libros de adivinación, supersticiones, alusiones sexuales o nigromancia.

En 1566, en Francia, Carlos IX ratificó públicamente la ordenanza de 1563, sobre todo su artículo LXXVII, donde se intimidaba a los impresores, vendedores y autores a través de medidas como la cárcel o como la destrucción de los libros editados por fuego. En 1571, señaló que ningún libro podía aparecer sin permiso real, bajo pena de cárcel. Como bien lo ha expuesto el historiador A.S. Turberville:

No bastaba con publicar *Índices;* era necesario comprobar que no se leían libros prohibidos. La Inquisición utilizaba agentes para inspeccionar las librerías y aun las bibliotecas particulares. Pero donde más vigilancia había era en los puertos de mar y en la frontera francesa. No sólo se examinaban los paquetes de libros, sino toda clase de mercadería (...) A la llegada de un barco al puerto, su tripulación, pasajeros y mercaderías tenían que ser examinados por un comisionado de la Inquisición. Estas visitas de navíos eran molestas, imponían demoras y gastos, pues el agente cobraba por sus servicios. Los comerciantes elevaban constantes quejas, especialmente en Bilbao, puerto principal de la costa de Vizcaya; estas quejas eran apoyadas por los embajadores de potencias extranjeras, pero todo resultaba inútil. El Estado aprobó plenamente el sistema inquisitorial de protección al pueblo contra el veneno de la literatura nociva, y sus propias leyes de imprenta fueron excesivamente drásticas.[60]

Miguel de Cervantes, en el capítulo VI de la primera parte de *Don Quijote de la Mancha,* aludió con ironía a la inquisición y la personificó en las figuras del cura y el barbero, quienes quemaron los libros de la biblioteca de Alonso Quijano por considerar que tales lecturas lo habían enloquecido. También en el capítulo XXXII, de la misma primera parte, quedó retratada esa obsesión inquisitiva:

Así como el Cura leyó los dos títulos primeros, volvió el rostro al Barbero y dijo:
—Falta nos hacen aquí ahora el ama de mi amigo y su sobrina.
—No hacen —respondió el barbero—, que también sé yo llevallos al corral, o a la chimenea; que en verdad que hay muy buen fuego en ella.
—Luego ¿quiere vuestra merced quemar más libros? —dijo el ventero.
—No más —dijo el Cura— que estos dos: el de Don Cirongilio y el de Félixmarte.
—Pues, por ventura —dijo el ventero—, mis libros son herejes o flemáticos, que los quiere quemar?
—Cismáticos queréis decir, amigo —dijo el Barbero—, que no flemáticos.[61]

LAS GUERRAS CONTRA LA IDOLATRÍA

En América Latina, el Santo Oficio juzgó vital crear puntos de control en las tierras recién descubiertas con el propósito de expoliar la memoria de entereza regional y extirpar la adoración de los ídolos que ya existían. De hecho, se organizaron las aduanas favorables a la cristianización forzosa en tres comarcas claves.

En México, durante el exaltado periodo de 1522-1532, fueron los frailes quienes asumieron el rol de inquisidores con poderes episcopales, otorgados por medio de las bulas papales de 1521 y 1522. Los indios, castigados en los primeros momentos por sus costumbres, ya no respondieron a los procesos inquisitoriales, a partir del 30 de diciembre de 1571. La Inquisición mexicana dependía de la Secretaría de Aragón, la cual respondía a la de Castilla. Como rasgo sobresaliente, la Inquisición preservó en el Nuevo Mundo los mismos códigos vigentes en la península española y no se alteraron en los juicios las normativas de las Constituciones de Torquemada, las del arzobispo de Granada, las de Diego de Deza o las de Fernando de Valdés, aunque don Diego de Espinosa, cardenal inquisidor general y presidente del Real Consejo, ordenó la redacción de apéndices válidos para casos excepcionales en las colonias.

Apoyados en la figura del comisario habilitado, los inquisidores inspeccionaban puertos y barcos en busca de cualquiera de los libros señalados en los índices de obras prohibidas, tales como Biblias en lengua vernácula, novelas de caballería y obras científicas o políticas comprometedoras. El Concilio Provincial Mexicano de 1555, en su ítem LXXIV, advirtió sobre el peligro de cierto tipo de libros. Las imprentas eran constantemente examinadas, los libreros no podían vender hasta que sus archivos habían sido registrados y las bibliotecas privadas eran sometidas a exhaustivas pesquisas. El 2° Concilio Provincial de 1565 fue determinante al restringir la circulación de Biblias y negó el derecho de poseerlas a los indios. El 3er. Concilio de 1585 amenazó con la excomunión a todos los poseedores de libros prohibidos.

Existía un texto de Giovanni Alberghini, titulado *Manual Qualificatorum Sanctae Inquisitionis*, donde estaban definidos los libros peligrosos y los métodos más seguros y prometedores para expurgarlos o destruirlos. Los comisarios solicitaban a los pasajeros sus datos mientras revisaban sus pertenencias a fin de encontrar libros condenados, que se enviaban a la aduana y se quemaban una vez confirmada su condición herética o su inconveniencia.

También se vigilaba la ortodoxia doctrinaria y se sancionaba de forma ejemplar el paganismo dentro del orden de la "conquista espiritual", como la denominó Robert Ricard.[62] Los franciscanos fueron iconoclastas fanáticos en México, desde 1525, y contagiados por un fervor religioso creciente, frenéticos sin duda, ordenaron el asesinato de los sacerdotes de los cultos nativos, intimidaron a los indígenas con el fuego del infierno, y contribuyeron a una catástrofe cultural consciente de su misión de nuevos cruzados que debían ganar miles de almas para la fe cristiana y exterminar a los idólatras. Por una parte, se quería borrar toda memoria religiosa indígena; por otra, se reconocía que esto era imposible sin una investigación exhaustiva sobre los rasgos de las creencias anteriores a la presencia europea.

El Santo Oficio tenía enorme interés, en la década de 1530-1540, en la destrucción de arte y objetos religiosos indígenas, porque se sabía que cientos de obras habían sido ocultadas tras la toma de Tenochtitlan. Se prohibió a los artistas volver a pintar o esculpir sus símbolos (sólo se autorizó la reproducción de imágenes bíblicas), y no faltó quien se convirtiera en un audaz denunciante por temor.[63] Posteriormente, entre 1571 y 1698, un total de cincuenta y dos edictos se refirieron a la prohibición de libros.

Zumárraga, el fraile que quemó los escritos aztecas, inició un proceso en 1536 contra dos sacerdotes de Tláloc, dios de la lluvia, que realizaban un ritual para pedir el cese de la sequía entre sus paisanos. Según los documentos del proceso, los dos indios fueron condenados, humillados en público, azotados, y en el mercado de Tlatelolco fueron quemados sus ídolos.[64] La estatua de Tláloc fue enterrada en la sierra de Tlalocatépetl, al igual que otros ídolos y objetos rituales. Hoy podría escribirse una crónica desesperada con cada uno de los casos documentados de indios que tuvieron que arriesgar su vida y la de sus seres amados para evitar que las imágenes de sus dioses fuesen devastadas. Algunos caciques, en un gesto insospechable, decidieron transformarse en sus propios ídolos y, según ha contado Serge Gruzinski, "esos hombres-dioses, cuyos nombres evocaban las grandes divinidades del altiplano, oficiaban, curaban y actuaban sobre los elementos y recibían los honores destinados ordinariamente a los dioses de piedra".[65]

En 1538, hubo una investigación por idolatría contra tres ancianos por rendir culto a Huitzilopochtli, Cialeuque y Tláloc, y el día 22 de noviembre de ese mismo año, Zumárraga los condenó a ser vapuleados y quemó sus estatuas en una reunión pública con todos los indios más cercanos. En 1539, un pintor bautizado como Mateo confesó que sabía dónde se encontraban los ídolos salvados del templo de Huitzilopochtli y acusó a Puxtécatl Tlaylotla, residente del barrio San Juan de México que había sido bautizado como Miguel. De inmediato se activaron los mecanismos de indagación y Miguel fue torturado con el garrote y golpeado sin clemencia, pero nunca se pudo saber a ciencia cierta dónde estaban las estatuas. Lo que se determinó fue que casi todos los indios velaban sus reliquias en el suelo y realizaban sacrificios secretos.

Semana a semana, se destruyeron estatuillas en todas las casas y la última información comprobable que tuvo Zumárraga fue el testimonio del cacique don Baltasar, quien reconoció en diciembre de 1539 que llevó ídolos a Culhuacán y luego colaboró para que se dispersaran en las cuevas de los alrededores bajo la supervisión de un hijo de Moctezuma. Todo esto, por supuesto, molestó sobremanera a los inquisidores. En una barca, al parecer, fue transportado el dios Huitzilopochtli en dos partes (dos paquetes de colores azul y negro).[66] Las estatuas de Cihuácatl, Telpochtli, Tlatlauhqui Tezcatlipoca y Tepehua salieron de mano en mano hasta Azcapotzalco.

El temor a la herejía no produjo el miedo que causó entre los frailes la participación de los indígenas en la escritura de textos que reivindicaban las críticas a la acción de la dominación religiosa. Zumárraga estuvo encargado de la ejecución de Carlos Ahuaxpitzatzin Chichimecateuctli, nieto del rey poeta Netzahualcóyotl, hijo de nobles nahuas, y líder en Tezcoco, y su muerte fue cruel porque se consideró que había cometido el error de poner en duda toda la autoridad de la Iglesia en una arenga pública, en la que dijo:

¿Quiénes son éstos que nos deshacen, e perturban, e viven sobre nosotros, e los tenemos a cuestas y nos sojuzgan? Pues aquí estoy yo, y allí está el Señor de México Yoanize, y allí está mi sobrino Tezapille, Señor de Tacuba, y allí está Tlacahuepantli, Señor de Tula, que todos somos iguales y conformes y no se ha de igualar nadie con nosotros; que ésta es nuestra tierra, y nuestra hacienda y nuestra alhaja, y nuestra posesión, y el Señorío es nuestro y a nos, pertenece, y quién viene aquí a sojuzgarnos, que no son nuestros parientes ni de nuestra sangre y se nos igualan, pues aquí estamos y no ha de haber quién haga burla de nosotros...

Además, detuvo a un grupo y los exhortó a pensar:

Hermano, seamos así ¿qué verdad es la divinidad que deseamos? quizá es nada; aquí tenemos tres maneras que son cartillas, romance, y gramática, y en la cartilla está el "a b c," y "Pater Noster," y "Ave María, credo, y salve regina," artículos y mandamientos ¿por ventura fenece aquí todo? no hay más que hacer: los padres de Sant Francisco tienen una manera de hábito, y los de Santo Domingo de otra, y los de Sant Agustín de otra, y los clérigos de otra, y cada uno de ellos enseña a su manera, pues nuestros pasados también fueron profetas y supieron lo pasado y por venir, y nunca dijeron quiénes habían de venir

Escandalizados, los frailes juzgaron que era el caso más grave que recordaban y Zumárraga no lo indultó: fue estrangulado después de haber sido desgarrado internamente con un garrote y su cadáver fue quemado públicamente.[67]

Ya entre 1613 y 1654, esta disidencia era divulgada por escrito: la idolatría comenzó a aprovechar el recurso de la escritura para su expansión en las aldeas nahuas y zapotecas. De pronto, se extendió la difusión de textos rituales que preservaban antiguos conjuros de adivinación. En 1629, el hermano del dramaturgo Juan Ruiz de Alarcón, de nombre Hernando, persiguió a los indígenas en Chilapa, Cuernavaca, Taxco y Tistla y redactó el misterioso *Tratado de las supersticiones y costumbres gentílicas que hoy viven entre los indios naturales de esta Nueva España*, que es una colección de hechos sorprendentes, como la existencia de un conjuro para orinar que le angustió de modo peculiar:

Ven acá, ministro de los Dioses, amarillo ministro, habitador del paraíso, ve a empujar, ve a quitar, y a aplacar el verde dolor, que Dios y cual poderoso quiebra ya y hace pedaços mi presea joya y rica esmeralda.

Lo más interesante de Alarcón es la mención en su obra de rituales escritos, que confiscó y aportó como pruebas. Uno de los temas de estos textos consistía en enseñar a cazar venados. La alarma por la literatura ritual hizo que se descubriera en 1681 el caso por demás extraño de un indio de Iguala, a quien se encontraron "numerosos libros que no eran buenos". Los indios ya habían comenzado a escribir con alfabeto latino textos sobre sus dioses y preocupaban sobremanera a los inquisidores. Para 1686, un obispo tuvo la idea de crear un infierno terrenal para los idólatras en Oaxaca[68] y auspició la construcción de una cárcel insólita.

La sede de Lima se implantó —como la de México— por Cédulas Reales del 25 de enero de 1569 y condujo veintisiete autos de fe. El primero ocurrió el 15 de noviembre de 1573: se quemó a un hombre llamado Mateo Salado por su fe luterana (los herejes eran quemados en el Pedregal, cerca del cerro San Cristóbal).

La extirpación de idolatrías fue uno de los aspectos más debatidos en el celo evangelizador. Se conoce la terrible visita del clérigo Cristóbal de Albornoz a las provincias de Huamanga en 1569, en las que destruyó más de veinte mil huacas y condenó a ocho mil personas por herejía. En 1609, la Inquisición quemó en Lima las momias y estatuas de los indios. En 1610, Francisco de Ávila se dedicó a perseguir los casos que había descubierto dos años antes de culto autóctono a los dioses prehispánicos.

Hubo provincias como Huarochirí, donde se quemaron dieciocho mil ídolos movibles y dos mil ídolos fijos, o Cajatambo, donde estuvo activo entre 1617 y 1622 el intempestivo Fernando de Avendaño y entre 1656 y 1663 el cuidadoso Bernardo de Noboa. No obstante, fue tal la resistencia que se adoraba a las cenizas de los ídolos quemados; las *huacas* o lugares sagrados eran restablecidos durante la noche y volvían a estar activos cuando desaparecían los extirpadores. En la destrucción exasperada, se atacó directamente a los denominados *malqui,* que eran los cuerpos momificados de los antepasados.[69] La preocupación por la extensión de los cultos provinciales de la cosmovisión andina mantuvo en alerta a todo el sistema inquisitorial.

El cambio de mentalidad en el siglo XIX redujo poco a poco los procesos inquisitoriales y las Cortes de Cádiz, el 22 de febrero de 1813, suprimieron estos juicios de manera temporal y luego de forma permanente. Una de las consecuencias sincrónicas más deleznables de esta Inquisición fue la gestación de la autocensura y la vergüenza étnica.

LA INQUISICIÓN DE IDEAS REVOLUCIONARIAS

La Inquisición persistió y quiso impedir la rebelión de la élite cultural criolla que en el siglo XVIII rechazó el despotismo imperial. En el caso de Venezuela, dependiente de la sede creada por Cédula Real del 25 de febrero de 1610, en la Cartagena de Indias de Nueva Granada, los comisarios de la Inquisición de Caracas solían interrogar a numerosos poseedores de libros durante sus visitas domiciliarias. La Real Cédula del 25 de abril de 1742 prohibió los libros sin licencia en el Consejo de Indias. Se sabe que dos lectores, José Antonio Garmendia y José España, admitieron haber quemado las obras de Gaetano Filangieri; Francisco Javier Briceño rompió un tomo de la *Vida del conde de Saxe*.[70] Esto sucedió en 1806. En Caracas, el comisario de la Inquisición contaba con un personal para las pesquisas: un notario y dos alguaciles.

François Depons proporcionó una lista de los textos que era imposible leer en Venezuela:

> Las obras francesas condenadas a proscripción absoluta son: El Nuevo Abelardo, La Academia de las Damas, el Año Dos Mil Cuatrocientos cuarenta, El Filósofo de Buen Sentido, El discurso del Emperador Juliano contra los cristianos, Las Máximas Políticas de Paulo III, El Diccionario de Bayle, la Teología Portátil del Abate Bernier, la continuación de la Historia Universal de Bossuet, la teoría de las Leyes Criminales, de Brissot de Warville, los seis últimos volúmenes del Curso de Estudios de Condillac, los Diálogos sacados del Monialismo, el Tratado de Virtudes y Recompensas, los Errores Instructivos, el Diario del Reinado de Enrique IV, Rey de Francia, la Filosofía Militar, El Genio, de Montesquieu, la Historia literaria de los trovadores, la Historia filosófica y Política del Abate Raynal, Belisario, de Marmontel, las Memorias y aventuras de un hombre distinguido, De la Naturaleza, de Robinet, Investigaciones sobre los americanos, el Sistema de la Naturaleza, el Sistema social, las obras de Voltaire, las obras de Rousseau, el Ensayo sobre la Historia Universal, por Juan de Antimoine, la Historia del Príncipe Basilio, la Historia y vida de Aretino, los Monumentos de la vida privada de los doce césares, etc.[71]

Francisco de Miranda, uno de los héroes más interesantes de la Guerra de Independencia de América Latina, se quejó ante el ministro inglés William Pitt porque "la perniciosa censura de la Inquisición prohibía a los hispanoamericanos leer libros útiles o instructivos".[72] Pero no se trataba sólo de una limitación filosófica o literaria: la labor de la Inquisición procuró alentar una conciencia conservadora para mantener entre los grupos dominantes el culto católico, el fervor monárquico y obviar el pasado prehispánico.

En Colombia, el Archivo General de la Nación (Fondo Milicias y Marina) conserva documentos sobre la destrucción de textos. Unas estampas satíricas contra Carlos III fueron quemadas por una orden de fecha 11 de agosto de 1772. Menos cordial, una Real Cédula del rey contra un libro solicitó su destrucción en 1778:

> Real Cédula sobre el libro Año dos mil cuatrocientos y cuarenta. El Rey. Por cuanto habiendo llegado a entender por muy seguros, e indubitables informes, que ha empezado a introducirse en mis Reales Dominios un libro en octavo mayor, escrito en lengua francesa, intitulado Año dos mil cuatrocientos y cuarenta, con la data de su impresión en Londres, año de mil setecientos y setenta y seis, sin nombre de autor, ni de impresor, y que no solo se combate en él la Religión Católica, y lo más sagrado de ella, sino que también se tira a destruir el orden del buen Gobierno [...] promoviendo la libertad e independencia de los súbditos a sus Monarcas, y Señores legítimos: He resuelto, que además de prohibirse por el Santo Oficio este perverso libro, se quemen públicamente por mano del verdugo todos los ejemplares que se encuentren [...] A cuyo fin he mandado igualmente, por Real Orden de doce de marzo de este año a mi Consejo de las Indias expida Cédula circular aquellos reinos para el cumplimiento de la expresada mi real resolución [...] Fecha en Aranjuez a veinte de abril de mil setecientos y setenta y ocho. Yo EL REY.[73]

En 1779, la *Historia de América* de William Robertson fue quemada en la Costa. Entre 1810 y 1816, decenas de folletos, periódicos pasquines y libros fueron quemados en las plazas de Colombia por órdenes directas de las autoridades españolas y con el apoyo de los miembros de la Inquisición. Se sabe, por ejemplo, que el volumen titulado *Devocionario de Ibagué en memoria de las hazañas, prodigios y virtudes de la Lanza de Don Baltasar,* que aún hoy día se conserva en la santa iglesia matriz de aquella ciudad (Imprenta de Ambrosio Carabina, 1813) del doctor José Francisco Pereira (1789-1863), fue quemado públicamente cuatro años después de su aparición, según la orden del comandante Ramón Sicilia.

LA PELEA POR LA DIVERSIDAD
DE LA LENGUA Y LAS COSTUMBRES

Durante el siglo XVIII, España y las distintas potencias que conquistaron territorios en América Latina consolidaron su poder por medio de la represión y la censura para fortalecer la amnesia de la verdadera condición de quienes eran indios y negros. Entre las decisiones más importantes para dar vigencia al olvido y a la creación de una nueva memoria, comenzó un proceso de colonización, que supuso la creación de asentamientos urbanos, con leyes que reproducían en todo la normativa europea y explotaban recursos naturales renovables y no renovables.

Hay una curiosa relación entre la etimología de la palabra "colonización" y "cultura": ambas derivan del término latino *colo,* que es "cultivo" en latín. La colonización es, por eso, en su propia esencia un proceso de sustitución de valores culturales. En el caso de América Latina, desde el primer momento fue irrebatible que no sería posible extraer la inmensa cantidad de recursos sin apelar a un régimen que debía partir de la separación ontológica: enseñanza de la lengua de quien era sometido y luego evangelización forzosa para abandonar la condición del paganismo. Contrario a lo que se piensa, es más sencillo someter a quienes están alfabetizados que a quienes no lo están. Imperios como los sumerios, egipcios, griegos y romanos divulgaron sus lenguas con alfabetos estables, para imponer sus leyes con mayor facilidad a los pueblos sometidos.[74]

En la colonización, se parte de la base de que el subordinado es un "bárbaro" que debe ser "civilizado" y esto pasa por obligarle a aceptar la legislación de su conquistador. Con esto se puede crear una hegemonía, es decir, una estructura general de dominio de las ideas de un grupo sobre otro. Incluso se puede utilizar el idioma nativo como base para implantar ideas: el decreto del 3 de julio de Felipe II contradecía la tesis del Consejo de Indias de obligar a leer libros en español porque el monarca juzgaba que el bilingüismo contribuiría a la expansión del cristianismo.[75] Además, Felipe II conocía los efectos de la prohibición de la lengua en la misma España, pues entre 1567 y 1570 los moriscos se alzaron al conocer la noticia del veto del árabe. Según Ricard, la primera etapa de los religiosos de México revela que prepararon cientos de obras de catequesis en náhuatl, tarasco, otomí, pirinda, mixteco, zapoteco, huasteco, totonaco, zoque y otras lenguas.[76]

En la Cédula Real del 7 de junio de 1550, el virrey de Nueva España recibió instrucciones para que los franciscanos, dominicos y agustinos enseñasen en lengua castellana. La inquietud por la diversidad lingüística de los indígenas afloró en Oaxaca, y el 27 de julio de 1570 se envió a España una relación sobre este problema y el Consejo de Indias, confundido por las consecuencias, autorizó un año después a los interesados para que procedieran a reducir el número de lenguas al mínimo posible. El sagaz Diego de Landa, que quemó los libros mayas, planificó un método para desaparecer las idolatrías y asegurar la introducción del castellano: formó a los niños en el rechazo de la cultura de sus padres. El Consejo de Indias, en diversas oportunidades, insistió en cambiar la mentalidad de los hijos de los caciques para distanciarlos de las prácticas del pasado. Fray Juan de Zumárraga, biblioclasta reconocido, fundó el 6 de enero de 1536 el colegio Santa Cruz de Tlatelolco, el primer colegio instalado por los españoles en América, en las instalaciones de un antiguo calmécac de los aztecas, y su esfuerzo sirvió para conocer mejor las culturas indígenas y transmitir las ideas a las nuevas generaciones, incluyendo la glotofagia: el castellano devoró literalmente al náhuatl clásico. Desde ese tiempo hasta los nuestros, la educación procuró la asimilación.

La Real Cédula del 6 de abril de 1691 estableció que en Nueva España y Perú debían establecerse escuelas para enseñar el castellano, y se advirtió sobre el papel de las lenguas indígenas en el retorno a los cultos nativos. El principio de respeto a la diversidad fue cuestionado por el arzobispo de México, Francisco Antonio Lorenzana, en 1769, y a propósito escribió en su carta pastoral:

> […] en dos siglos y medio de hecha la conquista de este reino (...) aun (...) necesitamos intérpretes (...) en más número, que al principio, pues con Jerónimo de Aguilar y Doña Marina entendió [Hernán Cortés] la lengua de muchas provincias desde Yucatán hasta México, y desde aquel hasta Guatemala, y ahora en una sola diócesis se han multiplicado de tal modo, que aun para confesar algún reo en las cárceles, podemos asegurar que no se ha hallado ministro eclesiástico, ni intérpretes (…) los ministros eclesiásticos que no procuran adelantar y extender el idioma castellano y cuidar que los indios sepan leer y escribir en él, dejándolos cerrados en su nativo idioma, son en mi concepto enemigos declarados del bien de los naturales, de su policía y racionalidad: intentan perturbar el mejor gobierno eclesiástico, que se impide con tantos y tan distintos idiomas, fomentan las idolatrías, que se ven más en los indios que ignoran el castellano (...) Creo que si los párrocos instaran por cincuenta años en que sus feligreses aprendieran el castellano se lograría y sería toda Nueva España *terra labiis unius* (…) no ha habido nación culta en el mundo, que cuando extendía sus conquistas, no procurase hacer lo mismo con su lengua.[77]

Esta queja llegó a oídos del rey Carlos III, quien pidió asesoramiento a varios consejeros, y finalmente decidió en una Real Cédula del 10 de mayo de 1770 que se extinguieran "los diferentes idiomas de que se usa en los mismos dominios, y sólo se hable el castellano".[78] Con este decreto, el monolingüismo inaugurado por Carlos V volvió a dominar. Fue entonces que se concibió el plan de iniciar una segunda fase de discriminación de la cultura de los aborígenes de América Latina.

Lo mismo hizo el reinado de Portugal en Brasil. João III, apodado el Piadoso, impulsó hacia 1530 la evangelización y colonización del país, a sangre y fuego, y colocó al frente de sus proyectos a la Compañía de Jesús y a la Inquisición. Cuando se fundó Salvador de Bahía en 1549, se advertía que la meta era convertir a los indígenas a la fe cristiana, pero esa ambición introdujo además la lengua. Para 2007, la lengua portuguesa ha asegurado una posición de importancia por la colonización lingüística de Brasil,[79] que aportan ciento ochenta y nueve millones de hablantes.

¿Qué lenguas se perdieron con el monolingüismo? La riqueza del español o del portugués fue la pobreza de los idiomas indígenas, pues desaparecieron más de mil en quinientos quince años (casi dos por año) y todavía hay otros por desaparecer. En una selección al azar de esa lista de lenguas perdidas deben incluirse:

Cuadro 1.
Lenguas indígenas perdidas

Antillas menores:

Lengua caraib

Argentina:

Lengua abipón (se habló en el Chaco de Paraguay y de Argentina), haush, chané (izoceño), charrúa (se habló en Brasil y Uruguay), huarpe, teushen, chono

Bolivia:

Lengua canichana, apolista, cayubaba, chapacura,itene, paicone,pauna, quitemo, saraveca, shetebo, xipinawa

Brasil:

Lengua acroá, amariba, apiaka, arára de Mato Grosso, araticum, arikem, aroa (aruan), barawana, botocudo,cariaya, catrimbi, catuquina, cawishana, chicao, coeruma, coroano, coropo, cuniba, gamela, guana integrado con guaraní, guato, inapari, jeicó, jumana, kahuyana, kaimbé, kamakán, kamba, kambiwá, kanoé, kapinawá, karipúna, kayapo-kradau, kepkiriwát, kirirí-xocó, krenje, kujijeneri, kukura, kustenao, kutaxó, maku, makushi, malali, marawa, mariate, maritsauá, masakará, menian, miriti, mura, opayé-chavante, oti, pakarara, palmela, paranawát, paraviyana, pase, patasho,pauxiana,potiguará, puri, purocoto, remo, tarariu, tarumá, tingui-boto, truká, tukumanféd, tupí, tupinambá, turiwará, tuxá, tuxináwa, umán,umotína, urumi, wainuma,wakona,waraicu, warikyana,wasu, wiraféd, wirina, xakriabá,xoko, xukuru (incluye xukuru kariri), yabaana yaruma, yuma, yuri

Chile:

Lengua kakauhua, aksanas,alacaluf,atacama,kunza, shelknam.

Colombia:

Lengua cueva, airico, amarizana, andágueda, anserma, atabaca, bonda, cabere, cagua,caramanta, catío viejo, chitarero, coeretú, coeruna, coiba, colima, coyaima, coxima, duit, guane, guanebucán, guaque, guayupe, hianacotoumaua, icaguate, idabaez, lache, muzo, maipure,malibú, miraña-carapana, mocana, muzo, natagaimas, nutabe, otomac, pamigua, panche, pantagora, pasto, patsoca, quillacinga, quimbaya, sindagua, situfa, tama, telembí, tinigua, uantya, urubu-tapuyo, yamesi, yauna, yurumangui

Costa Rica:

Lengua chorotega (de la familia otomangue)

Cuba y Antillas mayores:

Lengua taíno

Ecuador:

Lengua awijiras, coronados, esmeralda, gaes, oas, omagua, shimigaes, tetetes, záparo.

Honduras:

Lengua lenca

El Salvador:

Lengua cacaopera, lenca

México y Centroamérica:

25 lenguas sin nombre todavía, ajibine, aguata, apaneco, ayacasteco bocalo, borrado, cacoma, cataara, chamelteco, chichimeco, chicomuceltec, chontal

de Guerrero, chumbia, cinteco, coano, cochimi, cochin, cocmague, conguaco, copuce, cuahcomeco, cucharete, cuitlateco, cuyumateco, cuyuteco, guamar, guaxabane, guaycura, himeri, hio, hualahuís, huaynamota, huehueteco, icaura-ayancaura, iscuca, itzuco, izteco, janambre, jano, jocome, malaguese, mancheño, mantlame, mascorro, mazateco de Guerrero, mazateco de Jalisco, mazateco de Tabasco, mextitlaneco, náhuatl clásico, náhuatl de Tabasco, negrito, olive, otomí de Jalisco, pame, pampuchin, panteco, papabuco, pelón, pericú, pisón (popoteco), potlapigua, quacumeco, quahuteco, quata, quinigua, salinero, tacacho, tamaulipeco, tamazulteco, tene, tepecano, tepetixteco, tepocanteco, texcateco, texome, tiam, tlacotepehua-tepuzteco, tlatempaneco, tlatzihuizteco, tolimeco, tomateco, tonaz, totrame, tsuco, tubar, tuxteco, uchita, ure, vigiteca, xilotlanzinca-tamazulteco, xocoteco, zapoteco de Jalisco, zapotlaneco, zayahueco, zoyateco

Nicaragua:

Lengua matagalpa, monimbo, subtiaba

Paraguay:

Lengua emok, guaicurú o mbaya, abipón

Perú:

Lengua abishira, aguano, andoa, atalan, atsahuaca, aushiri, colima, culli, hibito, nocamán, omurano, orejone, panobo, patagón, pisabo, quechua clásico, puquina (se extendió a Arequipa, Moquegua, Tacna, parte de Cusco hasta el altiplano boliviano y chileno), remo, sensi, yameo, yunga (incluye mochica, muchik, eten)

Uruguay:

Lengua chaná, charrúa

Venezuela:

Lengua anauya, ature, avani, baniva, bané, caribe (incluye cumanagoto, tiverigoto, chayma, sayma, warapiche, yao, pariagoto, piritu, tamanaco, palenque, caraca, teque, quiriquire, guaiquerí), caquetío, guniare, jirajara, kuakua, mawaka, otomaco, paraujano, pareca, timote, tororo, yavitero

Fuentes: Raymond J. Gordon, Jr. (ed.). *Ethnologue: Languages of the World*, SIL International, 2005; Migliazza, Ernest-Campbell, Lyle. *Panorama general de las lenguas indígenas de América*, Caracas, Academia Nacional de la Historia, 1988.

El llamado Nuevo Mundo repitió el patrimonio institucional europeo en el virreinato de Nueva España, que comenzó en 1535, y comprendió una extensa área desde Arizona, Dakota del Norte, Dakota del

Sur, Montana, California, Colorado, Nevada, Nuevo México, Texas, Oklahoma, Wyoming y Utah, en lo que es hoy Estados Unidos hasta la distante Guatemala; y además controló la Capitanía General de Cuba, la Capitanía General de Guatemala, la Capitanía General de Filipinas y los territorios de Florida, Louisiana y Nootka. Su capital estuvo en la Ciudad de México. El otro virreinato importante fue el de Perú, con Lima como capital y cuya extensión abarcó desde el istmo de Panamá hasta los confines de Sudamérica. En el siglo XVIII, nacerían el virreinato del Río de la Plata y el virreinato de Nueva Granada. Lo interesante es que las instituciones fueron transplantadas al servicio del monopolio español y siempre estuvo claro que toda la forma de gobierno de los indios iba a cambiar: "procuren reducir la forma y manera del gobierno dellos al estilo y orden con que son regidos los reinos de Castilla y León".[80] El patrimonio político fue modificado sin remedio.

Durante casi tres pesados siglos, en el caso de Nueva España y Perú, la extracción de oro y plata justificó el adoctrinamiento de las colonias, lo que hubiera sido imposible sin el apoyo de la Iglesia católica. El papel más cruel que pueda imaginarse en una sociedad autoritaria es el de la complicidad manifiesta: la Iglesia católica encubrió y participó en el saqueo de América Latina y nunca ha pedido perdón por los graves daños culturales que causó. Sus distintas órdenes religiosas, encabezadas por franciscanos y dominicos, y luego jesuitas, agustinos y carmelitas, participaron con los conquistadores en la suplantación de valores culturales y en la destrucción deliberada del patrimonio cultural tangible e intangible.[81]

Sacerdotes decepcionados dejaron testimonios sin desperdicio que demuestran cómo hubo una conciencia enorme del daño que se causaba. Contrario a lo que se suele debatir, hubo conciencia de que la colonización fue un proceso etnocida. Baste leer lo que denunció Las Casas: "Porque son tantos y tales los estragos e crueldades, matanzas e destrucciones, despoblaciones, robos, violencias e tiranías, y en tantos y tales reinos de la gran Tierra Firme, que todas las cosas que hemos dicho son nada en comparación de las que se hicieron; pero aunque las dijéramos todas, que son infinitas las que dejamos de decir".[82] Y fue aún peor su juicio sobre la legalidad de la conquista: "Lo que ellos llaman conquistas, siendo invasiones violentas de crueles tiranos, condenadas no sólo por la ley de Dios, pero por todas las leyes humanas, como lo son e muy peores que las que hace el turco para destruir la Iglesia cristiana. Y esto sin los que han muerto e matan cada día en la susodicha tiránica servidumbre, vejaciones y opresiones cotidianas".[83]

LAS ENCOMIENDAS, DONACIONES
DEL PAPA Y MISIONES

El papa Alejandro VI había condicionado la concesión de tierras a los españoles y portugueses a cambio del poder religioso sobre los nuevos vasallos y esto implicó un desastre cultural que redujo la resistencia de los indios. Por medio de la encomienda o de la mita, de las misiones y de los cuerpos expedicionarios, se aniquiló a pueblos enteros y se les condenó como animales salvajes a la esclavitud más miserable.

El 27 de diciembre de 1512, se promulgó en Burgos un conjunto de leyes destinadas a crear una suerte de campos de concentración que fueron las encomiendas: espacios para legitimar el trabajo forzoso de los indios bajo la tutela de un encomendero que se comprometía a pagar tributos a la Corona y a "humanizar" las turbias relaciones con los nativos. En la práctica, la encomienda cercenó los derechos de los indios y se les convirtió legalmente en esclavos; el encomendero pasó a ser un tutor cruel. Toda la concepción del mundo indígena comenzó entonces a ser adaptada y su memoria negada.[84]

El *Requerimiento,* nacido de la pluma del jurista Juan Nicolás López de Palacios Rubio, era un documento que servía para leerlo ante los indios con el fin de comunicarles que debían aceptar que el papa Alejandro VI había donado las tierras del Nuevo Mundo a los reyes de Castilla e intimarles a aceptar voluntariamente la fe cristiana y abandonar sus prácticas religiosas. Hasta 1526, el texto se leía en voz alta y en español y, por supuesto, los indios se resistían a costa de un exterminio total. Dado que fue un escrito usado por Pizarro en Perú y por Pedrarias Dávila y otros conquistadores, convendría citarlo:

> Por ende, como mejor podemos, os rogamos [...] reconozcáis a la Iglesia por señora y superiora del universo mundo, y al Sumo Pontífice, llamado Papa, en su nombre, y al Rey y Reina doña Juana, nuestros señores, en su lugar, como a superiores y Reyes de esas islas y tierra firme, por virtud de

la dicha donación y consintáis y deis lugar que estos padres religiosos os declaren y prediquen lo susodicho.

Si así lo hicieseis, haréis bien, y aquello que sois tenidos y obligados, y sus Altezas y nos en su nombre, os recibiremos con todo amor y caridad, y os dejaremos vuestras mujeres e hijos y haciendas libres y sin servidumbre, para que de ellas y de vosotros hagáis libremente lo que quisieseis y por bien tuvieseis, y no os compelerán a que os tornéis cristianos, salvo si vosotros informados de la verdad os quisieseis convertir a nuestra santa Fe Católica, como lo han hecho casi todos los vecinos de las otras islas, y allende de esto sus Majestades os concederán privilegios y exenciones, y os harán muchas mercedes.

Y si así no lo hicieseis o en ello maliciosamente pusieseis dilación, os certifico que con la ayuda de Dios, nosotros entraremos poderosamente contra vosotros, y os haremos guerra por todas las partes y maneras que pudiéramos, y os sujetaremos al yugo y obediencia de la Iglesia y de sus Majestades, y tomaremos vuestras personas y de vuestras mujeres e hijos y los haremos esclavos, y como tales los venderemos y dispondremos de ellos como sus Majestades mandaren, y os tomaremos vuestros bienes, y os haremos todos los males y daños que pudiéramos, como a vasallos que no obedecen ni quieren recibir a su señor y le resisten y contradicen.

Los centros de sustitución cultural o transculturación operaron inicialmente en los llamados centros de doctrina, que se repartieron la educación de los indios, como fue el caso de los franciscanos en Tlatelolco, los jesuitas en Pátzcuaro, Tepotzotlán y el colegio de San Gregorio en la Ciudad de México. Hoy se conoce que el mejor modo utilizado para controlar a la población consistió en comprender el poder de los caciques: fueron los primeros en ser bautizados como ejemplo para sus comunidades y en los casos de rebeldía fueron también los primeros en ser castigados para escarmiento de cualquier otro que pudiera desconocer la autoridad imperial.

Las misiones o reducciones de la Compañía de Jesús, en lo que es actualmente la provincia de Misiones, Paraguay,[85] fueron atacadas desde 1612 por grupos armados conocidos como los "bandeirantes" de Sao Paulo y en ocasiones hubo destrucción completa de la misión, como sucedió en Guayrá, Itatí y El Tapé. Los jesuitas, expulsados por Carlos III por decreto el 27 de marzo de 1767, intentaban cumplir con la evangelización y la transformación de los valores culturales de los guaraníes con métodos más suaves, y consiguieron crear unas 60 comunidades, donde por supuesto la tolerancia era limitada dado que se impedía a los indios cantar o interpretar su música y sus rituales principales. Entre otros aspectos, el arte que se enseñó fue de concepción europea y si bien se conoce que se crearon más de dos mil esculturas, hoy sólo quedan doscientas muestras. De la pintura, que fue célebre por las telas al óleo, pinturas al fresco de murales, techos, bóvedas y retablos, hay pocas obras.

En su retiro, los jesuitas procuraron destruir todos sus archivos para evitar inspecciones en el momento de su expulsión: "los Padres se habían cuidado muy bien de quemar los legajos correspondientes, que eran casi todo su archivo".[86]

Una idea persistente en la Colonia, que ni los jesuitas ni ninguna crónica desautorizó, consistía en creer que los indios eran perezosos por naturaleza. En 1778, fray Félix de Villanueva todavía protestaba: "hay que españolarlos, o que hablen en español; sin esto no adelantan gran cosa".[87] Este prejuicio, que tantas víctimas causó, fomentó odios permanentes. Tras un trato inhumano, que hizo reaccionar a muchos en solitario, el prefecto fray Miguel comentó sobre las misiones en Venezuela que los indios nunca olvidaron "las crueldades que hicieron con sus antepasados los primeros españoles".[88]

El explorador cosmopolita Humboldt denunció que los indios habían perdido la vitalidad en las misiones:

Sometiendo a reglas invariables hasta las ínfimas acciones de su vida doméstica, se les ha vuelto estúpidos a fuerza de tenerlos obedientes. El sustento de ellos está en general mejor asegurado y sus hábitos se han hecho más apacibles; pero sujetos a la represión y a la triste monotonía del gobierno de las misiones, dan a entender, por su aire sombrío y concentrado, que a su pesar han sacrificado la libertad al reposo. El régimen monástico, restringido al recinto del claustro, aun sustrayendo al Estado ciudadanos útiles, puede en ocasiones servir para calmar las pasiones, para consolar en grandes pesares, para alimentar el espíritu de meditación; pero transplantado a las selvas del Nuevo Mundo, aplicado a las múltiples relaciones de la sociedad civil, trae consecuencias tanto más funestas cuanto su duración es más larga. Estorba de generación en generación el desenvolvimiento de las facultades intelectuales; impide las comunicaciones entre los pueblos y se opone a todo lo que educa el alma y engrandece las concepciones. Es por reunión de estas diversas causas por lo que los indígenas que habitan las misiones se mantienen en un estado de incultura que llamaríamos estacionario[89].

En el caso de los andakí del Alto Magdalena, que se enfrentaron a los españoles y opusieron una violenta resistencia (como otras miles de etnias), ha quedado claro a los historiadores que grandes grupos de misioneros contribuyeron al exterminio. Fray Martín de Idroxo, en 1744, cansado de los ataques de los andakí, pidió al presidente de la Real Audiencia de Quito que demoliesen a estos indios. La colaboración entre soldados y misioneros fue común: incluso se conoce que para cobrar los soldados sus sueldos necesitaban en ocasiones un certificado religioso. A fines del siglo XVIII, el arzobispo de Santa Fe no quería enviar misioneros a los indios selváticos, pero se quejaba de que era necesario sujetarlos por la fuerza, y en este proceso los andakí fueron extinguiéndose. En 1809, según un informe, los misioneros habían sido desplazados por los nuevos colonizadores: aventureros, mineros y guaqueros.[90] Y me refiero con este caso a un único modelo, pero fue general.

CAPÍTULO II

La gran catástrofe

*Los europeos transplantaron al Hemisferio Occidental,
allende el océano, el cristianismo y la cultura antigua,
que constituyeron los fundamentos esenciales de la vida
colonial en formación.*

RICHARD KONETZKE, *América Latina: la época colonial*

LA TRANSICIÓN COLONIAL

Animados por los éxitos de la expulsión de los moros y reconquista de los territorios islámicos en España, los primeros conquistadores que fundaron colonias en América Latina repitieron el esquema de exterminio y remplazo de valores religiosos y culturales.

A partir del etnocidio, América Latina conoció desde el siglo XV un transplante cultural violento en el que se conformó una sociedad colonial basada en el principio de la explotación del oro y de la plata y de los productos agrícolas, la vergüenza étnica, el esclavismo, el mestizaje (palabra que provendría del latín *mixtus,* formado a partir del verbo *miscere*, que se traduce como "mezclar") gestado en el hecho de que la mayoría de los españoles que vinieron no traía mujeres y comenzaron a convivir y a tener hijos con las indias y las negras. Así se formaron los estamentos, separados en etnias bien diferenciadas que clasificaban un mundo social en el que los españoles, obsesionados con la posibilidad de perder la sangre pura, repitieron el mismo esquema de exclusión que habían aplicado a judíos y árabes, pero esta vez a los nativos. Los hijos del cruce entre blancos y negras eran mulatos; los hijos de blancos con indias eran mestizos. Se llamaba criollos a todos los descendientes de

111

europeos y no tenían los mismos beneficios de los españoles directos, que eran designados para los más altos cargos. Los pardos eran a su vez los mestizos, mulatos, zambos y cuarterones. Los negros no tenían derecho alguno. El cuadro de castas estaba constituida de esta manera:

Cuadro 2
Castas coloniales

Primer grado	Segundo grado	Tercer grado	Cuarto grado
Blanco x indio: mestizo	Negro x mulato: zambo, grifo o cabro	Blanco x tercerón: cuarterón, albino	Mulato x tercerón: Salto atrás
Blanco x negro: mulato	Negro x chino: zambo Blanco x mulato: tercerón o morisco	Blanco x castizo: Postizo u octavón	Mestizo x cuarterón: coyote
Negros x indio: zambo, lobo o chino (en México)	Blanco x mestizo: cuatralbo, castizo Indio x zambo: Zambaigo		Grifo x zambo: jíbaro Mulato x zambaigo: cambujo
	Indio x mestizo: tresalbo		Blanco x cuarterón: quinterón
	Indio x mulato: mulato prieto Negro x zambo: zambo prieto		Blanco x octavón indio: puchuelas Blanco x coyote: harnizos
			Blanco x cambujo: Albarazado
			Blanco x albarazado: barzinos Negro x tercerón: cuarterón salto atrás
			Negro x cuarterón: quinterón salto atrás

Fuente: Rosenblat, A. *El mestizaje y las castas coloniales.* Buenos Aires, Nova, t. II, pp. 175-176, 1954.

Durante la conquista y colonización, se modificaron los sistemas de intercambio comercial, agrícola, minero; se impulsó el monolingüismo; se renombraron todas las cosas descubiertas por los exploradores, a menudo adaptando una mínima parte del vocabulario indígena; asimismo se impuso la cultura y religión occidental cristiana a millones de seres humanos que eran politeístas; y se formalizaron leyes con los deberes de todas las nuevas castas que rompieron los esquemas sociales anteriores.

No fue una transición sin traumas ni sencilla, pero hasta el siglo XIX se mantuvo uniforme, sostenida por un estado de derecho imperial que se proyectaba desde el centro (Europa) hasta la periferia (las colonias). Ni los ingleses, que colonizaron parte de las Antillas y desde Florida hasta Nueva Escocia; ni los franceses, que colonizaron otras islas de las Antillas, la zona de los grandes lagos y el Mississippi; ni los portugueses, que sometieron Brasil; ninguna de estas naciones creyó necesario estudiar las instituciones aborígenes para incorporarlas, sino que las estudiaron para aprender cómo inculcarles desde sus metrópolis todos sus métodos de explotación y cultura.

En el Imperio español, la justicia tuvo como referencia *Las Siete Partidas*, en una primera época, hasta que en 1681 se consolidó la *Recopilación de Leyes de Indias* y se creó hasta un Consejo de las Indias que se instaló formalmente en 1524, con la misión de intervenir en cualquier asunto relacionado con las nuevas tierras. Asimismo se establecieron instituciones como la Real Audiencia, que funcionó como tribunal de justicia y como órgano de control político, cultural y administrativo, en colaboración con el programa evangelizador de la Iglesia. En la historia política latinoamericana, debe mencionarse que la reinstitucionalización española aprovechó la desintegración de los núcleos autóctonos y fomentó la constitución de las provincias en base a jurisdicciones civiles y militares, con gobernador y capitán general incluido, que reproducían entre otras cosas la figura del cabildo y de la ciudad de corte europeo.

A principios del siglo XX, en 1908, Julio César Salas publicó un libro pionero titulado *Tierra Firme: etnología e historia*, en el que precisó que "la destrucción de los indígenas durante la colonia fue obra española consciente y sistemática, pues por codicia fueron sometidos los aborígenes a un trabajo cruel y constante".[91] Los asentamientos indígenas fueron borrados hasta los cimientos: casas, mercados y lugares de reunión se disolvieron. Los templos indígenas fueron destruidos, sin importar su valor y material, y se llegó al extremo de edificar las iglesias sobre las ruinas como ocurrió en México, donde la Catedral Metropolitana fue construida sobre el Templo Mayor, cuyas piedras sirvieron para las bases de la nueva arquitectura. En Yayasal, asentamiento maya de Guatemala, se derribaron todos los templos indígenas y se reconstruyeron como iglesias: así cayó la última aldea de los mayas.

Desde la fundación de la primera ciudad en la isla de Santo Domingo hasta el siglo XIX, la arquitectura y las artes europeas fueron el paradigma de edificación. El predominio de la traza ortogonal se impuso en las Ordenanzas de Pobladores del año de 1573, una serie de regulaciones general aplicables en el resto del continente con una propuesta de calles extendidas en damero, con una plaza central y edificios públicos circunscriptos y próximos a las iglesias. Bajo la influencia de León Battista Alberti, en la arquitectura del virreinato encontramos, por ejemplo, que se siguieron ideas expuestas por Platón en el *Timeo* o Vitruvio sobre la relación entre el universo y la música, o teorías del humanismo renacentista barroco, como en la iglesia de la parroquia de Guadalupe al norte de Perú.

Los jesuitas fueron artífices de esta campaña a favor del barroco latinoamericano y se considera que en 1568, justo cuando Vignola edificó la iglesia del Gesú, dio por inaugurado este ideal contrarreformista que quiso ser una respuesta a los protestantes. En la catedral de Puebla se quiso imponer el mito del Templo de Salomón, y un experto como Antonio Tamaríz de Carmona justificó en 1650 que se edificara "un templo para darnos a entender que entre las raras y excelentes virtudes de un Rey y que más se granjea la remuneración del Supremo Monarca, es levantar a Dios, templos y consagrarle altares donde sea alabado y venerado en la tierra".[92]

En un acto insospechado, la nueva Ciudad de México se edificó sobre Tenochtitlan. Los frailes ordenaron sepultar o destruir los templos y los españoles prohibieron a los nativos vivir dentro de la urbe, y los condenaron a habitar miserables chozas lejos de su vista. Entre tanto, la riqueza obtenida del país permitió constituir una ciudad tan opulenta que se permitió imponer un barroco arquitectónico en el siglo XVIII, con el cual se sintetizaba el ideal europeo de la contrarreforma católica.[93] Las iglesias sustituyeron a los templos aztecas, los monasterios a las casas de sabiduría y las mansiones desplazaron a los antiguos palacios. Balbuena podía cantar:

De la famosa México el asiento
origen y grandeza de edificios
caballos, calles, trato, cumplimientos,
letras, virtudes, variedad de oficios,
regalos, ocasiones de contento,
primavera inmortal y sus indicios,
gobierno ilustre, religión, estado,
todo en este discurso está cifrado.[94]

Las pretéritas construcciones aztecas fueron abandonadas, y quedaron a merced de la rapiña, pero la tradición literaria adquirió nuevas dimensiones cuando surgió una literatura nostálgica que intentó la reescritura de los textos perdidos. Vale la pena recordar que la mayor parte de los códices aztecas que han llegado hasta nosotros, y nos permiten reconstruir su pasado, es de origen estrictamente colonial. Los sabios utilizaron entre 1524 y 1530 el alfabeto latino para redactar las cronologías más remotas, como los *Anales de Tlatelolco*, transportados a la Biblioteca Nacional de París.

Las obras de arte de los indígenas eran curiosidades que el celo religioso solía destruir y las únicas obras aceptadas eran aquellas que imitaban o seguían la tradición europea. Los dioses prehispánicos causaron repudio entre los sacerdotes, que combatieron la representación de idolatrías y la sustituyeron por un arte religioso alegórico que invitaba a la sumisión y a la aceptación de la nueva fe. Los franciscanos lograron que los nativos se insertaran en este cambio artístico cuando los adaptaron: una prueba son los frescos de la iglesia de Ixmiquilpan, en Hidalgo, donde el bien y el mal fueron representados con mitos locales. En 1520, los talleres San José de Belén de los Naturales, de Pedro de Gante, sirvieron para que los indígenas fuesen utilizados con el propósito de producir imágenes cristianas tuteladas. En 1643, el pintor Sebastián López de Arteaga fue designado como expurgador de imágenes del Santo Oficio en México para controlar las imágenes que se reproducían en las iglesias por miedo a que lo indios aprovecharan el nuevo arte para introducir sus elementos religiosos. Hacia 1650, ya estaba consolidada la imagen barroca.

Los indígenas fueron internados en ocasiones para borrarles todo recuerdo anterior, como lo confirmó Gante en una carta del 15 de junio de 1558, donde escribió a Felipe II que su método consistió en juntar a los hijos de los nobles indios, unos "mil muchachos, los cuales teníamos encerrados en nuestra casa de día y de noche, y no les permitíamos ninguna conversación, y esto se hizo para que se olvidasen de sus sangrientas idolatrías y excesivos sacrificios".[95]

La transferencia de conceptos se plasmó en la propaganda de los nuevos símbolos que debían ser interpretados según el canon de la cultura dominante y sucedió frecuentemente que las imágenes servían para divulgar el orden social. En los cuadros de castas mexicanos, elaborados entre los siglos XVII y XVIII, se pintaba a personajes que por su vestimenta permitían orientar a los europeos sobre los cruces raciales, como el de los mestizos o castizos. Las pinturas se realizaron por instrucciones del gobierno del virreinato para servir como un código de identificación para todo aquel que quisiera conocer más de cerca el aspecto físico de la sociedad latinoamericana. Hoy estas obras se hallan en un 90% fuera de México: casi todas integran colecciones particulares en Francia, España y Estados Unidos.

El cerro de Potosí (derivado del nombre aimara *pottochi,* "que estalla") era un lugar de culto religioso, como lo ha revelado la declaración que dio bajo presión el indio Diego Huallpa al reconocer que "cuatro soldados le enviaron a la cumbre del cerro, habiendo encontrado allí un adoratorio indígena con ofrendas de escaso valor, y que fue entonces que descubrió la plata del cerro por manifestarse su existencia en la superficie misma".[96] Este Diego le habría comunicado el hallazgo a otro indio, quien se lo hizo saber a su amo, Diego de Villarroel y ya después de 1545 todo rastro de culto fue borrado. La zona fue poblada con ciento sesenta mil seres humanos, de los que 60% eran indígenas.[97]

El virrey Francisco de Toledo estableció que, durante tres turnos de trabajo con cuatro mil quinientos mitayos, las dieciséis provincias cercanas debían proporcionar recursos humanos constantes desde Quispicanches, Canas y Canches, Azángaro y Asillo, Cabana y Cabanilla, Chucuito, Paucarcolla, Omasuyos, Pacajes, Sica-Sica, Carangas, Paria, Chayanta, Porco y Chichas. El trabajo era terrible:

> Los apires ascendían con sus cargas, desde la boca del túnel, en largas escaleras. Usualmente, éstas consistían en tres sogas gruesas de cuero trenzado como guías verticales entre las que se colocaban travesaños, por lo común

de madera en tiempos de Capoche. En efecto, cada escalera era el doble, con la guía vertical del centro compartida. La longitud podría ser de unos quince metros (10 estados), y se disponían generalmente en series, con una plataforma de madera (barbacoa) por rellano entre una y otra. Dado que en la época de Capoche algunas minas llegaban a medir verticalmente unos 300 metros desde su entrada a las obras más bajas, sería necesaria una larga serie de este tipo de escaleras. Los sacos para el mineral, utilizados en la década de 1580, eran simples mantas de lana, anudadas al pecho de tal modo que la carga, como lo permitía su volumen, se llevaba a la espalda. Los apires, según Capoche, trepaban las escaleras en grupos de tres, con una vela en la mano el que iba delante (narraciones posteriores indican que la vela podía estar sujeta al dedo meñique o a la frente para dejar las manos libres al trepar). Los cargadores llegaban naturalmente sin aliento y sudando a la salida de la mina, y el refrigerio que suelen hallar para consuelo de su fatiga es decirle que es un perro y darle una vuelta sobre que trae poco metal o que se tarda mucho o que es tierra lo que saca, o sido muy lentos, o que han subido tierra, o que lo ha hurtado.[98]

El esfuerzo descomunal convirtió al cerro del Potosí en la fuente de ingresos más importante del mundo. Para proveer a España de riqueza, murieron diez millones de indígenas que, sujetos a la institución de la mita o trabajo forzado, pasaron a vivir una tragedia por el agotamiento o la contaminación con mercurio en los siglos XVI y XVII. Los esclavos africanos no fueron utilizados porque la altura asfixió a los hombres enviados en plan experimental. Algunos pobladores actuales de Bolivia suelen decir que con "la plata que se llevaron se pudo construir un puente desde Potosí a España, también se pudo construir un puente de huesos con los miles de millones de nuestros abuelos que murieron en las minas". Y en esto hay buena parte de razón, pues sólo en 1592, la plata del cerro de Potosí fue equivalente a 44% de los gastos anuales de la Corona en España y Europa, esto es, casi ocho millones de pesos. Los portugueses llegaron a contrabandear 10% de la explotación de la mina.

Durante el siglo XVII, Potosí fue la sede de uno de los movimientos culturales coloniales más importantes de América Latina. Orfebres y escultores, arquitectos y pintores acudieron a la rica ciudad para construir y decorar decenas de iglesias bajo el signo del barroco. Todo este esplendor, sin embargo, quedó en escombros. En su visita a Potosí,

Eduardo Galeano contó que los cuadros de las iglesias habían sido dañados por la humedad y acusó a los turistas de robarse objetos como los cálices y las esculturas. Asimismo escribió Galeano que hasta las iglesias fueron abandonadas en la decadencia del lugar y se transformaron en comercios: "La iglesia de San Ambrosio se ha convertido en el cine Omiste; en febrero de 1970, sobre los bajorrelieves barrocos del frente se anunciaba el próximo estreno: 'El mundo está loco, loco, loco'. El templo de la Compañía de Jesús se convirtió también en cine, después en depósito de mercaderías de la empresa Grace y por último en almacén de víveres para la caridad pública".[99]

En la *Recopilación de leyes de Indias* se fijaba la doctrina de las reducciones, en la cual se separaba a los indios de los españoles: "Que en pueblos de indios no vivan españoles, negros, mestizos y mulatos". Cuando ya se abolió esta división en el siglo XVII, se mantuvo la tendencia a aislar a los indígenas en barrios periféricos, donde convivían etnias diferentes. En La Paz, por decir, existían los barrios de indios de San Sebastián, San Pedro y Santa Bárbara y sólo se podía entrar a la ciudad por puentes. Esta política de segregación facilitó el control de los nativos al someterlos a pueblos en los que la iglesia tenía más capacidad de acción y reeducación con miras a asegurar las bases de la Contrarreforma católica que intentó contener el avance de los movimientos reformistas desde Alemania e Inglaterra. Uno de los grandes temores coloniales de la Iglesia fue la posible expansión del mensaje de hombres como Lutero en las tierras conquistadas. Felipe II solía decir que prefería perder todos sus reinos que mandar sobre herejes.

LA MÚSICA CENSURADA

La música de los indios, una vía en su aspiración a comunicarse directamente con lo sagrado, fue expresamente prohibida: la labor de extirpación de las idolatrías incluyó la eliminación de rituales y, por supuesto, esto produjo el olvido de miles de cantos y la desaparición progresiva de los instrumentos musicales, intérpretes y agrupaciones orquestales. Irónicamente, como sucedió con los herejes del cristianismo del siglo IV en Alejandría, los cronistas de Indias han sido los que más datos han aportado al conocimiento de las composiciones musicales al describirlas con bochorno: gracias a sus críticas sabemos que la polifonía basada en las cuerdas fue la respuesta a la denuncia de la pobreza de la polifonía de las voces indígenas que se apoyaban en instrumentos de viento, como la flauta o la trompeta.

En el genocidio de los taínos, instrumentos como los *mayohuacanes*, que eran tambores de madera, o los *güiras*, que eran raspadores, se perdieron, lo mismo que el origen de sus danzas, a las cuales denominaban *aráguaca* ("gente sagrada" en su lengua). Oviedo, en su *Historia general y natural de las Indias*, comentaba:

> Algunas veces junto con el canto mezclan un atambor, que es hecho en un madero redondo, hueco, concavado, e tan grueso como un hombre e más, o menos, como le quieren hacer; e suena como los atambores sordos que hacen los negros; pero no le ponen cuero, sino unos agujeros e rayos que trascienden a lo hueco, por do rebomba de mala gracia. E así, con aquel mal instrumento o sin él, en su cantar (cual es dicho) dicen sus memorias e historias pasadas, y en estos cantares relatan de la manera que murieron los caciques pasados, y cuántos y cuáles fueron, e otras cosas que ellos quieren que no se olviden. Algunas veces se remudan aquellas guías o maestro de la danza; y, mudando el tono y el contrapás, prosigue en la misma historia, o dice otra (si la primera se acabó), en el mismo son u otro.
>
> Esta manera de baile parece algo a los cantares e danzas de los labradores cuando en algunas partes de España, en verano, con los panderos hombres y mujeres se solazan; y en Flandes he yo visto la mesma forma de cantar, bailando hombres y mujeres en muchos corros, respondiendo a uno que los guía o se anticipa en el cantar, según es dicho. En el tiempo que el comendador mayor don frey Nicolás de Ovando gobernó esta isla, hizo un areito antél Anacaona, mujer que fue del cacique o rey Caonabó (la cual era gran señora); e andaban en la danza más de trescientas doncellas, todas criadas suyas, mujeres por casar; porque no quiso que hombre ni mujer casada (o que hobiese conocido varón) entrasen en la danza o areito (...) Esta manera de cantar en esta y en las otras islas (y aun en mucha parte de la Tierra Firme) es una efigie de historia o acuerdo de las cosas pasadas, así de guerras como de paces.[100]

La quena, por referir un aspecto del Cusco, servía para seducir; el *tezozómoc* mexicano era un caracol que servía para infundir miedo y se usaba en las batallas. El *ayacaxtli* y el *chicahuaztli* producían delicados susurros, mientras que el *aztecolli* y el *tecciztli* eran una suerte de trompetas usadas como señales de guerra. Existieron instrumentos de percusión en México como el *ayotl,* construido a base de las corazas de las tortugas. Estos instrumentos reproducían ciertamente las figuras de animales, aves, hombres y representaban dioses, y estaban elaborados con materiales como cerámica, hueso, caña, piedra, madera, metal y plumas.

Los sacerdotes consiguieron aprovechar el talento natural de los indios y los educaron en la música que conocían para facilitar el proceso de evangelización. Se sabe que en 1538, hubo en Tlaxcala un coro indígena que cantaba motetes, y también se conoce el caso de un indígena que pudo componer una misa que sorprendió a los mismos españoles. Las Casas contaba:

> Otra fiesta representaron los mismos indios vecinos de la ciudad de Tlaxcala el día de Nuestra Señora de la Asumpción, año de mil quinientos y treinta y ocho, en mi presencia, y yo canté la misa mayor porque me lo rogaron los padres de Sant Francisco, y me la oficiaron tres capillas de indios cantores, por canto de órgano, y doce tañedores de flautas con harta melodía y solemnidad, y por cierto dijo allí persona harto prudente y discreta que en la capilla del rey no se pudiera mejor oficiar. Fueron los apóstoles, a los que los representaban, indios, como en todos los actos que arriba se han recitado (y esto se ha siempre de suponer que ningún español entiende ni se mezcla en los actos que hacen con ellos), y el que representaba a Nuestra Señora, indio, y todos los que en ello entendían, indios. Decían en su lengua lo que hablaban, y todos los actos y movimientos que hacían con harta cordura y devoción, y de manera que la causaban a los oyentes y que veían lo que se representaba con su canto de órgano de muchos cantores y la música de las flautas cuando convenía, hasta subir a la que representaba a Nuestra Señora en una nube desde un tablado hasta otra altura que tenían hecha por cielo, lo cual todo estaban mirando en un patio grande, a nuestro parecer más de ochenta mil personas.[101]

La música religiosa colonial, de la cual quedan bastantes partituras, promovió la composición polifónica de la escuela española y de la escuela flamenca, y en el siglo XVII expandió por todas partes el movimiento barroco. Entre las más singulares revelaciones de lo que sería este cambio musical, deben mencionarse obras como *La púrpura rosa* de Tomás de Torrejón y Velasco, quien fue maestro de capilla de la catedral de Lima (1676-1728) o el *Cancionero musical* del portugués Gaspar Fernández, quien trabajó como maestro de capilla en las catedrales de Guatemala y Puebla, o los villancicos que adaptaron de los poemas de sor Juana Inés de la Cruz compositores como Juan de Araujo.

Los indios tuvieron que aprender las danzas de conquista que se habían copiado directamente desde España y que fueron practicadas por los moros que intentaban ser considerados cristianos. En los salones de la aristocracia, además, existió otra perspectiva musical secular que importó maestros de Europa para la enseñanza con el fin de imitar los salones de la metrópoli que en sus fiestas presentaban espectáculos musicales con arpas y vihuelas. El 26 de mayo de 1711, el maestro Antonio de Salazar estrenó la primera ópera de un mexicano titulada *Parténope*.

La cultura musical negra también fue negada. Los negros habían llegado del África desde la época en que Ovando fue gobernador en La Española, pero pronto se diseminaron por las colonias españolas, francesas, portuguesas e inglesas. En una carta al Consejo de Indias, fechada el 20 de enero de 1531, Las Casas escribió: "El remedio de los cristianos es este, muy cierto, que S. M. tenga por bien de prestar á cada una de estas islas quinientos ó seiscientos negros, ó lo que paresciere que al presente bastaren para que se distribuyan por los vecinos, é que hoy no tienen otra cosa sino Indios (...) se los fíen por tres años, apotecados los negros á la misma deuda".[102]

La English Adventure Trading Company, en el siglo XVII, utilizó a millones de esclavos en la industria de la caña de azúcar. Sometidos a atrocidades indescriptibles, estos hombres provenían de tribus con culturas, religiones e idiomas que fueron aplastados por los colonizadores: a) los holandeses e ingleses sometieron principalmente a quienes procedían de la cultura Habti Asha; b) los franceses dominaron sobre esclavos oriundos de Dahomey, cultura Fon; c) los españoles y portugueses sometieron en general a quienes habían nacido en Nigeria, de la cultura Yoruba, con influjo bantú, íntimamente arraigadas al igual que ellos.[103]

Los esclavos eran casi siempre mucho más numerosos que los blancos, como sucedió en México en el siglo XVIII: por cada blanco había tres negros. En El Salvador y en Sergipe, hacia 1824, existían seiscientos mil esclavos y unos ciento ochenta mil blancos. El 50% de la población de

Brasil en el siglo XIX era negra. Esta importante fuerza demográfica no se tradujo en el respeto a sus valores culturales, aunque los esclavos crearon culturas sincréticas. En la música, sus ritmos considerados "primitivos" fueron despreciados y excluidos. En Buenos Aires, los barrios del tambor eran los barrios negros que tuvieron un papel protagónico en el candombe; en México, los negros se adaptaron y a la vez influyeron en los bailes y cantos populares para el siglo XVIII; en las Antillas, la música fue un instrumento de resistencia y santería al igual que en Brasil.

EL PROGRAMA DE TRANSCULTURACIÓN DEFINITIVA

La educación escolástica fue un instrumento para borrar la memoria del pasado latinoamericano: los centros educativos sirvieron para formar una élite conservadora que aprendió a constituir su identidad en la Contrarreforma. Los portugueses obligaron a la aristocracia brasileña a viajar a Portugal para poder estudiar. Los españoles, en cambio, insistieron con la fundación de universidades que repetían el modelo de Salamanca y Alcalá de Henares: en 1531 crearon la de Santo Domingo y en 1551 las de México y San Marcos de Lima. Llama la atención que antes de la existencia de Harvard (1636), ya existían trece universidades en América Latina al servicio de los intereses escolásticos, lo que se hizo evidente al ser impermeables a toda nueva corriente del pensamiento y de la ciencia durante más de trescientos años de aristotelismo y tomismo. De un total de casi ciento setenta mil graduados, que debían contar con una autorización papal o Cédula Real para obtener su título, en su mayor parte las generaciones fueron asimiladas y sus investigaciones y obras se insertaron en la tradición dominante.

Las bibliotecas universitarias no eran públicas y no todos los libros podían ser leídos, pues se requería un permiso eclesiástico. Las cátedras se daban en latín y se reducían al estudio de la teología, del derecho, de la medicina y las artes. Hacia 1533, toda la élite mexicana giraba en torno a la universidad, y se reiteraba la introducción del culto al latín. Los teólogos tenían que aprender, aunque no era una regla, un idioma nativo para transmitir con mayor fidelidad el evangelio; eran ante todo "soldados de dios" con la obligación de ganar almas para el cielo. La filosofía latinoamericana heredó la costumbre, desde entonces, de no cancelar el proyecto teológico: ha sido más propia de apóstoles que de investigadores del conocimiento.

La literatura colonial en los países conquistados por España podría dividirse en tres grandes periodos:

1. Conquista y etnocidio. Aparición de los cronistas de Indias (1530-1580).
2. Transición (1580-1780).
3. Decadencia (1780-1830).

En tres siglos, las letras de la región estuvieron marcadas por prohibiciones severas, censuras y amonestaciones religiosas. En las *Recopilaciones de las leyes de Indias* se establecía que no se debían imprimir textos con vocabulario indígena, se limitó la lectura a textos ortodoxos elegidos por sacerdotes y se impidió la importación de novelas romances como las que trataban sobre caballerías. La escritura quedó reservada al área de influencia hispánica y se constituyeron círculos ilustrados que estaban sometidos por la Iglesia. Mientras duró en España el llamado Siglo de Oro (nombre ambiguo porque fue la época de mayor saqueo del oro del Nuevo Mundo y al mismo tiempo fue una era dorada a nivel cultural); mientras aparecían las obras de Miguel de Cervantes, Francisco de Quevedo, Lope de Vega, Fernando de Rojas, san Juan de la Cruz, fray Luis de León, Pedro Calderón de la Barca y Baltasar Gracián, en América Latina aparecían catecismos, poemas épicos de la conquista, poemas por encargo y obras de adoctrinamiento. No se permitía la originalidad.

En Perú se editó en 1584 la *Doctrina christiana y Cathecismo para la instrucción de los indios* de Antonio Ricardo. Para distinguirlo del poeta español homónimo, al Garcilaso de la Vega nacido en Perú de un conquistador y una princesa indígena se le llamó "el inca", considerado el primer escritor mestizo. Su obra, de alguna forma, fue un manifiesto contra el dominio español, con periodos de aceptación, los que muestra su *Historia de la Florida y jornada que a ella hizo el gobernador Hernando de Soto* (1605). Entre 1609 y 1613, aparecieron sus célebres *Comentarios reales* que refirieron su visión del notable pasado incaico. De la Vega, con sus contradicciones acerca su propia condición, fue el padre de la literatura transculturada en el Nuevo Mundo. No fue casual que muriera en España, atormentado por el rechazo. En 1782, el rey Carlos III rindió homenaje a su talento al prohibir la circulación de su obra y ordenar a los virreinatos de Perú y La Plata recoger los ejemplares de sus escritos. Para 1611, el poema cristiano por excelencia se compuso en Lima y se tituló *Cristiada*, una epopeya de fray Diego de Hojeda.

La devoción por las formas, la agudeza, el colorido, sepultó todo un periodo. Como lo destacó Picón Salas, en el siglo XVIII no se distinguió la frontera entre ciencias y la cultura se transformó en "un fenómeno de superposición de noticias, más que de síntesis".[104] Según este ensayista, el barroco latinoamericano encubrió un profundo drama espiritual. En México, sor Juana Inés de la Cruz podría ser el mejor ejemplo de cómo su talento buscó salida intelectual a la represión cultural por medio del misticismo.

Hubo poetas, pero no novelistas. La primera novela de la región fue impresa en el siglo XIX, tras la autorización en 1812 de la Constitución de Cádiz: en 1816 se publicó en México *El Periquillo Sarniento*, de José Joaquín Fernández de Lizardi, y se inauguró el género. Los postulados de la literatura colonial abordaron los problemas de una identidad escindida: la idealización del pasado indígena a partir de mitos greco-latinos, la cristianización y la construcción de lo natural como expresión de riqueza. Carlos de Sigüenza y Góngora, en una obra hoy desaparecida, dijo que el dios Quetzalcóatl era nada menos que el apóstol santo Tomás.

El teatro indígena fue alterado. Contaba Garcilaso de la Vega que los amautas componían "comedias y tragedias, que en días y fiestas solemnes representaban delante de sus reyes y de los señores que asistían en la corte. Los representantes, concluida la comedia, se sentaban en sus lugares conforme a su calidad y oficios. No hacían entremeses deshonestos, viles y bajos: todo era de cosas graves y honestas, con sentencias y donaires permitidos en tal lugar".[105] Según los registros, el gran poeta rey de Tezcoco, llamado Netzahualcóyotl, tenía en su palacio zonas para los bailes rituales y las representaciones teatrales.

En su misterioso informe de 1615, el docto Pedro Sánchez de Aguilar admitió que los indios "tenían y tiene farsantes, que representan fábulas e historias antiguas. Son graciosísimos en los chistes, y motes que dizen a sus mayores, y juezes, si son rigorosos, si son blandos, si son ambiciosos, y esto con mucha agudeza, y en una palabra. Y averiguando algo de esto, hallé que eran cantares, y remedos que hazen de los páxaros cantores y parleros; y particularmente de un paxaro que canta mil cantos; es el Zachic, que llama el mexicano Zenzontlatoli, que quiere decir páxaro de cien lenguas".[106] En México, había escuelas de danza que formaban a los jóvenes en el arte de la mímica. Los incas representaban sus tradiciones históricas, y se mostraban los castigos ejemplares para todos los que se rebelasen a los dioses. En *Ollantay*, pieza quechua cuya autoría todavía es un debate nacional en Perú, puede encontrarse una discusión sobre la autoridad y el amor prohibido de una mujer. La pieza *El güegüence* o *Macho Ratón* es una comedia popular callejera que todavía se interpreta en Nicaragua y tiene en su estructura todos los elementos para comprender cómo se intentó eliminar su base indígena, aunque no siempre con buenos resultados. Entre los títulos de obras mayas teatrales, tenemos, por ejemplo, *Ah Canche Caan* ("El Escabel del Cielo"), *Ah Con Cutz* ("El Vendedor de Pavos Silvestres"), *Ah Con Ic* ("El que Vende Chiles"), *Ah Con Tzatzam* ("El que Vende Enredos") y *Ah Pakal Cacau* ("El Cultivador de Cacao").

En la Colonia, los indígenas tuvieron que hacer funciones secretas para preservar sus costumbres, pero sucumbieron mayoritariamente a las imposiciones. El fraile franciscano Toribio de Benavente, llamado Motolinía ("pobre" en náhuatl), explicaba cómo fueron adaptadas sus ideas a la mentalidad española al describir extensamente las fiestas del Corpus de Tlaxcala:

> Llegado este santo día del Corpus Christi del año de 1538, hicieron aquí los Tlaxcaltecas una tan solemne fiesta, que merece ser memorada, porque creo que si en ella se hallaran el Papa y Emperador con sus cortes, holgaran mucho de verla; y puesto que no había ricas joyas ni brocados, había otros aderezos tan de ver, en especial de flores y rosas que Dios cría en los árboles y en el campo, que había bien en que poner los ojos y notar, como una gente, que hasta ahora era tenida por bestial supiesen hacer tal cosa [...]
>
> Porque se vea la habilidad de estas gentes diré aquí lo que hicieron y representaron luego adelante en el día de San Juan Bautista, que fue el lunes siguiente, y fueron cuatro autos, que sólo para sacarlos en prosa, que no es menos devota la historia que en metro, fue bien menester todo el viernes, y en sólo dos días que quedaban, que fueron sábado y domingo, lo deprendieron, y representaron harto devotamente la anunciación de la Natividad de San Juan Bautista hecha a su padre Zacarías, que se tardó en ella obra de una hora, acabando con un gentil motete en canto de órgano. Y luego adelante en otro tablado representaron la Anunciación de

Nuestra Señora, que fue mucho de ver, que se tardó tanto como en el primero. Después en el patio de la iglesia de San Juan, a do fue la procesión, luego en allegando antes de misa, en otro cadalso, que no eran poco de ver los cadalsos cuán graciosamente estaban ataviados y enrosados, representaron la Visitación de Nuestra Señora a Santa Isabel. Después de misa se representó la Natividad de San Juan, y en lugar de la circuncisión fue bautismo de un niño de ocho días nacido que se llamó Juan; y antes que diesen al mudo Zacarías las escribanías que pedía por señas, fue bien de reír lo que le daban, haciendo que no le entendían. Acabose este auto con Benedictus Dominus Deus Israel, y los parientes y vecinos de Zacarías que se regocijaron con el nacimiento del hijo, llevaron presentes y comidas de muchas maneras, y puesta la mesa asentáronse a comer que ya era hora.[107]

En Brasil, la hegemonía cultural europea fue innegable. Hoy se estima que la literatura del país quedó inaugurada por la *Carta de Pero Vaz de Caminha,* un escribano de Pedro Alvares Cabral, quien dirigió una misiva al rey Manuel el Venturoso para darle cuenta de los sucesos ocuridos con el descubrimiento de Brasil en el año 1500. La literatura colonial sufrió la influencia de jesuitas como Manuel da Nóbrega (1517-1570), quien había sido uno de los fundadores de la Compañía de Jesús con Ignacio de Loloya. El ámbito religioso católico fervoroso opacó el respeto a las culturas indígenas, que fueron desestimadas y se creó una tradición humanística superpuesta a la realidad encontrada, en la cual el esquema barroco fue seguido por el neoclásico y el arcádico.

Un sacerdote jesuita como Antonio Vieira (1608-1697) sentó las bases fundaciones de la prosa del país en obras como la que escribió en 1659 titulada *Esperanças de Portugal - V Império do mundo,* en la cual propugnó la utopía de devolver al mundo portugués sus glorias universales. Otro rasgo literario que Brasil heredó en la colonia fue la restitución de los modelos greco-latinos, el fortalecimiento de una dirección que giraba en torno a la temática de la *saudade-soledade* (tristeza y soledad) y la influencia que gestó Luís Vaz de Camões con su poema épico *Os lusíadas* de 1572.

Sorprende que, a diferencia del resto de América Latina, donde predominó la necesidad de expulsar a la administración europea, los monarcas portugueses se desplazaron hacia el continente y crearon el Imperio de Brasil, que rigió hasta 1889. Las instituciones educativas, en todo momento estuvieron al servicio de un proyecto de formación de las élites que asumirían la justificación de la colonia, y los jesuitas se ocuparon en buena medida de hacer de las misiones centros de reconfiguración de las culturas indígenas. No hubo universidades, pese a los intentos ilustrados del marquês de Pombal (1699-1782), hasta el siglo XX porque Portugal temía que se perdiera el interés por la metrópolis del imperio. La Universidad Federal de Rio de Janeiro fue fundada en 1920. Catorce años más tarde, fue creada la Universidad de Sao Paulo.

Como puede verse, la hegemonía cultural europea permitió que sobreviviera todo lo que pudo ser integrado y no puso en peligro el control sobre las poblaciones de indios y negros. Hoy en día sabemos que la colonia sirvió para blanquear la memoria de miles de comunidades y consolidar un mestizaje favorable a la concepción occidental del mundo, lo que facilitó la etapa del poscolonialismo, de marcada influencia estadounidense en el siglo XX.

LOS LIBROS Y ARCHIVOS PERDIDOS DEL SIGLO XIX

La emancipación de América Latina, avivada por acontecimientos derivados de la Ilustración, como la Revolución Francesa o la Declaración de Independencia en Estados Unidos, fue una respuesta explosiva a la corrupción de la administración española colonial y al abuso extremo de poder. Un observador perspicaz como Humboldt admitió que había estado equivocado al juzgar que había conformidad con el estado dominante: "Durante mi permanencia en América jamás encontré descontento; pero sí observé que si no existía grande amor hacia España, había por lo menos conformidad con el régimen establecido. Más tarde, al comenzar la lucha, fue cuando comprendí que me habían ocultado la verdad y que en lugar de amor existían odios profundos o inveterados que estallaron en medio de un torbellino de represalias y de venganzas".[108]

Hacia 1825, toda la región, excepto Cuba y Puerto Rico, había consolidado una independencia relativa en el ámbito político y económico, pero el desgaste de años de guerras continuas produjo incontables episodios que destruyeron ciudades, monumentos históricos, archivos, bibliotecas, libros y obras de arte de gran valor.

En los alzamientos indígenas de 1780 y 1782, ocurridos por las torturas y asesinatos, aparecieron hombres como José Gabriel Condorcanqui

Noguera, Tupac Amaru II, en Perú, que proclamó la independencia de la cultura inca, y Tupac Catari, en Bolivia, que declaró públicamente la libertad del pueblo aimara, y la rebelión que encabezaron se extendió por numerosas ciudades. Desafortunadamente, parte de los archivos parroquiales de La Paz quedó en cenizas en la activación de estos sucesos.

En Venezuela, la retirada que causó la derrota de La Puerta hizo caer en manos del ejército español todos los ejemplares que había reunido Simón Bolívar en 1814 para una biblioteca pública. Manuel Pérez Vila, historiador, resumió así las consecuencias: "En marzo de 1817 el comisario del Santo Oficio mandará a quemar 691 tomos de obras diversas, que una vez estuvieron a punto de constituir el núcleo de la biblioteca pública de Caracas, en plena guerra a muerte".[109] Gran parte de los documentos coloniales desapareció.

Un milagro salvó la gran mayoría de los archivos del general Daniel O'Leary, quien tuvo que confesar que "en el transcurso de las campañas, se perdieron muchos papeles importantes, porque en aquellos tiempos las marchas eran penosas y no siempre había cómo conducir ni el equipaje del Estado Mayor".[110] La mitad de los archivos coloniales también se perdió en la gesta de emancipación.

Según la confesión del historiador Bartolomé Mitre, los enigmáticos archivos del general José de San Martín, que se creyeron destruidos, pasaron a manos de Mariano Balcarce y finalmente pudo obtenerlos él, aunque no todos. La hija del beneficiario directo, llamada Josefa Balcarce y San Martín de Gutiérrez Estrada, envió desde París los legajos manuscritos entre 1885 y 1886 con la sugerencia de que fueran seleccionados los que debían preservarse y los que no. Mitre ha comentado con ironía que no había papeles "que deban ser destruidos, habiendo sin duda su primitivo poseedor la generosidad de hacerlo él mismo con los que pudieran comprometer a otros, como lo acostumbró hacer magnánimamente en medio de su poderío aun respecto de sus enemigos, conservando únicamente los que pudieran ser útiles para la historia".[111] ¿Cuántos documentos podrían haberse perdido? ¿Decenas o cientos? ¿A cuántos alcanzó la autocensura?

Como Kafka y sin saberlo, Simón Bolívar confió a Francisco de Paula Santander en una misiva de 21 de octubre de 1825, escrita en Potosí, su deseo de impedir que se conocieran sus archivos: "No mande Ud. publicar mis cartas, ni vivo ni muerto, porque ellas están escritas con mucha libertad y con mucho desorden". Los originales de muchas de sus cartas ya no existen y en el caso de las escritas en 1814 sólo las copias han aportado fragmentos de lo perdido.

En México, tras la guerra de Independencia, sobrevino un desastre histórico que se ha añadido a la crónica gris de sus tragedias. Primero: Texas pasó a ser territorio de Estados Unidos en una acción vandálica que intentó legitimar un falso anhelo de autonomía en 1845. Segundo: Estados Unidos, inconforme porque los mexicanos no se resignaron a perder Texas, declararon la guerra a México en 1846, y esto derivó en la pérdida de dos millones y medio de kilómetros cuadrados: la línea fronteriza se corrió y se perdió lo que es hoy Arizona, California, Colorado, Nuevo México, Nevada, Utah y parte de Wyoming. Cada tierra, además, fue víctima de un exterminio para imponer los valores de la naciente cultura estadounidense. Todavía hoy existen conflictos raciales originados por estos incidentes.

Años más tarde, sobresalió en México el saqueo de libros procedentes de las bibliotecas y conventos. El punto es que en 1861 los frailes y monjas huyeron espantados ante el decreto de expropiación de los bienes eclesiásticos en México y optaron por negarse a cualquier negociación sobre este tema. Según el historiador Fernando Benítez: "Abandonados quedaban los marfiles, las reliquias, las porcelanas chinas, los niños dioses, los santitos, los cuadros, los muebles y las bibliotecas con sus maravillosas estanterías, sus atriles, sus mesas, sus millares de libros y manuscritos encuadernados de pergaminos o de pieles grabadas y doradas. Si alguna vez se realizaron los sueños de helleum librarum, de los devoradores de libros, allí habían cobrado forma. Griegos, romanos, españoles, árabes, judíos, sabios, Padres de la Iglesia, manuscritos, códices, libros pintados y miniados, incunables, reposaban en sus anaqueles de caoba, de cedro, de nogal y de veteadas maderas tropicales".[112]

No hubo forma de impedir entonces que las masas acudiesen a los centros religiosos para llevarse cuanto podían transportar y de esta forma arrasaron con casi todo. Ya antes había sido destruido el claustro de San Francisco, donde desaparecieron figuras de Cristo, de vírgenes y de los demás santos. Con las esculturas se hizo leña y las joyas fueron llevadas por caminos remotos e indescifrables. Otro convento arrasado fue el de San Agustín, que había sobrevivido a un feroz incendio en 1676. Su retablo mayor, labrado por Tomás Xuárez, quedó destruido y la biblioteca en cenizas, aunque casi todos los libros fueron, como se ha demostrado, robados.

Las pinturas del claustro de Santo Domingo fueron quemadas o desvalijadas, y algunos saqueadores actuaron con odio auténtico hacia los objetos que encontraron porque pertenecían a la comunidad que cazaba herejes por medio de la tenebrosa institución del Santo Oficio. La mayoría de los libros de la peligrosa biblioteca no fue cremada sino conservada debido a sus temas curiosos.

En la catedral, el botín fue regulado: no quedó nada de la custodia de la Borda, cálices de oro y plata, candelabros, cruces, obras de arte, y con singular maldad fueron arrancados a cincel los pedazos de plata del tenebrario de ébano. No se valoró la importancia de las esculturas, fundidas para obtener oro y plata.

También en 1861 Benito Juárez nombró con suspicacia una comisión para salvar todos los libros del país, pero la falta de presupuesto impidió que los eruditos José Fernando Ramírez y Manuel Orozco y Berra pudieran cumplir con su objetivo. Mientras los libros pasaban de los conventos a la ciudad, miles se quedaban en el camino ya que servían para hacer camas o para fogatas. Benítez ha reconocido que desaparecieron entre diez y quince mil libros, donde abundaban las ediciones únicas[113] y también ha dicho que hasta 1884 se perdieron cien mil libros en total. José María de Ágreda y Sánchez contó una vez que recogió de la basura de la Biblioteca Palafoxiana el *Túmulo imperial de Carlos V* y que en una ocasión le compró a una vieja de un pueblo una serie de gruesos volúmenes que iba a utilizar para encender una fogata doméstica.

Un periódico como *El Siglo XIX*, en su nota del 10 de febrero de 1861, hizo un reclamo sobre las bibliotecas: "Se nos ha informado que las de algunos conventos de religiosos exclaustrados, están enteramente abandonadas; y sus puertas, así como las de los mismos conventos, abiertas, y los libros y manuscritos a merced de todo el que quiera llevárselos. Uno de nuestros colaboradores, que ha estado ayer en el convento de San Agustín, ha visto que su biblioteca se encuentra en ese estado, multitud de libros destrozados, esparcidos por los claustros y celdas, otros tirados en el suelo de la biblioteca, en el más completo desorden y toda ella en un estado tal, que se manifiesta claramente que está entregada al pillaje. ¿Qué hacen los señores comisionados para recoger esas bibliotecas? ¿Qué hacen las autoridades que no remedian tan escandaloso desorden? ¿Hemos vuelto a los tiempos de barbarie, que así se desprecian esos ricos tesoros de ciencia, y se entregan a la rapacidad de quien quiera pillarlos, o destruirlos?".

La cantidad de libros recogida en los conventos fue presa del agua, el descuido y el robo casual o premeditado. Existía un plan para transportar los libros hasta la universidad, con el fin de constituir la Biblioteca Nacional, pero miles de obras nunca llegaron a su destino.

Es digno de interés observar que en 1986, se subastó en Nueva York el *Vocabulario náhuatl-español* de Molina en 300 mil dólares, y esta obra procedía de los libros robados en México, los cuales, según algunos expertos, superarían el monto de la deuda externa de ese país. Asesor de Maximiliano, el alemán Agustín Fischer logró obtener las mejores ediciones que encontró del pasado de México, y en 1868 vendió algunos ejemplares en París y en 1869, en Londres. El Museo Británico, sin escrúpulos de ningún tipo, participó en las compras de estos libros procedentes del robo.

El bibliófilo Herbert Howe Bancroft, un publicista que amaba la historia, vendió antes de morir sus cuarenta y tres mil libros, extraídos en su mayor parte de forma ilícita de México, a la Universidad de California y allí reposan todavía esos magníficos volúmenes del siglo XVI que casi nadie conoce en América Latina, salvo por su mención bibliográfica. Entre 1885 y 1889, el multimillonario Adolph Sutro adquirió treinta y cinco mil impresos latinoamericanos que llevó a Estados Unidos, pero por mala suerte el terremoto de San Francisco arrasó con la mitad de esta biblioteca, con lo que México perdió ejemplares únicos de la Independencia, la Constitución de Cádiz y el primer imperio. En 1923, lo salvado fue incorporado a la colección del Centro Civil de San Francisco.

El magnate Henry Edward Huntington, en los inicios del siglo XX, se dedicó a adquirir las mejores colecciones de libros y fue dueño de más de ciento setenta y cinco mil obras rarísimas, más de cinco mil doscientos noventa y un incunables, y al menos un millón de manuscritos. Sobre América Latina, poseía las primeras ediciones de libros que ni siquiera se recordaban en sus respectivos lugares de origen. Al bibliógrafo Henry Wagner, por decir, le compró treinta y cinco impresos mexicanos y convenció a otros vendedores de venderle mil quinientos manuscritos de virreyes y de las misiones religiosas.

Llamado por Menéndez y Pelayo "príncipe de la erudición mexicana", el sabio Joaquín García Icazbalceta tuvo una gigantesca biblioteca, luego confiscada por la Revolución y dispersa en medio de los conflictos y las trabas legales. Una buena parte se encuentra en Austin. Casi lo mismo sucedió con la biblioteca de Genaro García, que ocupó más de seis habitaciones de la casa del autor. Una vez muerto el propietario, se ofreció la colección a Vasconcelos y la rechazó, pero en un momento de prisa la adquirió la Universidad de Texas.

Lo cierto es que al menos 60% de los grandes libros antiguos de América Latina que poseen las bibliotecas en Estados Unidos son producto del saqueo y la venta dudosa. La biblioteca de Yale, al menos, configuró sus colecciones con base en la intimidación y en el uso de agentes fraudulentos como Henry Wagner. Entre 1869 y 1969, con un siglo de por medio, las universidades de Estados Unidos han realizado adquisiciones indiscriminadas de clásicos mexicanos, peruanos, venezolanos, colombianos, lo que todavía persiste, aunque con mayor sigilo, en 2007.

ACCIDENTES Y DESASTRES NATURALES

América Latina ha estado condenada a la infelicidad por cataclismos naturales de toda índole: terremotos, inundaciones, maremotos, huracanes, rayos, tornados y devastaciones por volcanes. Entre los presagios que se consideraron antes de la caída de Tenochtitlan, estuvo el incendio del templo de Xiuhtecuhtli, dios del fuego, debido a un rayo:

> *Inic etetl tetzahuitl: huitecoc ipan tlatlatzin teocalli, zan xacalli catca, itocayocan Tzommolco: iteopan in xiuhtecuhtli, amo tilahuaya, zan ahuachquiyahuiya in iuh tezammachoc: iuh mitoa in za zan tonalhuitecoc, amono caquiztic in tlatlatziniliztli.*

> (El tercer mal agüero aconteció que cayó un rayo casi sin propósito y sin tronido, sobre el cu de dios llamado Xiuhtecutli; este cu tenía un chapitel de paja y sobre él cayó el rayo y le incendió y se quemó. Tuviéronlo por milagro, porque no hubo tronado, bien que llovía un poco menudo).[114]

La temporada de huracanes en el Caribe, por ejemplo, ha causado según cifras que proceden de crónicas del siglo XVIII en adelante, miles de millones en pérdidas, miles de muertos y viviendas arruinadas. Las inundaciones cíclicas han aniquilado ciudades enteras. Sólo en 2005, se calcula que los huracanes causaron daños en la región por cinco mil quinientos millones de euros.

Cuadro 3
Registro de huracanes

Huracán	Fecha	Daños	Muertos
El Gran Huracán	10-16 octubre, 1780	Martinica, St. Eustatius Barbados	22 000
Mitch	26 oct. al 4 de nov., 1998	Honduras, Nicaragua	15 000
Fifi	14-19 sep. 1974	Honduras	8 000
República Dominicana	1-6 sept., 1930	República Dominicana	8 000
Flora	30 sept. Al 8 oct., 1963	Haití Cuba	7 000

Fuente: CEPAL, 2006

Entre los distintos fenómenos, los terremotos, sobre todo en América del Sur, han dejado secuelas irreparables que han originado éxodos masivos en ciertas regiones. Uno de los sectores afectados por estos daños ha sido el del patrimonio cultural, y hoy se estima que 20% de la memoria histórica ha sido borrada por incidentes naturales y accidentes repetidos que a su paso han arrasado con cascos históricos y han producido situaciones de saqueo. En México, donde se calcula que hay miles de monumentos históricos, al menos la mitad está en condiciones de riesgo y 30% ha sufrido destrucción y expolio.

De entre los ejemplos de cómo el saqueo y los terremotos contribuyen a la destrucción cultural, podría citarse la historia de la extraordinaria biblioteca que tuvo el Colegio Seminario de la ciudad de Mérida, en Venezuela. Estaba formada por los libros de los padres jesuitas y de los agustinos, los del obispo fray Juan Ramos de Lora y los de su sucesor, el obispo Torrijos, quien incrementó el número de obras de modo insólito junto con quien sería el cuarto obispo de la diócesis, Santiago Hernández Milanés. Torrijos, al parecer, fue un bibliófilo digno de recuerdo por haber ordenado traer en mulas unos tres mil volúmenes[115] a Mérida, con textos de todos los clásicos de la literatura y la teología.

Esta biblioteca, inusual para su época, fue destruida por el terremoto que acabó con la ciudad de Mérida en marzo de 1812. El edificio cayó y los libros, entre los cuales destacaban incunables y ediciones únicas, quedaron esparcidos. Francisco Javier Irastoza, en un informe de 1815, aseguró que en 1814, las tropas del español Sebastián de la Calzada llegaron a Mérida y destruyeron o vendieron decenas de incunables. Las guerras civiles del siglo XIX completaron la labor de destrucción.

Juan de Dios Picón, cronista minucioso, ha corroborado todas estas informaciones: "El terremoto, la irrupción de los enemigos de la Independencia, el abandono en que quedó (la biblioteca) y los saqueos que experimentó, la han dejado en estado casi de nulidad; sin embargo, existen algunos volúmenes y obras buenas que el nuevo Rector trata de arreglar y conservar".[116]

En 1931, un terremoto destruyó la Biblioteca Nacional de Nicaragua (el hecho se repitió en 1972), y se perdieron miles de obras. En mayo de 1943, la Biblioteca Nacional de Perú, en Lima, se incendió y unos cien mil libros y cuarenta mil manuscritos sobre la Conquista, la época colonial y la Independencia desaparecieron para siempre. La ciudad colonial de San Juan, en Argentina, desapareció completamente en el terremoto del 15 de enero de 1944. No sólo hubo diez mil muertos; fue necesario construir una nueva ciudad y fomentar el olvido de la catástrofe.

El 21 de diciembre de 1996 se quemó en México la biblioteca del poeta Octavio Paz, quien dijo en esa oportunidad: "Los libros se van como los amigos". En este incendio accidental, se perdieron primeras ediciones de autores como Rubén Darío, Salvador Díaz Mirón, Manuel José Othón, y la herencia de libros dejados por su abuelo Irineo. Un grupo de admiradores del poeta llevó algunos de los textos a un laboratorio de restauración y conservación, y otros los colocaron en cofres.

Entre el 15 y 17 diciembre de 1999, todo el Litoral Central venezolano fue destruido por las lluvias. La biblioteca de Macuto desapareció. Era, ciertamente, una biblioteca escolar, pero en sus anaqueles se encontraban obras de Joseph Conrad y de grandes poetas como Udón Pérez y Ramos Sucre. Los libros del Museo Armando Reverón fueron arrastrados por corrientes de lodo. La biblioteca del Núcleo del Litoral de la Universidad Simón Bolívar quedó en escombros. Las aguas arrasaron 32 000 ejemplares.[117] En Carmen de Uria, hermoso pueblo completamente devastado, desaparecieron escuelas y bibliotecas.

Edificaciones prehispánicas y coloniales tales como casas, templos, iglesias y palacios coloniales han sufrido al colapsar sus estructuras. En el terremoto de 1999, en el Estado de México más de cuarenta y cuatro lugares quedaron en escombros o deteriorados. Los informes demuestran que quinientas sesenta piezas (cuadros, imágenes, artículos antiguos) fueron sacados entonces de las iglesias de Atlixco y Cholula. En el terremoto de 2001, más de setenta poblados históricos de El Salvador quedaron en ruinas y de ciento veinticuatro iglesias algunas cayeron por completo. En 2002, el huracán *Isidore* golpeó con furia en Quintana Roo y Campeche, y el mismo año un terremoto asoló Oaxaca.

En 2007, 80% de la ciudad de Pisco quedó destruida por un terremoto de 7.5 grados que alteró la vida cotidiana en Perú. Entre los daños más importantes, estuvo la caída del templo del Señor de Luren y de los templos de San Luis y San Pedro de Coayllo. En la Huaca de la Centinela, en Chincha, los muros se desplomaron; las momias conservadas en los museos de Ica y Paracas se desintegraron o quedaron mutiladas tras grandes inversiones para preservarlas. La llamada Catedral de Paracas, un monumento natural que había sido declarado Patrimonio de la Humanidad, se partió en pedazos.

Entre octubre y diciembre de 2004 y febrero 2005, las lluvias inclementes arrasaron con parte del Casco Histórico de Coro, en Venezuela, una de las ciudades más antiguas de la región, que ha sido declarada Patrimonio Cultural de la Humanidad por la UNESCO. Las inundaciones afectaron los inmuebles y destruyeron techos y muros. Esta grave situación colocó al lugar en la lista roja de patrimonio mundial. Pero no es el único: las oficinas salitreras de Humberstone y Santa Laura, en Chile, que se transformaron en pueblos fantasmas con la ruina de las empresas, hoy yacen bajo el descuido y el saqueo constante. Las islas Galápagos, un patrimonio natural a 965 kilómetros de las costas de Ecuador, ligadas a historias de piratas o naturalistas, hoy corren peligro debido a la contaminación. El Parque Nacional de Iguazú, en Brasil, una antología de ecosistemas y bosques en el mundo, sufre la depredación y el efecto de los cambios climáticos que ha producido el calentamiento global, uno de los resultados más deleznables de la industrialización.

Parece inevitable decir que al menos 50% del patrimonio cultural y natural de América Latina quedará afectado o desaparecerá. No es improbable que el día de hoy, al revisar el lector su diario de confianza o ver las noticias en la televisión, haya sabido de otro desastre contra bienes culturales en América Latina. La negligencia, por una parte, y la falta de políticas contundentes ante desastres han impedido evitar mayores pérdidas.

CULTURAS EN VÍAS DE EXTINCIÓN

Decenas de culturas autóctonas se habían extinguido o estaban en decadencia en el siglo XVI cuando los españoles y portugueses comenzaron el proceso de conquista; cientos han desaparecido entre los siglos XVII y XXI. El orden colonial instauró la intervención traumática de la vida colectiva de los indígenas por medio de complejos mecanismos para reestructurar su identidad. Su expulsión territorial o dispersión los aisló, por ejemplo, de los vínculos ecológicos y culturales que habían establecido por generaciones.[118] Esta negación social se mantuvo durante el periodo de posguerra de la emancipación, en la que la sociedad republicana estigmatizó a los indios como símbolos de incultura y atraso, y proclamó la libertad continental sin considerar la opinión de los pobladores originales.

Un pensador consagrado como Domingo Faustino Sarmiento proponía en el siglo XIX civilizar a los indios o aniquilarlos. Todavía sus palabras resuenan como una advertencia: "¿Lograremos exterminar los indios? Por los salvajes de América siento una invencible repugnancia sin poderlo remediar. Esa calaña no son más que unos indios asquerosos a quienes mandaría colgar ahora si reapareciesen. Lautaro y Caupolicán son unos indios piojosos, porque así son todos. Incapaces de progreso. Su exterminio es providencial y útil, sublime y grande. Se los debe exterminar sin ni siquiera perdonar al pequeño, que tiene ya el odio instintivo al hombre civilizado".[119] La frase recuerda la de *El corazón de las tinieblas* de Joseph Conrad: "¡Exterminad a estos bárbaros!". En el viaje que realizó en el *Beagle,* Charles Darwin, padre del evolucionismo, participó en el secuestro de un grupo de indígenas de Tierra del Fuego, a quienes el capitán Robert Fitzroy llevó a Inglaterra para civilizarlos; decepcionado, Fitzroy causó la muerte de algunos y los devolvió a su tierra natal al finalizar su cruel experimento. En 1889, un ballenero de procedencia belga secuestró a varios indígenas de Tierra del Fuego para exhibirlos en París y advirtió al público que tal vez eran los últimos: la mayoría desapareció, de hecho, sin dejar rastro. Hasta 1960, era común que los latifundistas brasileños organizaran cacerías de indios o indias para divertirse.

El desastre cultural fue pernicioso en todos los ámbitos: acaso su efecto más inmediato consistió en atacar directamente la diversidad lingüística. No sólo destruyó sistemas lingüísticos, sino que mantuvo vigente la amenaza. Según los datos que ofrece Raymond G. Gordon, editor del catálogo *Ethnologue,*[120] en España, que tiene cuarenta y cinco millones de habitantes, hay trece lenguas sin graves problemas de extinción para ninguna. Pero en México, con ciento cinco millones de habitantes, el español predominante convive con sesenta y dos idiomas que hablan ocho millones y la tendencia es a la extinción progresiva del chiapaneco, kiliwa, matlatzinca de Atzingo, matlatzinca de San Francisco, opata, zapoteca de Asunción Mixtepec, zapoteca de San Agustín Mixtepec y zoque de Tabasco. Según Norman McQuown "en una pequeña porción de un área de México, un poco al norte del istmo de Tehuantepec, se encuentra una diversidad de tipos lingüísticos difícil de encontrar en un continente entero del Viejo Mundo".[121] Las lenguas se extinguen, principalmente, cuando disminuye su número de hablantes, y el genocidio indígena mexicano contribuyó, por supuesto, a dinamitar la pluralidad.

Para forjar una impresión accesoria, se ha evitado la discusión esencial y es el problema de los idiomas indígenas que se pierden para siempre. En Brasil, hay ciento sesenta y ocho lenguas y se están desvaneciendo el amanayé, anambé, apiacá, arikapú, aruá, arutani, aurá, creole cafundo, guató, himarimã, jabutí, júma, karahawyana, karipuná, katawixi, katukína, kreye, mapidiano, matipuhy, mondé, ofayé, omagua, oro win, puruborá, sikiana, tariano, torá, tremembé, xetá y el xipaya. En Guatemala, hay veintiún idiomas de lengua maya, pero desaparecen el idioma xinca y el garífuna.

Es un panorama de contrariedades constantes. En Colombia, existen sesenta y seis lenguas indígenas que pueden ser clasificadas en doce familias lingüísticas y diez idiomas aislados, y desaparecen el cabiyarí, tariano, tinigua, totoro y el tunebo de angosturas. En Argentina, hay veintiún lenguas vivas y tres que se extinguen: puelche, tehuelche y vilela. En Perú, hay cincuenta y dos idiomas vivos y en extinción hay una larga lista; están el achuar, aguaruna, amuescha, arabela, bora, cachuy, cahuarano, campa ashéninca, campa caquinte, campa nomatisgüenga, candoshi, capanahua, cashibo-cacataibo, cashinahua, chamicuro, chayahuita, cocama-cocamilla, culina, ese eja, harakmbut, huanbisa, iñapari, iñanpi, iquito, isconahua, jebero, machiguengua, mashco piro, matsés-moyoruna, muniche, ocaina, omagua, orejón, piro, quechua de napo, quechua del tigre, resígaro, secoya, sharpa, sharanahua, shipibo-conibo, shiwiar, tausghiro, ticuna, uranina, yagua, yaminahua. En Bolivia, hay treinta y cinco, y casi quedan sin hablantes el baure, itonama, leco, pacahuara, reyesano y uru.

En Venezuela, se extingue el arutani, mapoyo, pémono, sapé, sikiana y el yabarana. En Paraguay, hay veinte lenguas vivas, aunque el guaraní es hablado por 90% de la población. El quechua, que tiene casi siete millones de hablantes, es objeto de campaña de divulgación para protegerlo de su futura dispersión. En Ecuador, se cree que el záparo es el idioma con mayor peligro de extinción debido a que tiene apenas veinticuatro hablantes.

La expansión comercial ha sido la fuente de la eliminación de los valores simbólicos latinoamericanos. En nombre del monopolio o el libre comercio, se ha combatido toda concepción del mundo que representara un obstáculo a los intereses económicos. Hoy, quinientos setenta millones de habitantes comparten por esa razón rasgos culturales, pero asimismo una herencia siniestra de desolación y dolor. Es un legado de escombros.

El saqueo económico requirió, como es usual en la historia, un etnocidio para modificar las estructuras mentales de los subordinados. Algunos autores advierten que las etnias debieron integrarse a los sistemas imperantes del desarrollo; otros acusaron a las etnias de favorecer el melancólico retorno inconcebible y utópico a una etapa pre-industrial: la verdad, constatada por científicos sociales, historiadores y periodistas, es que se ha encubierto un nuevo genocidio a menor escala basado en la masacre, la exclusión y el repudio. Una mentalidad racista dominante negó durante siglos a los indígenas el derecho a la tierra que ya ocupaban y sus recursos naturales, el derecho al uso de su propia lengua y educación, y el derecho de realizar su historia colectiva con autodeterminación.[122]

Los indígenas representaban 99% de la población de América a inicios del siglo XVI; hoy, en la región de América Latina, representan 30%. Hay cinco naciones donde se localiza 90% de los indígenas: se trata de Perú, (27%), México (26%), Guatemala (15%), Bolivia (12%) y Ecuador (8%). Hay seiscientos setenta y un pueblos indígenas en América Latina, y 70% se compone de menos de cinco mil miembros. Según se estima, 65.5% de los indígenas de la Amazonia colombiana tiene una población menor a mil personas. Esta calamidad, en general, inducida por esta mínima densidad poblacional, crece hora tras hora por el hambre, la desnutrición, la mortalidad infantil, las epidemias interminables, el asedio de mineros, madereros, agricultores, hacendados, ejecutivos petroleros, pero asimismo guerrilleros, traficantes de drogas y usureros.

En la década de los ochenta y noventa en pleno siglo XX, la inversión extranjera fue considerada prioritaria por los gobiernos latinoamericanos y esta demanda político-económica aceleró la exploración de nuevas tierras para la actividad petrolera y minera. La eficacia de un gobierno se medía (y todavía se mide) en función de la aceptación de la agenda de los grandes capitales mundiales. Mientras la prédica neoliberal aturdía las conciencias culpables de las élites, los indígenas vivían una era de destrucción ilimitada debido a que las empresas confiscaron los espacios de sus territorios, con el aval de los ejércitos nacionales, e instalaron una depredación feroz: todo a su paso pereció (selvas, bosques, animales silvestres, ríos y lagunas, peces). De repente los lugares más remotos se convirtieron en depósito de desechos tóxicos que mataron a innumerables recién nacidos. Los accidentes en pozos y oleoductos comenzaron a causar desastres innumerables; hubo explosiones de gas provocadas por el venteo como en Bolivia.

El aspecto cultural fue atacado con programas transculturantes que impactaron directamente en las costumbres e introdujeron divisiones, psicosis y confusión. Las comunidades, sorprendidas en su buena fe, quedaron alteradas: pronto se introdujeron el alcoholismo, la prostitución y el soborno y se abrieron de par en par las puertas al tráfico de sus bienes artísticos. En la década de los ochenta, sus cementerios fueron profanados para la extracción de objetos. El desarraigo cultural impuso la decadencia de sus lenguas y la transmisión de sus tradiciones; al sentirse derrotados y engañados, miles emigraron masivamente de sus aldeas hacia las ciudades, donde el rechazo fue todavía peor. Los reportes más recientes indican que ciudades como Ciudad de México, Lima, Río de Janeiro, Asunción, Maracaibo, Caracas y Bogotá, por no mencionar a otras, no tienen políticas multiculturales efectivas que permitan evitar este nuevo exterminio.

Cuadro 4
Territorios indígenas bolivianos afectados culturalmente por actividad petrolera

Territorio Indígena	Compañía Petrolera
Tacana	Repsol- Perez Companc
Territorio Indígena Chimán	Repsol-YPF
Territorio Indígena Multiétnico y TIPNIS	Pan Andean y Repsol-YPF
Yuracaré y Auki	Pan Andean
Avatiri Huacareta (guaraníes)	Pluspetrol
Avatiri Ingre (guaraníes)	Maxus y Pluspetrol
Charagua Norte (guaraníes)	Maxus, Pluspetrol, Shamrock
Charagua Sur (guaraníes)	Maxus, Shamrock
Isoso (guaraníes)	Andina (Repsol), Bridas SAPIC, Chaco, Dong Won, Pluspetrol, Shamrock
Itikaguasu (guaraníes)	Maxus, Petrobras, Pluspetrol
Itikaraparirenda y Iupaguasu (guaraníes)	Maxus, Tecpetrol
Kaaguasu (guaraníes)	Maxus, Andina (Repsol)
Kaami (guaraníes)	Maxus, Andina (Repsol)
Machareti Nancaroinza Karandaiti (guaraníes)	Chaco (BP-Amoco), Maxus, Shamrock
Takovo Mora (guaraníes)	Andina S.A (Repsol), Bolipetro, Bridas SAPIC, Chaco S.A (BP-Amoco), Maxus (Repsol), Pluspetrol,
Tapiete	Repsol-YPF
Weenhayek	Andina S.A (Repsol), Chaco S.A (BP-Amoco), Repsol-YPF, Tesoro

Fuente: Marc Gavaldà. Centro de Documentación e Información Boliviana, 2000.

Los garimpos o minas de oro en el Amazonas atrajeron siempre a miles de buscadores de fortunas. Al igual que sucedió en California, la fiebre del oro produjo una migración masiva que nunca se detuvo: en 2007 hay quinientos mil mineros instalados en la región. Para los indígenas, esta actividad descompuso su forma de vida e incluso los obligó a desplazarse a territorios más inaccesibles. Además del daño ecológico causado (envenenamiento de peces y ríos por uso del mercurio o deforestación) o el asesinato de líderes indígenas contrarios a sus desmanes, los garimpeiros contribuyeron a asolar la cultura de etnias (caso yanomamis), cuyas malocas o aldeas destruyeron. En agosto de 1993, la masacre del poblado de Haximú,[123] donde murieron dieciséis miembros, alertó sobre estas persecuciones, pero quedó impune, al igual que otras cien anteriores. Es curioso, pero sólo en 1988 el gobierno brasileño autorizó protección a diecinueve aldeas yanomami, localizadas a trescientos kilómetros de Boa Vista, capital de Roraima.

La más inesperada malaventura que podía imaginarse, no obstante, está en plena gestación: en 2007 se informó que 70% de las tierras con potencial minero de América Latina se encuentran en territorio reclamado por los grupos aborígenes. Rodolfo Stavenhagen, relator especial sobre los pueblos indígenas, acudió al Consejo de Derechos Humanos de Naciones Unidas el 20 de marzo del mismo año y presentó un informe que desmentía a los optimistas: "La economía global valora cada vez más los recursos petroleros y mineros que se encuentran en las regiones indígenas. Son numerosas las denuncias y las quejas que ha recibido el relator especial de comunidades indígenas cuyos recursos han sido apropiados y son explotados por poderosos consorcios económicos, sin su previo consentimiento ni participación, y sin que estas comunidades obtengan algún beneficio de dicha actividad. Esta problemática es actualmente una de las más controvertidas que involucra a los pueblos indígenas, al Estado y a las empresas privadas, y muchas veces también a los organismos financieros internacionales".[124] En Panamá, por ejemplo, el gobierno ya ha autorizado concesiones para la minería de cobre y oro en el interior de los territorios Ngöbe-Buglé y Kuna. Como puede verse, la destrucción prosigue.

Salvo excepciones, la presencia de misiones religiosas europeas y estadounidenses ha procurado la transculturación progresiva de las costumbres. De los misioneros españoles coloniales a los misioneros colonialistas estadounidenses, sólo queda un registro de hechos oscuros y vergonzosos. La Misión Nuevas Tribus, fundada en 1942, con sede en Miami, ha sido expulsada de países como Venezuela bajo acusaciones de espionaje, pero su vandalismo es el que realmente los condena. En el oficio núm 1.198 de fecha 4 de agosto de 1953, consta que el Ministerio de Justicia de Venezuela les ortogó permiso para el libre tránsito y "la realización de labores de acercamiento y civilización de determinadas comunidades indígenas". Los grupos privilegiados por el petróleo despreciaban la posibilidad de convivir con los núcleos indígenas y autorizaron estas experiencias nefastas desde fines de la Segunda Guerra Mundial.

Para llevar a cabo de su labor de penetración, la Misión Nuevas Tribus instaló, primero, una infraestructura dotada de radares y aeropuertos que causó daños ecológicos en las selvas; en su expansión, ocupó espacios con las comunidades más aisladas en Bolivia, Brasil, Colombia, Ecuador, México, Panamá, Paraguay y Venezuela. Sus métodos de conversión incluían la tortura psicológica y el hostigamiento contra todo nativo que quisiese conservar sus cultos. Los misioneros evangélicos, conscientes de sus objetivos colonizadores, adaptaron las estrategias de los misioneros católicos, y se dedicaron a reducir las creencias animistas ancestrales. Hay aldeas en las que los indígenas hablan un inglés impecable y han olvidado buena parte de sus idiomas.

Los yuquis de Bolivia, que fueron evangelizados por Nuevas Tribus, fueron invitados a subir a una avioneta y los misioneros los trasladaron a nuevos asentamientos como Mbia Recuaté. El resultado de las políticas de debilitamiento de sus creencias no fue otro que la pérdida de su identidad y una creciente tasa de alcoholismo. Abandonaron su condición nómada por una vida de incomodidades sedentarias; perdieron sus habilidades y su arte. Hoy 85% de los yuquis padece de micosis pulmonar.

Los indígenas han sido presa de los experimentos más absurdos y macabros. Durante el año 1968, un grupo de antropólogos inoculó a los jóvenes medicamentos descontinuados, como la vacuna antisarampión Edmonston B, y pronto se desató una epidemia con decenas de muertos. El periodista Patrick Tierney, en *Darkness in El Dorado*, ha presentado pruebas de cómo James Neel, un experto en genética humana y miembro respetable de la Academia Nacional de Ciencias de Estados Unidos, o el prestigioso Napoleón Chagnon, antropólogo de la Universidad de California, colaboraron con esta masacre, que fue silenciada.[125]

Los "indios aislados" se han distinguido por sobrevivir en lo inhóspito, lejos del contacto de quienes han sido sus asesinos y ladrones naturales. En algunos casos, cualquier opinión sobre sus costumbres es conjetural, pues impiden todo tipo de aproximación. Hoy se sabe que la Amazonia se encuentra en riesgo de desaparición en Bolivia, Brasil, Colombia, Ecuador, Paraguay, Perú y, probablemente, en Venezuela. En

Colombia, se extinguieron veinte tribus en el siglo XX y ahora la etnia nukak maku, una de las pocas que mantienen costumbres nómadas, perece bajo los enfrentamientos en las FARC y el ejército, pero entre sus mayores enemigos están las devastadoras fumigaciones del Plan Colombia. Otras etnias colombianas en peligro son la taiwamo, con veintidós miembros, la makaguaje, la pisamira, la piaroa, la muinane, la jupda, con menos de cien habitantes, la tucano, la ticuna, la curripaco y la witoto. Más de trescientos indígenas han sido víctimas del conflicto colombiano. En Perú, hay unas veinte comunidades aisladas (como los kugapakori, nahua, machiguenga, nanti y kirineri), que no han podido detener el flujo creciente de madereros.

En Bolivia, donde existen treinta y tres etnias, la provincia de Santa Cruz contaba con ochenta y han quedado sólo cuatro: guaraní, chiquitana, guaraya y ayorea. En la Amazonia boliviana, los pacahuara se han reducido de miles a un modesto número de veinte personas; los pocos nahuas que sobreviven huyen de la presencia blanca; los araonas y los chiquitanos fueron cazados en la época de la explotación de la goma y esclavizados en el siglo XIX y sus terrritorios destruidos por las incursiones o malocas. En 1712, existían cuarenta mil indios baure; en 2007, existen tres mil que ya apenas cultivan su propia lengua.

En Ecuador, existen diez grupos étnicos con siete lenguas y se encuentran con graves limitaciones como minorías: siona, secoya, a'i (Cofán), wao, zaporoa o kayapi, runa (Quichua Amazónico), runa (Saraguro), shuar, achuar y siwiar.

En Venezuela, la conquista representó miles de pequeños conflictos y hubo una estrategia deliberada para arrasar con los caribes y los jirajaras. En los siglos posteriores, la lucha se extendió y para 2007 apenas quedaban trescientos mil indígenas. El saldo de culturas muertas es increíble; la Venezuela petrolera, hasta la nueva Constitución de 1999, persistió en su eliminación física y moral. Hacia 1963, la Corporación Venezolana de Guayana construyó un dique-carretera entre Tucupita y Barrancas del Orinoco, pero nunca se consideró en el proyecto el daño que causaría esta obra a las comunidades locales. La empresa Tippets-Abbett-McCarty-Stratton cerró el Caño Mánamo y de inmediato destruyó la relación de armonía que rodeaba a los warao, debido que contaminó toda la región y disolvió veinte poblados. En Chile, los kawésqar se han reducido a un grupo de quince personas que esperan resignadas su final.

En Brasil, la cifra de pueblos extintos llega a mil cuatrocientos setenta y siete, divididos por regiones. En el sur, treinta y tres pueblos. En el sudeste, ciento cuarenta y tres pueblos. En el noreste, trescientos cuarenta y cuatro pueblos. En el centro-oeste, ciento treinta y siete pueblos. En el norte, ochocientos veinte pueblos. La lista fantasma de comunidades perdidas incluye a Aimoré (Ilhéus, Espírito Santo), Caeté (Costa Nordeste), Caeté (Minas Gerais), Canindé, Genipapo, Carijó (São Paulo), Carijó (Paraná), Carijó (Rio Grande do Sul), Cariri, Caratiú, Ico, Panati, etc. (Interior Nordeste), Charrua (Río Grande do Sul), Omagua (río Solimões), Potiguar (Costa Nordeste), Tamoio (Río de Janeiro), Tamoio (Cabo Frio), Tucujú (Amapá), Tupinamba de Cumá (Maranhão), Tupinamba do Recôncavo, Tupiniquim (Ilhéus, Espírito Santo), Tupiniquim (San Paulo).

En la actualidad, Brasil tiene doscientas comunidades en peligro de extinguirse; y ha surgido un fenómeno infrecuente que son las identidades emergentes, con las cuales una pequeña comunidad intenta recuperar sus rasgos culturales comunes en un ambiente más favorable. De los pueblos aislados, los que tienen mayor riesgo son los taiwamo, con veinte integrantes; los makaguaje, los pisamira, los piaroa, los muinane y los jupda, que cuentan con menos de cien miembros; también aparecen en la lista roja los tucano, ticuna, curripaco y witoto.

En Chile, ya no existen los chonos, cuncos, changos, chiquillanes, pehuenches ni los tehuelches. Los taínos fueron exterminados de Santo Domingo y Puerto Rico. En Argentina, la política de tierra quemada, saqueo y devastación total arrasó con los abipones, agoyáes o guisnay, aguilotes, ataláes o atalalas, axostinés, bohanes, cainaróes, calchines, guaraníes del Carcarañá, carcaráes, casutinés, chaná-timbúes, chandules, cocolotes, corondas, esistinés, gualachis, guamalcas, guaxastinés, ipas, yaaucanigas, káingang, mataráes, mepenes, ocoles, omoampas, oristinés, pazaines, querandíes, tambostinés, tapes, taynoaés, teutas, timbúes, toquistinés, vacaas, yaros, yecomoampas, amanatas, apanatas, capayanes, chichas, chirimanos, churumatas, estoybalos, gaipetes, haush-manekenks, jujuyes, olongastas, opras, osas, palomos, paypayas, pulares, tactacas, tilcalaisos, tucumanastas y con los yacampis.

En México, ha habido pueblos enteros que desaparecieron sin dejar rastro, incluso antes de los españoles, como los olmecas, que fueron grandes escultores, y los totonacas, pero el mal alcanzó a las comunidades de Caxcán, Guaicura, Lipán, Mongui, Pericú, Tecuexe, Tepaneca y Zacatecos. Hoy en día, existe una represión feroz en Chiapas por parte del ejército que ha puesto en peligro a las ciento once comunidades que habitan la región. Las mujeres son acosadas y violadas. En Oaxaca, donde 60% de la población es indígena y 70% es pobre, hay un estado de censura y tortura permanente para acallar las críticas contra la difícil situación económica.

El Informe de 2007 de Stavenhagen ha precisado:

En 2006, por ejemplo, hubo actos civiles de protesta en que participaron indígenas y no indígenas, que fueron violenta y arbitrariamente reprimidos por el Gobierno mexicano en Atenco y Oaxaca, produciéndose numerosas violaciones a las garantías individuales. Pese a diversos intentos de diálogo entre las partes, el conflicto y las protestas continúan. La Comisión Nacional de Derechos Humanos recibió más de 1 200 quejas y registró 20 personas fallecidas, 350 detenidos y 370 lesionados, concluyendo que las partes en conflicto y la Policía Federal Preventiva han utilizado la violencia reiterada y excesiva. La sociedad civil denunció también secuestros, violaciones a la libertad de expresión, amenazas, hostigamiento, torturas, violaciones sexuales y agresiones cometidas por distintas policías, agentes del Estado y grupos armados supuestamente parapoliciales. Aunque algunas de las personas detenidas y transportadas a cárceles lejanas sin apego a la ley han sido liberadas, el Gobierno no ha investigado los delitos imputados ni ha procedido contra los responsables de estas violaciones. También en México han sufrido abusos y violaciones los campesinos indígenas del Estado de Guerrero que se oponen al proyecto de construcción en su territorio de la represa La Parota, que el Estado insiste en llevar a cabo sin el libre consentimiento de la población. Un tribunal ha instruido al Gobierno que desista de proseguir la construcción de obras de infraestructura en esta zona hasta que el conflicto se haya resuelto por vía de la negociación, pero las autoridades han hecho caso omiso y siguen construyendo caminos como parte del proyecto de la represa, a lo cual numerosos comuneros se oponen.[126]

Pese a que las constituciones nacionales de casi todos los países de América Latina reconocen los derechos de los pueblos indígenas, en la práctica hay discriminación étnica, social y cultural. En los conflictos regionales pasados y presentes, sólo se ha podido constatar la indiferencia de las instituciones y ni siquiera Bartolomé de Las Casas podría hoy contar, sin perder la compostura, los horrores que han vivido. Conviene señalar que los guatemalteco-mayas constituyeron 83% de las víctimas que identificó la Comisión para el Esclarecimiento Histórico (CEH), en la época en la que se documentaron violaciones de los derechos humanos y actos de violencia en los enfrentamientos armados de Guatemala. En las masacres de Plan Sánchez y Dos Erres, acontecidas en 1982, quedó claro que los militares perseguían a los indígenas por su posición anti-dictatorial.

En Paraguay, ninguno de los diecisiete grupos étnicos ha podido convivir en paz. Un guaraní, al ver la destrucción del monte chaqueño, dijo lo que puede ser casi su epitafio: *Ore mbo hasy eterei, ñande py'aite. Oho la ñande vida* ("Nos enferma, nos duele adentro del alma. Se va nuestra vida").

LA CULTURA AFRICANA PERDIDA

Hay cifras impactantes. Que quince millones de hombres y mujeres[127] hayan sido secuestrados en África, por ejemplo, y hayan sido transportados en más de setenta mil viajes cientos de miles de kilómetros para convertirlos en esclavos en América Latina, es un hecho insólito: la migración pasiva más deleznable. Se puede sostener que la esclavitud ya existía en la antigüedad clásica, pero nada fue comparable al impacto que significó el desplazamiento de cuantías tan enormes de seres humanos que fueron despojados de todos sus símbolos culturales.

Sus lazos de identidad fueron triturados por la maquinaria esclavista, sus esquemas de correlación social con otras tribus fueron uniformados, y sufrieron cárcel, tortura y genocidio para seleccionar a los más útiles para las plantaciones. Al final del periplo por el océano Atlántico, donde murieron cinco o seis millones por los maltratos y enfermedades como la viruela, el escorbuto o el sarampión, estos seres humanos llegaron a un nuevo mundo de violencia extrema, odio, crueldad inefable y de pronto entendieron que el color de su piel los convirtió en el blanco preferido de todos los prejuicios acumulados durante siglos por los europeos.[128] En la instrucción del 16 de septiembre de 1501, Nicolás de Ovando, gobernador de La Española, pedía que se trajeran negros a las tierras recién descubiertas para el trabajo más inclemente.

Debe hablarse de etnocidio o destrucción cultural en el caso de los
afrodescendientes, que fueron considerados bárbaros. El experimento
de occidentalización progresiva se inicia en territorio africano con la
eliminación de cientos de tribus, quemadas y diezmadas, la pérdida de
sus objetos religiosos y bienes culturales generales, pero se consolida
sólo en América Latina con la evangelización y sometimiento a un régimen que subestimó todas las formas culturales de los esclavos negros.[129]
A pesar de sobrepasar en número a los blancos y criollos (en Haití la
proporción llegó a ser de veinte a uno), los esclavos tuvieron que asi-
milarse pronto, y pasadas dos generaciones habían perdido sus idiomas.

Las potencias europeas instalaron un sistema eficaz de tráfico humano. Se crearon compañías de negocios como la Royal African Company,
que transportó miles de esclavos entre 1672 y 1689. También obtuvo
grandes ganancias Company of Barbary Merchants. Inglaterra, sobre todo
desde el siglo XVIII, poseyó una organización en el río Congo que importó esclavos de Ganga, Tembe de Sierra Leona, Mandinga, Fula, Se-
rere, Sosa, Timneos y Wolof en el Senegal. Francia se posicionó entre
Loango y Dahomey. Portugal perfeccionó una red en Nigeria, Dahomey, Benguela y Angola, y de alguna manera el tráfico de esclavos se
convirtió en la mejor industria nacional. Holandeses, alemanes, españoles, daneses participaron activamente en esta etapa de despersonalización
de los africanos, que sirvieron para robustecer el naciente capitalismo.
Europa, sin la política esclavista, el expolio de oro y marfil de África, no
hubiera podido jamás alcanzar los niveles de desarrollo que alcanzó en sus
periodos de mayor auge; sin la mano de obra esclava, jamás hubiera podido surgir la bonanza de Gran Bretaña.

El daño cultural causado a las culturas africanas fue de 80%, con
60% de saqueo. La crisis empeoró dado que la abolición de la esclavitud
en la región ocurrió en el siglo XIX y, por tanto, la imposición cultural
se mantuvo durante cuatrocientos años. Al igual que en el caso de los
aborígenes americanos, los africanos perdieron sus idiomas propios, tuvieron que aceptar el dogma del cristianismo y adaptaron su música a
los ritos religiosos occidentales. Hubo casos de guerreros sagrados sometidos a las vejaciones más profundas. Las culturas más afectadas fueron
las sudanesas, con los jéjé (Vodún) y los nagó (Yoruba); asimismo, las
guineo sudanesas, como los fula, los solinke, los bornú y gurunsi; y, por
últimos, los bantú, integrados por gente de Angola y Congo.

Los yoruba y los bini, para la época de su conquista y traslado a Cuba, Haití, Puerto Rico, Trinidad y Brasil, habían sido reinos poderosos, con obras de arte memorables en el campo estatuario y con un poder religioso expansivo que todavía puede observarse en la santería, el batuque o el vudú. Los cultos clandestinos sincréticos costaron miles de muertos a los africanos, que fueron perseguidos con obsesión por la Iglesia católica. Otros reinos desmantelados fueron los de Kanem-Borno, que edificaban palacios enormes con ladrillos de rojo fuego, los feroces mandingas de Mali y los ashanti, que creían que la única verdad es el dolor.

El brusco anhelo de borrar sin escrúpulos el pasado fue el que impulsó a la eliminación progresiva de los archivos sobre la esclavitud en las tierras de Brasil, pues sabemos que entre los años 1532 y 1585, en la época del cultivo de la caña, fueron trasladados desde África a Brasil tres millones y medio de seres humanos en condición de esclavos.

Con el tiempo, se formaron los *quilombos* (palabra de la lengua quimbundu), esto es, las agrupaciones de fugitivos que se escondían en las tupidas selvas y se organizaban con fuerza para la resistencia y el ataque. Uno de estos quilombos fue el de Palmares, que perduró sesenta y cinco años y de sus luchas quedó un héroe en particular llamado Zumbí, asesinado el 20 de noviembre de 1695.

Entre 1790 y 1830, sólo en Río de Janeiro desembarcaron setecientos seis mil ochocientos setenta hombres y mujeres sometidos por los esclavistas. En 1831 llegó al poder el sombrío y supersticioso Pedro II, que reinaría hasta 1889, año en que fue depuesto por un golpe de Estado, y durante este periodo comenzó, con negligencia y luego con prodigalidad, el proceso de liberación de quienes habían sido esclavizados. Hacia 1866, por decir, el decreto imperial núm. 3 275 dio la libertad a todos los que participaron en la guerra de Brasil contra Paraguay. En 1871, el Parlamento aprobó la *Ley del Vientre Libre* que daba la libertad a todos los descendientes de los que fueron traídos por la fuerza por los esclavistas. En suma, hubo varios intentos que finalizaron en 1888, cuando el 13 de mayo fue abolida jurídicamente la esclavitud en Brasil, por medio de la *Ley Áurea*, que fue un capítulo excepcional.

Lo increíble fue que en 1890, cuando ya había caído el gobierno de Pedro II y se había impuesto la República, el ministro de Finanzas Rui Barbosa abordó una investigación sobre los archivos de la esclavitud, y no sin vacilación tomó la extraña decisión, el mítico 15 de diciembre de ese año, de ordenar la quema de todos los archivos, al parecer para evitar que los ex propietarios de esclavos pudiesen solicitar una compensación apoyados por documentos, y de esta manera se perdió gran parte de la memoria histórica de Brasil.

CAPÍTULO III

La represión cultural en el siglo XX

*Lo que ustedes llaman aciertos son errores,
los que reconocen como errores son crímenes
y lo que omiten son calamidades.*

RODOLFO WALSH, *Carta abierta a la Junta Militar*

SIN DERECHOS HUMANOS

El siglo XX fue el siglo de los holocaustos: Alemania, Armenia, Ucrania, Corea, Vietnam, Etiopía, Katyn, Ruanda, Bosnia, pero especialmente América Latina. No hay modo de cuantificar las pérdidas totales ni es posible un retrato ecuánime de las crueldades cometidas contra millones de latinoamericanos que sufrieron los más deplorables exilios y torturas. Casi todos los métodos físicos o psicológicos de violencia extrema fueron ensayados en nombre de ideologías de izquierda o derecha.

Sin embargo, sorprende lo poco que se habla del proceso inédito de saqueo de la memoria colectiva impuesto por los regímenes de fuerza al activar mecanismos de represión, censura y destrucción cultural intencionada. Hay crónicas dispersas y genéricas sobre esta materia, pero conviene describir algunos casos con más detalle.

REPRESIÓN Y PETRÓLEO EN VENEZUELA

Comienzo por Venezuela, donde dos procesos dictatoriales han sido polémicos: elogiados o cuestionados. El primero comprende un periodo de

27 años donde se impuso el autoritarismo de Juan Vicente Gómez, quien desde 1909 hasta 1935 ejerció un poder sin control sobre una nación que había vivido cientos de pequeñas guerras civiles. Hombre de campo, Gómez se hizo rodear de un grupo de intelectuales que lo veían como un gendarme necesario, según las infelices palabras de Laureano Vallenilla Lanz en su libro *Cesarismo democrático* (1919), y ese grupo de académicos le sirvió para imponer un orden legislativo e intelectual que censuró periódicos e imprentas, acalló a decenas de autores y encarceló y torturó a miles de opositores. Escritores como José Rafael Pocaterra, Rufino Blanco Fombona y Rómulo Gallegos, por mencionar a algunos, tuvieron que vivir en el exilio mientras sus obras no podían circular en el país. A la muerte del dictador, el general Eleazar López Contreras procuró borrar los archivos de las violaciones a los derechos humanos como un gesto de gracia hacia la población.

Luego surgiría el funesto régimen de Marcos Pérez Jiménez, que se mantuvo entre 1948 y 1958, y aunque este periodo ha sido distinguido por el panegírico de sus obras públicas monumentales, no debe ignorarse que aplicó un régimen férreo de represión cultural y un organismo como la Seguridad Nacional encarceló y torturó a disidentes. Las grandes colecciones de estadounidenses de arte prehispánico y colonial venezolano fueron hechas en esta época, bajo la protección de las generosas empresas que explotaban los recursos del país, en especial de la industria petrolera. Con Pérez Jiménez, la memoria colectiva fue orientada hacia una sumisión respecto de Estados Unidos y un rechazo generalizado de los valores nacionales. Incluso se aprobó una directiva en 1953 para que la Misión Nuevas Tribus pudiera recolonizar a las etnias.

BATISTA Y LOS MONOPOLIOS

El momento capital de la historia de Cuba tiene fecha: se trata del primero de enero de 1959, cuando Fidel Castro, junto a Ernesto Guevara, mejor conocido como El Che, y otros compañeros lograron derrocar al general Fulgencio Batista, quien había convertido a Cuba en una colonia económica de Estados Unidos y en el paraíso de las mafias representadas por Lucky Luciano, Meyer Lansky y Amadeo Barletta, entre otros, dueños de casinos y decenas de prostíbulos.

La crónica de las relaciones de Cuba y Estados Unidos había sido hasta entonces larga y penosa: Thomas Jefferson quiso anexarla como Puerto Rico; John Quincy Adams creyó que las leyes de gravitación de la política la harían caer en sus manos "como fruta madura". Durante años, la codiciaron Andrew Jackson, James K. Polk, James Buchanan y Grover Cleveland y hubo quien ofreció trescientos millones de dólares a España para comprarla, como hizo William McKinley. Con la excusa de la explosión del acorazado *Maine,* donde murieron doscientos setenta y seis hombres, en 1898 Estados Unidos declaró la guerra a España y en una guerra breve se apoderó de la isla, a la que impuso en 1903 la *Enmienda Platt,* que le concedía el derecho de una intervención permanente. Para esa época arrendó Guantánamo. En 1912, las tropas estadounidenses entraron en Cuba y causaron tres mil muertos. En 1917, se estableció un pelotón de infantería. En 1933, Franklin Delano Roosevelt logró asegurar Guantánamo como posesión.

Con Fulgencio Batista, que había sido precedido por Ramón Grau San Martín, la isla de Cuba había perdido toda autonomía política o económica y 90% de las empresas correspondía a monopolios de Estados Unidos en los rubros del azúcar, tabaco, cobre y manganeso. El 90% de las minas y concesiones mineras pertenecía a estadounidenses y los servicios públicos estaban en sus manos. Batista, durante su presidencia entre 1940 y 1944 y durante su dictadura entre 1952 a 1959, a sangre y fuego persiguió a sus enemigos y los torturó sin piedad, reprimió a periodistas y poetas como Nicolás Guillén. La cultura local fue negada en nombre del racismo y la segregación de las oligarquías que no se reconocían en los rasgos de identidad del país y se intentó construir una memoria afín a intereses culturales foráneos.

EL GENOCIDIO DE GUATEMALA

La consolidación de la United Fruit Company como monopolio central de Guatemala fue posible en la gestión dictatorial de Manuel Estrada Cabrera, quien fue presidente del 8 de febrero de 1898 al 15 de abril de 1920. Hacia la misma época, Estados Unidos cubría 70% de las importaciones guatemaltecas y controlaba 80% de las exportaciones. Sin saberlo, se había activado la presencia de un poderoso mecanismo de transculturación que acentuó la influencia de Estados Unidos por medio de dictaduras sangrientas como la del general Jorge Ubico, quien gobernó entre 1930 y 1944.

El coronel Jacobo Árbenz ganó las elecciones de 1950 y al realizar un Censo Agropecuario encontró que 99.1% de las fincas era minifundios con 14% de las tierras, en tanto 0.1% ocupaba 41% de la superficie censada; para escándalo del país 40% de las fincas era propiedad de veintitrés familias, cincuenta y cuatro fincas disponían de 19% de la tierra y más de doscientos cincuenta mil campesinos carecían de ella. Con estos datos, Árbenz decretó en 1952 una reforma agraria que alertó a las oligarquías y con desesperación surgió un movimiento militar que devolvió cada centímetro de tierra expropiada a la United Fruit Company e instaló al general Carlos Castillo Armas hasta el año de su asesinato en 1957. Sustituido por el general Miguel Ydígoras Fuentes, otro golpe de Estado dirigido por el coronel Enrique Peralta Azurdia en marzo de 1963 dio continuidad a la desestabilización.

En julio de 1966 fue electo presidente Julio César Méndez Montenegro, un civil subordinado al poder militar. Durante su mandato se inician secuestros selectivos y fue quemado vivo el poeta Otto René Castillo. En 1970, el coronel Carlos Arana Osorio decretó un "estado de sitio" que permitió el surgimiento de unos veinte escuadrones paramilitares y parapoliciales que masacraron a la población. De esta manera quedaba inaugurada la era de las dictaduras en Guatemala, cuyos efectos causaron un genocidio insólito.[130] En 1974 el general Kjell Eugenio Laugerud García fue designado presidente y prohibió todo tipo de manifestaciones. La crisis convirtió en 1978 en presidente al general Fernando Romeo Lucas García, cuyo hermano causó asesinatos en masa en El Quiché y gestó las Patrullas de Autodefensa Civil. En 1982, el alto mando del ejército había decidido que fuera candidato Ángel Aníbal Guevara Martínez, pero se impuso un nuevo golpe de Estado propiciado por la administración de Ronald Reagan que veían con buenos ojos al general Efraín Ríos Montt, quien arreció las medidas de guerra interna y violación de los derechos humanos hasta su derrocamiento en 1983 por otro general, de nombre Óscar Humberto Mejía Víctores.

Lo cierto es que después de treinta y seis años de conflictos entre sectores militares y movimientos guerrilleros quedaron en Guatemala doscientos mil muertos. Hubo sesenta mil desaparecidos. Más de cuatrocientas cuarenta aldeas indígenas fueron arrasadas. Según Haroldo Rodas, las pérdidas culturales de este periodo se clasificarían de este modo:

> En principio, la mayor pérdida de los valores culturales en estos enfrentamientos se dio con la muerte de numerosas personas de diversos grupos étnicos, poseedores de un ancestro y un legado cultural que se vio amenazado con el etnocidio y el genocidio promovido por los grupos en conflicto.
>
> Se sumó a esto la depredación de los sitios arqueológicos, que eran la fuente de arraigo de las comunidades asentadas en diversos departamentos del país. Muchos de estos centros sagrados fueron saqueados, se robaron sus estelas, se destruyeron los conjuntos arquitectónicos, provocando así un caos entre la población que fue desprendida de sus resabios culturales más profundos. Existen numerosos relatos entre las personas afectadas en estos sucesos, quienes indican que partes de sus pertenencias antiguas fueron sustraídas con helicópteros, mientras que las ruinas de los sitios de las antiguas ciudades fueron bombardeadas, quién sabe con qué razón, pese a que Guatemala es signataria de la *Conferencia Intergubernamental sobre la protección de los bienes culturales*, en caso de conflicto armado, firmado en La Haya en 1954.
>
> A esto se agrega la constante destrucción de los archivos municipales, los cuales fueron bombardeados, dinamitados y quemados, tratando de borrar toda huella del pasado, con el deseo de anular la memoria histórica de un pueblo, dejando individuos sin identidad.[131]

Durante los combates, fueron destruidos archivos como los de las municipalidades de Tecpán y Chimaltenango. En 1985 un ataque al edificio de Santiago Atitlán fue quemado junto con todos sus documentos. Al menos 60 por ciento de los archivos de Guatemala quedó destruido y decenas de bibliotecas arrasadas. En el Tikal, hacia 1981 una acción devastó el asentamiento arqueológico y en Zaculeu el museo fue completamente abandonado en ruinas tras un severo ataque. Lugares como el Palacio Nacional e incluso iglesias como San Miguel de Capuchinas fueron vandalizados. En Quiché las iglesias recibieron fuego de metralla y sus imágenes interiores sacras fueron robadas o mutiladas.

También hubo asesinatos directos contra intelectuales. Uno bastante conocido ocurrió contra la escritora Alaíde Foppa, quien había creado en la Universidad Nacional Autónoma de México una cátedra de "Sociología de la Mujer". Foppa, poeta de una sensibilidad exquisita, subestimó a sus enemigos políticos y fue secuestrada el 19 de diciembre de 1980. Nadie supo nunca más nada de ella.

En 1995, el gobierno permitió la quema de miles de documentos que contenían los registros de censura y tortura, asesinato y de la participación de agentes de la CIA. Como prueba de la barbarie vivida en Guatemala, existen testimonios de supervivientes: "Todo el mundo sabía que el Ejército podía venir en cualquier momento y registrar las casas, y como la incultura de los soldados era muy grande y no sabían leer, cualquier libro que encontraban pensaban que era comunista. Por ello optamos por no tener libros, ni música, ni ropa verde en casa".[132]

En Guatemala, Estados Unidos avaló uno de los autos de fe más crueles de los últimos años y hasta la fecha no ha habido un señalamiento claro y tajante de ningún organismo internacional.

LAS FAMILIAS QUE DESTRUYERON EL SALVADOR

El Salvador, uno de los países más pequeños de Centroamérica, estuvo gobernado por catorce familias y la historia de sus conflictos ha estado constantemente relacionada con la tierra. En diciembre de 1931, el general Maximiliano Hernández, que había llegado al poder por un golpe de Estado, reprimió una revuelta campesina y causó treinta mil muertes. Meses más tarde, fue asesinado uno de los organizadores de la rebelión, llamado Agustín Farabundo Martí, y ya fue tarde para detener la violencia creciente en el país. En 1992, cuando se firmó el Acuerdo de Chapultepec, un informe reveló que como consecuencia del conflicto habían muerto más de setenta y cinco mil personas, con 80% de civiles.

Durante la dictadura del general Carlos Humberto Moreno, entre 1977 y 1979, se llegó al extremo de asesinar sacerdotes como el padre Rutilio Grande. Con los años, sería asesinado el principal activista que defendía a los campesinos, monseñor Óscar Arnulfo Romero. En 1981, en la masacre de El Mozote fueron asesinados mil campesinos.

La censura contra los sectores de izquierda fue extrema, y la guerra no permitió tomar medidas para proteger iglesias, antiguas esculturas coloniales ni en general el patrimonio cultural, que salió severamente afectado. Archivos y bibliotecas fueron quemados y destruidos. Poblados enteros fueron sometidos a exclusión.

LA ERA DE SANDINO

En Nicaragua, como premio por el asesinato del gran líder popular Augusto César Sandino, Estados Unidos apoyó la presidencia de Anastasio Somoza García y éste gobernó desde 1937 hasta 1956,[133] aunque dejó a su hijo en el poder y su régimen se prolongó hasta 1967; acto seguido, otro hijo suyo llamado Anastasio Somoza Debayle pudo continuar hasta 1979. La familia Somoza, por medio de la Guardia Nacional, dejó más de cien mil muertos en el país, sin contar los desaparecidos. Los periodistas y escritores fueron perseguidos e incluso asesinados bajo la preferencia lingüística que tuvo el primer Somoza por la "p": plata para los amigos, palo para los indiferentes y plomo para los enemigos.

Hubo autores vetados y obligados a huir, como Ernesto Cardenal. La cultura fue puesta al servicio de los intereses de Estados Unidos, que convirtió a la nación en un baluarte de sus políticas en América Latina para el combate contra el comunismo y la guerra contra el terror. En 1928, Rafael de Nogales Méndez publicó una crónica destinada a denunciar ante el mundo que los crímenes contra el pueblo nicaragüense fueron cometidos para garantizar negocios millonarios: "la diplomacia del dólar ha logrado finalmente convertir al incauto pueblo americano en el blanco del odio y desconfianza universales".[134] Noam Chomsky, uno de los intelectuales más importantes de la historia, ha señalado que cuando el gobierno de Estados Unidos ordenó bombardear Afganistán ningún latinoamericano creyó en la justificación de George W. Bush porque la historia de Nicaragua dejó una impronta imborrable en la leyenda negra del intervencionismo.[135]

BRASIL: LA ANIQUILACIÓN DE LA DISIDENCIA

En Brasil, en un paso previo a las elecciones de 1938, y ante la posibilidad del triunfo de un gobierno comunista, Getulio Vargas tomó el poder, y sólo se retiró en 1945. De inmediato, se reprimió a los sectores adversos, en especial a la prensa y a los grupos culturales. Las revistas fueron cerradas y los autores censurados y perseguidos. El Departamento de Ordem Política e Social (DEOPS-SP), cuyos archivos están ahora disponibles, emprendió juicios contra conocidos intelectuales para silenciarlos. No se salvaron editores ni autores. La obra de Jorge Amado, autor de *Doña Flor y sus dos maridos,* fue quemada públicamente y el reconocido novelista encarcelado en 1935 y condenado al exilio entre 1941 y 1942.

El día 31 de marzo de 1964 un golpe de Estado instauró una nueva dictadura militar en Brasil,[136] que aceleró la represión y justificó por normas los Actos Institucionales, que tuvieron su momento culminante en la aprobación de la AI-5 para concentrar poderes excepcionales en el presidente, y esto se mantuvo desde 1968, hasta el final del gobierno del militar Emilio Garrastazu Médici, en 1974. Uno de los editores más perseguidos fue Ênio Silveira, responsable de Editora Civilização, quien fue detenido en varias oportunidades y los libros editados fueron confiscados por su apuesta a una visión izquierdista: *Primeiro de abril*, de Mário Lago, *O Golpe de Abril*, de Edmundo Moniz, *O golpe começou em Washington*, de Edmar Morel, e *História Militar do Brasil* de Nelson Werneck Sodré. Como respuesta, en una nota de la revista de Silveira denunció: "Se trata de saber si el gobierno tiene el poder de aprehender los libros (…) como si hubiese leyes en el país (...) se trata de saber, en suma, si tienen razón los que confirman que la revolución de 1964 inauguró en el país una época arbitraria de intolerancia, de prepotencia y de opresión".[137]

En diciembre de 1969, la revista *Veja* recibió una advertencia para que sometiera los textos a la revisión de los funcionarios designados por el gobierno. Se cree que bajo el mandato de la AI-5, fueron censuradas quinientas películas y más de cuatrocientas cincuenta obras de teatro, unas doscientas publicaciones, unas cien revistas y un total de quinientas letras de canciones. También el general Ernesto Geisel promovió una línea dura contra la izquierda hasta 1979, y esto fue visible con el asesinato del periodista Vladimir Herzog.[138] Un informe ha reconocido:

> La represión política durante el Nuevo Estado y la dictadura fue llevada a cabo, en gran parte, por las fuerzas de policía que controlaba el Gobierno Federal, con el apoyo de las policías estatales. La función desempeñada por la policía estatal en medio del silencio impuesto por la censura y la represión gubernamental facilitó la práctica de la tortura y los malos tratos de

los presos comunes, ya fueran simples detenidos o condenados, y favoreció la participación de las fuerzas de policía, tanto civil como militar.

[...] Durante esta época histórica los políticos de la oposición fueron privados de sus derechos cívicos, los profesionales de los medios de comunicación social y quienes se opusieran al régimen eran censurados por sospechosos de tentativa de subvertir el orden, secuestrados por los organismos de seguridad, detenidos ilegalmente, torturados e incluso asesinados. Los datos que posteriormente salieron a la luz demuestran la existencia de por lo menos 242 centros secretos de detención vinculados de algún modo a las Fuerzas Armadas o incluso controlados por éstas, como el Departamento de Operaciones de Información/Centro de Operaciones de Defensa Interna (DOI-CODI) y el Departamento del Orden Político y Social (DOPS), que llevaban a cabo investigaciones políticas en el ámbito estatal.[139]

Había dos tipos de censura: la censura previa, realizada por técnicos del Departamento de Policía Federal, y el monitoreo constante ejercido por intelectuales para colaborar con la tarea de fiscalizar lo publicado. Se considera que entre agosto de 1971 y enero de 1973 hubo ochenta casos de interdicciones dictadas por el Ministerio de Justicia.[140]

Con el fin de imponer una memoria colectiva, los militares y los sectores de ultraderecha que los apoyaban saquearon y destruyeron centenares de bienes culturales que eran parte de los grupos considerados peligrosos y los terratenientes permitieron el tráfico de obras de arte de los indígenas del Amazonas. Las aldeas fueron reducidas con explosivos. El 15 de septiembre de 1972, llegó un telegrama a la sucursal en Brasilia del diario de Sao Paulo y le informaba al director que todas las noticias debían estar sometidas al Ministerio del Interior. El texto, aunque breve, era un manifiesto de las aspiraciones de los golpistas. Hasta los músicos fueron perseguidos. Geraldo Vandré, Caetano Veloso, Chico Buarque, Elis Regina, autores de canciones de protesta, fueron seleccionados como objetivos por los cuerpos policiales y sus obras sufrieron censura permanente. La música estaba bajo control, y debía seguir ciertas fórmulas establecidas.

Hoy han aparecido ciento cincuenta mil prontuarios de personas o instituciones consideradas "peligrosas" para la seguridad del Estado, además de seis mil quinientos legajos que amplían la muestra a dos millones de diferentes tipos de registros, más de un millón de fichas de remisiones y nueve mil seiscientos treinta y seis carpetas organizadas.[141] Todo esto está almacenado sin una vigilancia relevante, y una estrategia de conservación a largo plazo.

El riesgo, por tanto, es enorme. En 2004, centenas de documentos fueron quemados en la Base Aérea Salvador. En 2007 se supo que varios archivos fueron sustraídos de la Agencia Brasilera de Inteligencia. Se trató de los documentos del Servicio Nacional de Informaciones (SIN), resguardo de información confidencial valiosa sobre la represión y asesinatos de la dictadura.

LA OCUPACIÓN DE HAITÍ

En la isla de Haití, los españoles practicaron un exterminio de los indios taínos en el siglo XV, pero la autoridad francesa impuso posteriormente su lengua y cultura, convirtió el lugar en una gigantesca plantación de azúcar y café administrada por un grupo de funcionarios que se enriquecieron rápidamente. Los esclavos negros, una mayoría torturada por los mismos franceses que habían proclamado los derechos humanos y exigían la igualdad y respeto de todos lo hombres, se rebelaron. Jean-Jacques Dessalines (1758-1806) se enfrentó con sus soldados al poderoso ejército enviado por Napoleón Bonaparte y venció en la batalla de Vertières. El 1 de enero de 1804, Haití fue la primera república negra que se independizó de Europa, y el costo social y cultural fue enorme: había comenzado su debacle.

Entre 1915 y 1934, el presidente Woodrow Wilson de Estados Unidos ordenó ocupar Haití e instauró una dictadura que estimuló el odio racial entre negros y mulatos, y se conoce una cifra tentativa de dos mil doscientos cincuenta haitianos asesinados en ese periodo,[142] que permitió además un robo sistemático de bienes culturales religiosos. En la década de los cuarenta, surgió una iconoclastia contra todas las muestras de arte que reproducían las religiones africanas.

En la dictadura de François Duvalier, mejor conocido como Papa Doc, Haití vivió entre 1957 y 1971 un horror extremo que empobreció a la nación y provocó cincuenta mil muertos. Un sector importante del arte haitiano contemporáneo se perdió y hoy se encuentra en las listas de patrimonio cultural desaparecido. El daño al sector cultural se magnificó con el asesinato de intelectuales opositores, y el exilio masivo de académicos que tuvieron que pasar el resto de sus días en Europa y el resto del continente, desencantados por el rechazo.

Hoy, según el índice de Desarrollo Humano de la ONU, Haití ocupa el puesto ciento cincuenta de un total de ciento setenta y siete países. Es una de las regiones más pobres del mundo y todo su arte es producido para la exportación. La violencia que pone en evidencia es un testimonio de sus grandes conflictos culturales.

LA PENÚLTIMA TRAGEDIA DE PERÚ

En Perú, Juan Francisco Velasco Alvarado derrocó a Fernando Belaúnde y desde 1968 hasta 1975 se distinguió por una política izquierdista que facilitó que en 1974 el país ingresase al Movimiento de Países No Alineados. Las grandes compañías estadounidenses fueron expropiadas, expulsó a la misión militar de Estados Unidos, pero su demagogia irresponsable y su autoritarismo impidió que Perú pudiera salir de la crisis económica severa que lo afectaba.

En un intento por silenciar la crítica, estatizó la prensa, detuvo periodistas y provocó el exilio de decenas de intelectuales. Un ejemplo de las acciones militares de su régimen se mide en un incidente en el Colegio Leoncio Prado. Debido a que esta institución aparece reflejada en la novela *La ciudad y los perros* (1963) de Mario Vargas Llosa, tan pronto como la obra se vendió en Lima y obtuvo un éxito creciente, un grupo acusó a Vargas Llosa como un inmoral, y quemaron mil ejemplares en una ceremonia oficial. Se sabe que los generales acusaron a Vargas Llosa de ser una mente enferma e incluso se le consideró "enemigo de Perú" y de los "sagrados valores nacionales".

A la salida de Velasco, su sucesor Francisco Morales Bermúdez entre 1975 y 1980 agudizó la crisis y arreció las medidas represivas. Los archivos fueron incinerados; y se estima que fue la época de mayor saqueo cultural del patrimonio. En 2001, el Consejo Nacional de Inteligencia eliminó incontables archivos por "razones de seguridad nacional".[143] De la gestión del ex presidente Alberto Fujimori, miles de documentos desaparecieron porque podrían inculpar a sus funcionarios por dolo público.

BOLIVIA SIN MEMORIA

Se cuenta que el general José María Achá, al ser derrocado por otro general llamado Mariano Melgarejo, dijo, con sorna expansiva en 1864, que "Bolivia no tiene memoria". Esta frase, deliberadamente olvidada, se hizo evidente cuando la tropa del general Mariano Melgarejo arrasó con los papeles de la Casa de La Moneda. En 1938, cuando el presidente Germán Busch ratificó que todos los archivos de la Policía Nacional anteriores a 1928 serían quemados para inaugurar un nuevo tiempo que nunca llegó.

Parte de los datos sobre la Guerra del Chaco se perdió en los días posteriores al golpe militar del 20 de diciembre de 1943, que sacó del poder al general Enrique Peñaranda. A saber, una poblada ingresó en la residencia del militar y destruyó algunos de sus archivos de la época y, particularmente, sus cartas sobre el apoyo a las grandes transnacionales del estaño.

Lo que fue una triste realidad es que en 1971 una coalición de partidos contrarios a la izquierda propició un golpe, que sería el número ciento ochenta y siete en ciento cuarenta y seis años de historia republicana, instaló en el poder a Hugo Bánzer y auspició una represión inimaginable, una purificación ética y una política de exclusión que sumió en el caos y el terror a toda la nación. Las universidades fueron clausuradas, los partidos de izquierda cerrados, la Central Obrera Boliviana fue desactivada y al final de su gobierno en 1978 más de treinta y cinco mil bolivianos habían sufrido cárcel, exilio o tortura. Decenas de escritores fueron censurados y algunos como Víctor Montoya (La Paz, 1958) vieron cómo sus libros no podían circular de otra forma que no fuera clandestina.

El coronel Luis Arce Gómez, al frente de un comando, asaltó el Ministerio del Interior y secuestró todos los archivos de prisioneros políticos que estaban en el Servicio de Inteligencia del Estado, destruyó algunos y trasladó otros documentos a las edificaciones del Estado Mayor, para descatar cualquier juicio por violación a los derechos humanos.

Antes del golpe de Luis García Meza Tejada en 1980, el ex ministro de Trabajo, doctor Isaac Sandoval Rodríguez, anunció a los periodistas que se había decidido destruir la documentación policial sobre dirigentes sindicales del país. De esa forma, lo que parecía un gesto noble quitó a muchos la oportunidad de juzgar a sus perseguidores. El dictador Meza, quien intentó vender los diarios de El Che, robados del Banco Central, también ordenó el asesinato de Marcelo Quiroga Santa Cruz (Cochabamba, 1931-La Paz, 17 de julio de 1980), autor de *El saqueo de Bolivia* y la novela *Los deshabitados*. Bajo la excusa de la Doctrina de Seguridad Nacional, que estimulaban agentes de Estados Unidos, el 15 de enero de 1981 fueron atacados los miembros del Movimiento de Izquierda Nacional, en la zona de Sopocachi de la ciudad de La Paz, y apenas una persona quedó viva. Fue un tiempo de incremento del tráfico ilícito de bienes indígenas antiguos y de depuración discriminatoria de las bibliotecas.

Según Luis Oporto, especialista en la destrucción de los archivos bolivianos, uno de los más graves incidentes ocurrió con la reacción de los movimientos sindicales e indígenas a las medidas represivas de Gonzalo Sánchez de Lozada. Las masas se desbordaron en las calles y atacaron la sede del Ministerio del Trabajo, Ministerio de Desarrollo Sostenible y Planificación, Tribunal Permanente de Justicia Militar, Vicepresidencia de la República y los centros de los partidos políticos oficialistas: Movimiento de la Izquierda Revolucionaria (MIR) y Nueva Fuerza Republicana (NFR), Unidad Cívica Solidaridad (UCS) y Movimiento Nacionalista Revolucionario (MNR).[144] Al parecer, hubo un intento por destruir todos los archivos coloniales de la vicepresidencia.

EL APAGÓN CULTURAL CHILENO

Después del golpe de Estado en Chile, es sabido que la Junta Militar liderada por Augusto José Ramón Pinochet Ugarte, apuntalada por el gobierno de Estados Unidos,[145] desató una persecución contra todos los sectores que apoyaron el gobierno socialista del presidente Salvador Allende. Acaso pocos entendieron entonces, y aún ahora, que el asalto y destrucción parcial al Palacio de la Moneda, un patrimonio cultural chileno construido en la época colonial, era un mensaje de la nueva gestión. Un grupo de aviones atacó salvajemente el 11 de septiembre de 1973 todo el edificio, mientras las tropas rebeldes comenzaron a disparar durante horas hasta que se conoció la noticia de que Allende no renunciaría: "Colocado en un tránsito histórico, pagaré con mi vida la lealtad al pueblo. Y les digo que tengo la certeza de que la semilla que hemos entregado a la conciencia digna de miles y miles de chilenos, no podrá ser segada definitivamente. Tienen la fuerza, podrán avasallarnos, pero no se detienen los procesos sociales ni con el crimen ni con la fuerza. La historia es nuestra y la hacen los pueblos". De inmediato, y sin pausa, arreció el ataque mortífero y la vitrina que contenía el *Acta de Independencia,* en el Salón Carrera, estalló: Allende, con una dignidad asombrosa, guardó consigo el documento firmado en 1818 por el heroico Bernardo O'Higgins.

Luego se supo que el documento llegó a manos de Miria Contreras, alias "La Payita", quien intentó salvarlo hasta el último momento, pero un soldado la detuvo y tras un extraño silencio, confiscó el papel y lo rompió en pedazos. Había comenzado la destrucción de la memoria cultural de Chile.

Pronto se crearon decretos leyes, fueron disueltos el Congreso Nacional y el Tribunal Constitucional y se proscribió a todos los partidos políticos de la Unidad Popular. Con la excusa de extirpar el comunismo incipiente, se armaron organismos destinados a depurar el país de la influencia de la Unión Soviética y las ideas marxistas. Según el informe de monseñor Valech, que impulsó una investigación de las consecuencias del régimen pinochetista, una cifra parcial apunta al reconocimiento de veintiocho mil cuatrocientas cincuenta y nueve víctimas de prisión política y tortura, que corresponden a treinta y cuatro mil seiscientas noventa detenciones. Del total de personas, mil doscientos cuarenta y cuatro eran menores de dieciocho años y de éstas ciento setenta y seis eran menores de trece años.

En lo que se conoce como el "Apagón Cultural", el *Mercurio de Valparaíso* anunciaba el 13 de septiembre que quedaba prohibida la circulación y venta de 26 revistas, varias de tipo marxista extremista, y otras de carácter político quedaron suspendidas de la circulación y, en consecuencia, su venta queda terminantemente prohibida por órdenes de la comandancia en Jefe de la 1ª Zona Naval teniente Enrique Leddihn Oelckers.

Las publicaciones en referencia:

1 *Puente*　　　　　　14 *Capítulos de la historia*
2 *China reconstruye*　15 *Ritmo*
3 *Nueva onda*　　　　16 *P.E.C.*

4 Cambalache
5 Sepa
6 Paloma
7 Visión
8 Mundo 73
9 Paloma
10 Qué pasa
11 Enfoque internacional
12 Documentos Quimantú

17 Plan
18 Testimonio
19 Debate universitario
20 La quinta rueda
21 Patria y libertad
22 Bandera negra
23 Chile hoy
24 [no está el número]
25 Unión Soviética

"Los infractores que sean sorprendidos vendiendo deberán atenerse a las consecuencias".[146]

Fue atacada la Editorial Quimantú a los días del golpe, y se cortaron en pedazos cinco millones de textos que iban dirigidos a Cuba. Hay que advertir que Quimantú (nombre donde se combinan los términos *mapudungun Kim,* saber o conocer, y *Antu,* sol) fue creada en febrero de 1972 cuando fue adquirida la editorial Zigzag por el gobierno de la Unidad Popular. En la historia de Chile, no se ha conocido un ejemplo más firme que el de Quimantú de masificar el libro. "Quimantú para todos", por decir, tenía un tiraje aproximado de cincuenta mil ejemplares. Pero esto no era todo: "Nosotros los chilenos" era quincenal; "Camino Abierto" y "Cuadernos de Educación Popular", dirigidos por Marta Harnecker, gozaban de una respetabilidad enorme. También existían los "minilibros", con cuatro títulos al mes, casi siempre novelas cortas o relatos de escritores universales; apenas cincuenta y cinco títulos alcanzaron un tiraje insólito de tres millones seiscientos sesenta mil ejemplares. La serie literaria "Cordillera" contaba con cinco mil ejemplares cada mes, y la serie infantil "Cuncuna" tenía veinte mil ejemplares. Ante el escándalo internacional, la editorial Quimantú fue transformada en Editorial "Gabriela Mistral", y su control fue asignado al general (R) Diego Barros Ortizpero, lo que fue un fracaso.

Asimismo hay constancia de que se destruyeron libros como *Canción de gesta* de Neruda, *Mister Jara* de Gonzalo Drago y *Puerto Engaño* de Leonardo Espinoza. Poco después, los censores hicieron cerrar la librería y la editorial PLA (Prensa Latinoamericana) y la distribuidora UDA. El plan de los militares golpistas fue propiciar un control absoluto sobre la actividad editorial, y no fueron raras las cacerías para dar con textos de tendencia socialista.

Durante la dictadura de Augusto Pinochet, que se sostuvo entre 1973 y 1990, cientos de miles de libros fueron confiscados y destruidos. El 28 de noviembre de 1986, por ejemplo, las autoridades del puerto de Valparaíso, siguiendo instrucciones del almirante Hernán Rivera Calderón, quemaron 14 846 ejemplares de *La aventura de Miguel Littín, Clandestino en Chile* del escritor colombiano Gabriel García Márquez y ejemplares de *Proceso de Izquierda* de Teodoro Petkoff. También fueron destruidos ejemplares de los libros de Jorge Edwards y de Ariel Dorfmann, así como ediciones de poetas como Neruda o textos sobre Allende.

No sin dificultad, la Galería Concreta del Centro Cultural Matucana en Chile pudo presentar en 2006 una exposición titulada *Memoria de los libros (Exhumación de la memoria)*, con los testimonios que presentan las imágenes de los soldados que llevan libros hacia las hogueras en 1973. También ofreció las crónicas privadas de quienes quemaron sus libros para sobrevivir. Antes de que llegaran las patrullas en busca de textos comprometedores, los chilenos tuvieron que hacer hogueras en los jardines de sus casas, en los bidés de sus baños y en los hornos de sus cocinas.

Carlos M. Rama[147] ha comentado cómo la televisión mostró al público la forma en que los soldados destruían mediante guillotinas la edición entera de las *Obras completas* de Ernesto Che Guevara en cuatro tomos, y otros miles de títulos no exclusivamente marxistas, porque también fueron eliminadas las obras antifascistas; los soldados recibieron orden de destruir a cañonazos la sede del Partido Socialista y allí quemaron cuantos impresos tenía. También se pudo ver cómo tiraban por las ventanas de un cuarto piso a la calle miles de libros y otros impresos de la sede del partido MAPU.

La investigadora Karin Ballesteros ha demostrado con sus entrevistas que la destrucción cultural fue masiva. Un testigo de la época le confesó:

Después nos sacaron al patio a formarnos y lavarnos con agua en toneles. En otros de estos mismos artefactos había bencina o parafina (lo desconozco) montones de libros. Nos hicieron prenderles fuego. Recuerdo ediciones de la revista cubana *Bohemia,* libros de arte sobre cubismo, publicaciones de la editorial Quimantú, obras de Marta Harnecker y, desde luego, Marx, Engels y Lenin.

166

Los libros llegaban en camiones militares y eran varios kilos. La orden era quemarlos todos, tarea en la que estuvimos un par de horas.

Al mediodía fuimos subidos a unos buses y, agachados en el piso con las manos entrelazadas en la nuca, fuimos trasladados.

Más tarde reconocimos el lugar: el Estadio Nacional[...]

Más tarde, en Buenos Aires, me enteré que lo de la quema de libros fue un operativo generalizado en poblaciones, en la Universidad Técnica del Estado, en la Universidad de Concepción, en La Serena y otros lugares, porque vimos fotografías y películas por la televisión argentina.[148]

La Dirección Nacional de Comunicación Social (DINACOS) fue responsable de pautar la censura de los libros:

Cuadro 5
Medidas de censura en Chile

Fecha	Objetivos
Bando Militar 107 11 /03/ 1977	Sólo el jefe de Zona de Emergencia puede autorizar fundación, edición y circulación de nuevas publicaciones.
Bando Militar 122 22/11/1978	Establece que sólo al jefe de Zona Metropolitana corresponde autorizar fundación, edición y circulación de nuevas publicaciones. (modifica el anterior).
Circular 451	La superintendencia de aduanas exige a los importadores de libros que sus listas de importación estén previamente autorizadas por DINACOS.
Decreto 3259 27/01/1981	La fundación, edición y circulación de nuevas publicaciones (incluyendo libros) deberán ser autorizadas por el Ministerio del Interior.
Ley 18015 27/02/1981	Completa el decreto anterior con sanciones pecuniarias.
Constitución política 1980	Disposición artículo 24 transitoria faculta al Presidente de la República para restringir entre 1981 y 1989 la libertad de información, sólo en cuanto a la fundación, edición y circulación de nuevas publicaciones.
Decreto 262 24/06/1983	Modifica decreto 3259 y pone término a la autorización previa del Ministerio del Interior para edición y circulación de libros en el país.

Fuente: Subercaseaux, Bernardo. *Historia del libro en Chile*. Santiago, Lom, 2000.

El secuestro de archivos fue una práctica común que se convertiría con los años en uno de los modos de confiscar la memoria. Algunos archivos procedían de las universidades, otros de organizaciones políticas y hasta de las instituciones donde hubo colaboradores del proyecto de Allende. Hasta el día de hoy, ninguno de esos documentos ha aparecido y no resulta sencillo todavía conseguir testigos dispuestos a colaborar en su pesquisa.

También se puso en boga el tráfico de arte colonial y las casas de decenas de oficiales, hoy retirados, todavía contienen ejemplares únicos que forman parte de colecciones privadas.

El 10 de diciembre de 2006 murió Pinochet, a los 91 años de edad, en su casa, aquejado por las enfermedades propias de una edad avanzada. En vida nunca fue condenado y sus detenciones fueron temporales.

LA ERA DE STROESSNER

El mismo año de la muerte de Pinochet, pero el 16 de agosto, murió con idéntica impunidad Alfredo Stroessner a los 93 años, en Brasil, tras haber impuesto una dictadura en Paraguay desde 1954 hasta 1989. Con el apoyo del Partido Colorado y el ejército, y sobre todo del gobierno de Estados Unidos, Stroessner persiguió a todos aquellos a los que definió como comunistas, y su purga ideológica, que tuvo acogida en medio de la Guerra Fría, lo llevó a conformar organismos policiales que contribuyeron a la desaparición de casi cuatro mil personas.

La censura produjo un severo golpe contra el sector cultural, que se extinguió en lo nacional y obligó al exilio de sus más conspicuos representantes. La literatura paraguaya del siglo XX, por decir, se escribió fuera de las fronteras del país. Uno de lo más importantes autores, cuyos libros fueron quemados en Asunción, fue Augusto Roa Bastos, autor de *Yo, el supremo*. Ningún ejemplar de sus libros podía circular libremente. El escritor Rubén Bareiro Saguier, acusado de ser un comunista activo, fue apresado; el pretexto fue una justificación pública: "Es autor de una obra de corte marxista, que dio lugar a que el gobierno de Fidel Castro le otorgara el premio 'Casa de las Américas'. En esta obra denigra a la República de Paraguay, a su pueblo y sus autoridades, con el lenguaje clásico de la subversión y el odio".[149]

Acusados de preparar un atentado, fueron capturados en abril de 1976 el poeta Juan Carlos da Costa y el académico Mario Scherer. En 1977 fueron procesados Juan Félix Bogado, médico y profesor universitario, quien participó en el Movimiento Universitario Independiente; José Nicolás Morinigo, sociólogo y profesor de la Universidad Católica, director de la revista *Criterio;* Jorge Canese, poeta; Óscar Rodríguez y Eduardo Arce, dirigentes del Movimiento Universitario Independiente; Antonio Pecci, autor y director de teatro que desde un primer momento sufrió la censura más descarada. Todos estaban acusados de posesión de literatura comunista y fueron llevados al penal de Emboscada.

Una de las víctimas de Stroessner, el profesor Martín Almada, torturado y detenido por varios años, hizo un descubrimiento de gran importancia en diciembre de 1992 cuando, acompañado de un juez, encontró en la estación de policía de Lambaré algo más que los archivos sobre su propio caso. Él intentaba encontrar pruebas para juzgar a sus torturadores y a los hombres que asesinaron a su esposa al provocarle un infarto, pero la verdad es que encontró un cuarto entero con miles de documentos que hoy constituyen los "Archivos del Horror", que, entre otras cosas, revelan la existencia de un programa de persecución y represión que recibió el nombre de "Plan Cóndor".

Estos archivos, que han sido saqueados en parte, corren el riesgo de ser destruidos en cualquier momento. A diferencia del caso de Chile, donde casi todos los juicios han tenido que ser establecidos mediante testimonios, en Paraguay existen documentos que exponen cómo se organizaron los servicios de seguridad de las dictaduras militares de Argentina, Chile, Brasil, Paraguay, Uruguay y Bolivia para intercambiar información sobre opositores a sus regímenes. Según los Archivos del Terror, el Plan Cóndor dejó un saldo de cincuenta mil muertos, treinta mil desaparecidos y cuatrocientos mil presos, y aparece claramente señalada la participación de Estados Unidos y de sus organismos de inteligencia en la formación y colaboración con las policías represivas. De allí que cuando Almada anunció su descubrimiento, casi 8% del archivo fue vandalizado por víctimas que querían poseer sus registros o por periodistas o por represores que reconocieron que había sido un gran error creer que, tras la caída de Stroessner, nada podría sucederles.

LA PERSECUCIÓN EN URUGUAY

En Uruguay, Juan María Bordaberry, elegido presidente en 1971, disolvió el Parlamento el 27 de junio de 1973 y comenzó una dictadura que sólo pudo terminar en 1976, cuando una Junta Militar lo destituyó preservando, no obstante, el régimen violento. Aunque breve, su autoritarismo provocó el asesinato de adversarios políticos o militares, el cierre de medios de comunicación y editoriales, e incluso la tortura y encarcelamiento de miembros del movimiento de los Tupamaros, un movimiento guerrillero que mantuvo en jaque a los sectores de la oligarquía uruguaya. Casi ochocientos mil uruguayos escogieron el exilio en un país de tres millones de habitantes. Según Clara Nieto, de inmediato el gobierno emprendió una "revolución cultural": "Echa a la hoguera miles de libros, prohíbe canciones (incluso tres tangos de Gardel), censura obras de teatro, decreta cárcel —de uno y medio a seis años— a los que canten en ceremonia pública su himno nacional dando especial énfasis a la frase 'tiemblen tiranos' y a los que denigren de las fuerzas armadas".[150]

En las escuelas y universidades fueron destituidos todos los docentes con ideas marxistas y los sindicatos intervenidos. La Facultad de Ciencias Sociales y Economía quedó clausurada, al igual que decenas de centros de investigación. Se prohibieron, siguiendo un patrón, los libros de escritores de oposición como fue el caso de Mario Benedetti, cuyas obras fueron eliminadas y sacadas de las bibliotecas y librerías.

A fines de 2006, Bordaberry fue acusado por diversos homicidios junto a quien fuera su canciller, Juan Carlos Blanco, y entre los documentos presentados en la querella aparecieron archivos que relacionaban al exdictador con el Plan Cóndor. En 2007, se informó que habían aparecido ocho mil libros —algunos seriamente deteriorados— y documentos que estaban depositados en la Suprema Corte de Justicia: se trató de un hallazgo fantástico porque los libros que habían sido editados por el Partido Socialista y la Editorial Pueblos Unidos.

LA GUERRA CULTURAL EN ARGENTINA

La destrucción cultural en Argentina merece un capítulo aparte, indudablemente, si se considera que en los últimos 84 años hubo doce mil ochocientos catorce días de dictadura en el país y dieciocho mil doscientos treinta y dos días de democracia. No obstante, en esta sinopsis importa advertir que el mayor daño se inicia una vez ocurrida la muerte de Juan Domingo Perón, el primero de julio de 1974.

El partido peronista se dividió y se hizo bastante obvio que un movimiento que vendría a ser conocido como Los Montoneros no estaba dispuesto a ceder posiciones a las tendencias crecientes de la derecha y emprendieron ataques continuos. Cada cinco horas, en 1976, era cometido un asesinato por razones políticas; cada tres explotaba una bomba. Esta situación, por supuesto, benefició a los militares y el 24 de marzo de ese mismo año un golpe contra Isabel Perón, que ya había reprimido también, instaló una junta, integrada por el general del ejército Jorge Rafael Videla, el almirante Emilio Eduardo Massera de la Marina y el brigadier Orlando Ramón Agosti de la Aeronáutica. Designó como presidente *de facto* a Jorge Rafael Videla y estableció que la Armada, el Ejército y la Fuerza Aérea vendrían a constituir el gobierno. Había comenzado la reorganización nacional con un mensaje claro:

> Frente a un tremendo vacío de poder, capaz de sumirnos en la disolución y en la anarquía; a la falta de capacidad de convocatoria que ha demostrado el gobierno nacional; a las reiteradas y sucesivas contradicciones evidenciadas en la adopción de medidas de toda índole, a la falta de una estrategia global que conducida por el poder político enfrentara a la subversión, a la carencia de soluciones para problemas básicos de la Nación cuya resultante ha sido el incremento permanente de todos los extremismos, a la ausencia total de los ejemplos éticos y morales que deben dar quienes ejercen la conducción del Estado, a la manifiesta irresponsabilidad en el manejo de la economía que ocasionara el agotamiento del aparato productivo, a la especulación y la corrupción generalizada, todo lo cual se traduce en una irreparable pérdida del sentido de grandeza y de fe; las Fuerzas Armadas en cumplimiento de una obligación irrenunciable han asumido la conducción del Estado.

La promesa de este grupo fue instituir el orden, un orden que, por supuesto, fue implacable. Se puso en marcha una estrategia de represión con el propósito de intimidar por medio del terror de Estado. Entre otras, se tomaron medidas como la suspensión de la actividad política, la derogación de los sindicatos, la prohibición de las huelgas, la disolución del Congreso, la destitución de los miembros de la Corte Suprema de Justicia, la intervención de la CGT, la clausura de locales nocturnos. Aunque entonces el mundo reaccionó con indiferencia, Argentina vivió el proceso autoritario más sangriento de su historia contemporánea. Profesores, estudiantes, sindicalistas y escritores, fueron secuestrados, asesinados y se inició la época de los desaparecidos. Miles de personas huyeron para vivir un exilio incierto. Según la CONADEP, 5.7% de las víctimas del terrorismo de Estado eran docentes y 21% eran estudiantes.[151]

El documento núm. 19, con fecha 24 de marzo, advirtió:

> Se comunica a la población que la Junta de Comandantes Generales ha resuelto que sea reprimido con la pena de reclusión por tiempo indeterminado el que por cualquier medio difundiere, divulgare o propagare comunicados o imágenes provenientes o atribuidas a asociaciones ilícitas o personas o grupos notoriamente dedicados a actividades subversivas o al terrorismo. Será reprimido con reclusión de hasta diez años, el que por cualquier medio difundiere, divulgare o propagare noticias, comunicados o imágenes, con el propósito de perturbar, perjudicar o desprestigiar las actividades de las Fuerzas Armadas, de Seguridad o Policiales.

El 26 de abril varios oficiales organizaron un acto ejemplar para combatir la "inmoralidad" y el comunismo. En el patio del cuartel del tercer cuerpo de ejército, fueron colocados los libros que el ejército había confiscado en las bibliotecas o librerías de Córdoba. Se hizo una gran pira de fuego con los volúmenes y se leyó una proclama contra Freud, Hegel, Marx, Sartre y Camus. La lectura señaló:

> El comando del Cuerpo de Ejército III informa que en la fecha procede a incinerar esta documentación perniciosa que afecta al intelecto y a nuestra manera de ser cristiana. A fin de que no quede ninguna parte de estos libros, folletos, revistas, etc., se toma esta resolución para que con este material se evite continuar engañando a nuestra juventud sobre el verdadero bien que representan nuestros símbolos nacionales, nuestra familia, nuestra iglesia, y en fin, nuestro más tradicional acervo espiritual sintetizado en Dios, Patria y Hogar.

Hay testimonios muy crueles. Norbert Pérez ha contado con detalle cómo vivieron los editores la dictadura los días posteriores:

Fue el mismo día que el ministro de Economía de la dictadura presentaba al país su plan económico. [...] En la calle Perú en el barrio de San Telmo tenía su sede una editorial que estaba en pleno desarrollo, Siglo XXI Argentina. [...] Habíamos ido a tomar un café con Pancho Aricó, gerente de producción [...] Regresé a la editorial y me encontré extrañamente con la puerta con llave. Abrí con la que siempre llevaba conmigo y al querer entrar me tomaron de las solapas introduciéndome bruscamente y tirándome contra una pared donde se encontraban otros compañeros. Había gran revuelo. Tipos de civil armados hasta los dientes recorrían la editorial en sus dos plantas. Revolvían, tiraban al suelo y rompían todo lo que encontraban a su paso. Por fin uno preguntó: quién es la autoridad. Me identifiqué como gerente administrativo. Pidieron el libro de registro del personal y preguntaron, dando nombre y apellido, por una ex empleada que hacía dos años que no trabajaba con nosotros. Eso les dije. Buscaron en el registro y encontraron sus datos y domicilio golpearon el escritorio con bronca y vehemencia diciendo: es la dirección donde estuvimos. Hicieron identificar a todos y se fueron llevándose a dos compañeros. Jorge Tula, el jefe de correctores que ahora es concejal, y Alberto Díaz, gerente de ventas (...)

Pasaron quince minutos cuando escuchamos fuertes golpes en la puerta. Regresaron. Uno de los tres que daba las órdenes al resto y que llevaban anteojos negros oscuros que le cubrían gran parte del rostro se dirigió a mí diciéndome: vamos a clausurar la editorial en nombre de la Junta Militar. Extendió un acta que sólo decía lo que había enunciado, exigió que la firmara, pidió la entrega de las llaves, puso en la puerta una faja de papel que escribió en ese momento y se fueron con los dos compañeros que habían quedado en los dos autos sin patentes. (...)

Me obligué a pasar todos los días por la puerta de la editorial. A la semana vi un grupo de personas que a cortafierro y martillo forzaban la puerta para entrar. Eran otros, a los que no le habían dado las llaves. Telefónicamente hice la denuncia a la seccional policial de la zona, diciéndoles que estaban violando una propiedad.

Se hicieron distintas gestiones para saber sobre el destino de los compañeros y solicitar la devolución de la editorial. Una de ellas ante el comandante del 1er. Cuerpo de Ejército. Aproximadamente al mes liberaron en una calle de la Capital y sin documento a Alberto. Nunca estuvo reconocido como detenido, fue un secuestrado. Lo mismo pasó con Jorge que después de bastante tiempo reconocieron que estaba detenido a disposición del Poder Ejecutivo y pasado aproximadamente un año se le permitió optar por salir del país. Fue trasladado esposado a Ezeiza. Dispusieron de la vida de ambos el tiempo que se les ocurrió. A diferencia de muchos otros salvaron sus vidas. Pasado un mes devolvieron la editorial. Robaron todo lo que quisieron. Desde el registro de accionistas hasta adornos pasando por dinero, máquinas de escribir, ceniceros. El encargado de devolver la editorial fue un mayor del 1er. Cuerpo de Ejército. Intentamos seguir funcionando. Fue imposible. Amenazas. Visitas extrañas. Juicios en que se aplicaba la ley antisubversiva por exportaciones que eran secuestradas en aduanas. Secuestro de publicaciones en las librerías. Secuestro de camiones con libros. Un fallo judicial que decía que si bien las publicaciones atentaban contra la forma de vivir occidental y cristiana no se podía sancionar ya que las mismas habían sido publicadas con anterioridad a la vigencia de la ley por lo que había que resolverlo en otras instancias. ¡Cuáles! ¿No es la ley la última instancia? Quizás era una sugerencia para secuestrar y matar. Proveedores. Libreros. Editoriales colegas. Cámaras a las que estábamos adheridos. Todos comprensiblemente asustados, temerosos. Medios de comunicación silenciosos o silenciados. Miedo, mucho miedo. Nosotros y los otros.[152]

Los mejores análisis que existen actualmente sobre lo ocurrido en cuanto a la censura y destrucción en Argentina son *Un golpe a los libros* de Hernán Invernizzi y Judith Gociol y la tesis *Historias en común. Censura a los libros en la ciudad de La Plata durante la última dictadura militar (1976-1983)* de Florencia Bossie. Al leer sus páginas uno llega a la conclusión de que las dictaduras no reprimieron la cultura por someter exclusivamente a un sector y subordinarlo, sino que se trató de una depuración sistemática, organizada con el propósito de modificar la memoria histórica. El almirante Emilio Massera, por ejemplo, llegó a hablar de que se libraba "una guerra de las culturas y las contraculturas".[153] Esto fue en 1977, pero para la fecha ya en 1974 había listas de autores censurados y una bomba destruyó veinticinco mil ejemplares de *El marxismo* de Henri Lefevre.

Se cuidaba con frecuencia la apariencia de legalidad, la legitimación de la censura, por medio de la Dirección General de Asuntos Jurídicos del

Ministerio del Interior, y la Dirección de Publicaciones se ocupaba de realizar listas con obras prohibidas que debían ser confiscadas. Existían clasificadores de textos, evaluadores y supervisores especiales, que estaban al tanto de las publicaciones de naturaleza marxista. También existían esfuerzos como el de la Secretaría de Cultura de la Municipalidad de Buenos Aires, la cual entre 1976 y 1982 declaró quinientos sesenta libros prohibidos.

La limpieza de bibliotecas fue otra práctica común. En un memo del 12 de julio de 1976, el director de las Bibliotecas Municipales, ordenó retirar de todas las bibliotecas cualquier título peronista y en 1977 se creó el reglamento titulado "Bibliotecas para el ciudadano", que establecía que todo lector debía llenar planillas para que de esta forma pudiera el Estado controlar sus lecturas.[154]

El 30 de agosto de 1980 en los terrenos vacíos de Sarandí, varios camiones depositaron, bien temprano, un millón y medio de libros y folletos, todos publicados por el Centro Editor de América Latina. Minutos más tarde, la euforia policial, legitimada por la orden de un juez federal de La Plata llamado Héctor Gustavo de la Serna, animó a varios agentes a rociar con nafta los ejemplares y a prenderles fuego. Se tomaron fotografías porque el juez temía que se creyera que los volúmenes habían sido robados y no quemados. Como testigos, estuvieron presentes Ricardo Figueiras y Amanda Toubes. Horrorizado, impotente, José Boris Spivacow, fundador del centro y valiente organizador de eventos culturales, contempló la quema hasta que las risas y el desaire despertaron su ira.

Vale la pena recordar que Spivacow impulsó colecciones que educaron a generaciones de intelectuales en Iberoamérica, como "Cuadernos", "Ediciones Previas" y "Serie del Siglo", en Eudeba. Asimismo, "Historia de América Latina en el Siglo XX", "Historia del Movimiento Obrero", "El País de los Argentinos" y "Los Hombres de la Historia." Fue el primero en sacudir a todo un continente con *El miedo a la libertad* de Erich Fromm. Dirigió Eudeba entre 1958 y 1966, y publicó ochocientos dos títulos, reeditó doscientos ochenta y uno, e imprimió nada menos que once millones cuatrocientos sesenta y un mil treinta y dos ejemplares.

La escritora Graciela Cabal ha resumido el ambiente que imperaba durante la dictadura:

Al principio tuvimos mucho miedo; yo, cada vez que me iba para el CEAL, le decía a mi vecina de arriba que si a determinada hora no volvía se llevara a mis tres hijos a la casa de mi mamá. Pero, a la vez, nos acostumbramos a trabajar en ese contexto de terror. El escritorio donde yo me sentaba —por ejemplo— tenía un agujero, que fue dejado por el impacto de una de las bombas que tiraron a la editorial, y yo apoyaba los papeles al lado. De repente llamaban de un depósito, nos avisaban que había habido un allanamiento y que venían para la redacción. Nosotros nos preparábamos, tirábamos carpetas, escondíamos agendas en el jardín, incinerábamos papeles. Les decíamos a los vecinos que íbamos a hacer un asado y quemábamos papeles en la bañera, que quedaba negra del humo.

También las bañeras de nuestras casas estaban negras. Yo rompí y quemé muchos libros, y fue una de las cosas de las que nunca me pude recuperar. Lo hacía y lloraba porque no quería que mis hijos me vieran, porque no quería que lo contaran en la escuela, porque no quería que supieran que su madre era capaz de romper libros... Porque sentía mucha vergüenza.

Los libros del depósito de Sarandí ardieron durante tres días, algunos habían estado apilados y se habían humedecido, así que no prendían bien. La colección (...) Nueva Enciclopedia del Mundo Joven, fue quemada íntegra. Me acuerdo de que en uno de los fascículos, de historia del feudalismo, había un príncipe que no se terminaba de quemar. El pobrecito era un príncipe medio afeminado y lleno de flores que se resistía a la hoguera.[155]

La Operación Claridad, gestada por el general Roberto Viola con el propósito de decomisar libros marxistas, preparó fichas para delatar obras sospechosas. Cada registro debía contener los siguientes datos:
1 Título del texto y la editorial.
2 Materia y curso en el cual se le utiliza.
3 Establecimiento educativo en el que se le detectó.
4 Docente que lo impuso o aconsejó.
5 De ser posible se agregará un ejemplar del texto. Caso contrario, fotocopias de algunas páginas, en las que se evidencie su carácter subversivo.
6 Cantidad aproximada de alumnos que lo emplean.
7 Todo otro aspecto que se considere de interés.

Al menos seiscientos noventa y siete libros fueron confiscados en la Facultad de Ciencias de la Educación de la Universidad de Entre Ríos.

Con todo este material se hizo una hoguera. Asimismo fueron quemados los libros de la editorial de la Fundación Constancio C. Vigil de Rosario, además de las sanciones legales contra sus editores. Una colección de este grupo fue Testimonio, dirigida por Rafael Ielpi e integrada por libros como *El fusilamiento* de Penina, *La década infame* de Norberto Galazo, *La "revolución" de Uriburu* de Gladys Anega, *Levantamientos de la década infame* de María Luisa Arocena y *El grupo Forja* de Graciela D'Angelo. Según se cuenta, estos textos resultaron quemados totalmente. La intervención de los militares acabó con ochenta mil libros, incluidos los ejemplares de reserva de los títulos del fondo editorial, así como las obras del gran poeta Juan L. Ortiz o de José Pedroni. Los libros eran transportados en carretillas hasta un horno donde eran eliminados.

En la Editorial Universitaria de Buenos Aires (EUDEBA), que había iniciado funciones en 1958, había motivos para celebrar en 1966 debido a que se editaron hasta esa fecha diez millones de ejemplares. El 25 de marzo de 1976, el capitán de navío Francisco Suárez Battán intervino la editorial y en un decreto del 22 de junio de 1976 ya censuraba quince libros, incluida *La batalla de Panamá* de Omar Torrijos. El 27 de febrero de 1977, cuando ya las medidas parecían insuficientes, varios camiones militares retiraron noventa mil volúmenes.[156]

La quema de libros fue acompañada de otras acciones no menos intimidatorias. Las oficinas de Siglo XXI fueron clausuradas y los editores, detenidos. La librería To Be, propiedad de Omar Estrella, en Tucumán, fue arrasada. La editorial Galerna de Guillermo Schavelzon fue atacada con explosivos. En medio de un silencio inexplicable, el 24 de marzo de 1976 fueron secuestrados Alberto Burnichon, Carlos Pérez, Héctor Fernández, Horacio González e Isabel Valencia, dueños estos últimos de la prestigiosa Librería Trilce. La lista de desaparecidos engrosó con los nombres del editor Roberto Santoro, Enrique Alberto Colomer, de Riverside, Claudio Ferrari, pilar de los libros de *La Opinión,* el librero Maurice Geger, corrector de pruebas de *La Gaceta de Tucumán,* Silvia Lima, Conrado Guillermo Cerreti y Enrique Walker, corrector de la editorial Abril.

Daniel Luaces, uno de los redactores del Centro Editor de América Latina (CEAL), fue asesinado vilmente y la asistente de la editorial, Graciela Mellibovsky, desapareció, lo mismo que Piri Lugones, Héctor Abrales, redactor técnico, y Diana Guerrero, traductora del CEAL, Ignacio

Ikonicof y decenas más de hombres y mujeres. Hogar por hogar, los militares buscaban ejemplares comprometedores, los confiscaban y destruían sin clemencia.

El 19 de diciembre de 1983, el Decreto 187 del presidente Raúl Alfonsín creó la Comisión Nacional sobre Desaparición de Personas, integrada por personalidades como Ernesto Sábato. Lo interesantes es que el informe de la Comisión, titulado "Nunca más", señala entre los grandes problemas de su investigación lo siguiente:

> Con tristeza, con dolor hemos cumplido la misión que nos encomendó en su momento el Presidente Constitucional de la República. Esa labor fue muy ardua, porque debimos recomponer un tenebroso rompecabezas, después de muchos años de producidos los hechos, cuando se han borrado deliberadamente los rastros, se ha quemado toda documentación y hasta se han demolido edificios.

En el año 2000, por ejemplo, aparecieron los llamados Archivos BANADE, que estaban en los sótanos del antiguo Banco Nacional de Desarrollo y no lograron ser incinerados por los representantes del Ministerio del Interior, y ahora tenemos seiscientos documentos de cuatro mil páginas que prueban los daños causados por las dictaduras en el área cultural. Es un archivo de memorias atroces que corre peligro.

En el sector editorial argentino la destrucción fue de tal magnitud que fue arrasada toda una estructura. En 1953 se editaron cincuenta y un millones de ejemplares y el tiraje más bajo era de once mil ejemplares. En 2006, esta cifra no llegó a 20%.

En el cine, el daño fue inmenso porque las películas fueron sometidas a un control exhaustivo y decenas de directores, guionistas, actores, desaparecieron ajusticiados o tuvieron que exiliarse. Raymund Gleyzer fue secuestrado en 1976; Enrique Juárez fue secuestrado el mismo año; Pablo Szir desapareció. No sólo a los creadores, sino que también se persiguió a los actores y a los guionistas. Francisco Paco Urondo fue vilmente asesinado.

También el arte fue robado con descaro. Durante la dictadura, algunos militares sacaban pinturas famosas de los museos argentinos y las colocaban en las salas de fiestas para ostentar intereses culturales, pero en especial su poder absoluto. Muchas obras nunca fueron retornadas.

CAPÍTULO IV

El gran saqueo del siglo XX
e inicios del XXI

*El tráfico ilícito de material cultural es clandestino,
está oculto del público. Es, en consecuencia,
difícil cuantificar el daño causado mundialmente por robo,
expoliación y excavación ilegal,
o asignar valor o estructura a este mercado*

NEIL BRODIE, *Stealing History*

EL TRÁFICO ILÍCITO DE BIENES CULTURALES
LATINOAMERICANOS

El infame tráfico ilícito de bienes culturales, tercer delito más rentable de América Latina, tiene sus orígenes en la época de conquista y colonización, pero en esta sección se aborda el asunto desde la perspectiva de las actividades de saqueo realizado por bandas criminales en el siglo XVIII, XIX, XX e inicios del XXI contra las obras arqueológicas y artísticas en la región que se extiende principalmente a México, Belice, Guatemala, El Salvador, Colombia, Bolivia y Perú.

Según Interpol, las estadísticas indican que el robo de arte aumenta en el mundo. Sólo en el año 2003 se registraron dieciséis mil ochocientos sesenta y cuatro obras robadas y los países más afectados fueron Italia, Alemania, Francia, Italia, Rusia y Polonia. A saber, existe una base de datos con los títulos de veintidós mil obras despojadas. En América Latina, al menos 80% de los museos y asentamientos arqueológicos latinoamericanos ha sufrido expolio severo y, dado que patrimonio histórico es un bien no renovable, el daño causado a la identidad y acervo de estos pueblos no tiene modo de ser resarcido. Nunca debe ignorarse, además, que el número de asentamientos arqueológicos ha crecido exponencialmente al igual que los robos. Ahora se admite que la teoría del poblamiento tardío de América por el estrecho de Bering (hace cuarenta mil años) y la idea de que el primer asentamiento habitado fue Clovis, entró en crisis por los hallazgos del asentamiento de Pedro Furada, una cueva que probaría que el hombre ya habitaba Sudamérica hace sesenta mil años o Monte Verde en Chile, con al menos treinta y tres mil años.[157] La ambición de los coleccionistas, por tanto, también pone sus esperanzas en estas investigaciones novedosas que prometen la aparición de instrumentos claves para la admisión de nuevas bases para la identidad de la región. La razón colectánea sólo se satisface en el excentricismo.

En Europa y Estados Unidos, como era de esperarse, reside 70% de las piezas robadas, bien en instituciones reconocidas que se niegan a devolverlas, o bien en colecciones que en la mayor parte de los casos se desconocen. Es importante comentar que las colecciones particulares comenzaron en el siglo XIX con la visita a América Latina de aventureros, geógrafos, y científicos europeos o estadounidenses a los que incluso los criollos les regalaban los objetos indígenas que despreciaban. Las muestras recogidas se almacenaban y estudiaban o sólo servían, en muchos casos, como decoración (todavía es habitual que en ciertas casas el propietario quiera tener obras de arte de distintas culturas) o para consolidar un prestigio social. Algunas de estas colecciones terminaron perdidas por desinterés de los sucesores y arrojadas a la basura, como sucedió con mil cien objetos rituales caribeños en Inglaterra, o fueron adquiridas o donadas a museos. Hacia 1903, el sueco Carl Wilhelm Hartman, para justificar el empleo que había conseguido en el museo Carnegie, envió un cargamento de cajas a Estados Unidos con más de doce mil objetos. Minor Cooper Keith (1848-1929), el hombre que construyó el imperio bananero de la United Fruit Company, reunió más de quince mil objetos de Centroamérica.

Entre los testimonios más recientes sobre el robo arqueológico, se encuentra el de Robert J. Sharer, profesor de Antropología de la Universidad de Pennsylvania, quien acudió en abril de 2002 al Comité de Asesoramiento sobre Propiedad Cultural del Departamento de Estado de Estados Unidos y declaró, entre otras cosas:

El registro muestra que Guatemala ha sido uno de los principales objetivos para esta epidemia de saqueo arqueológico. Esto se debe a que el así llamado mercado de arte paga grandes sumas de dinero por antigüedades mayas —especialmente esculturas talladas en piedra (generalmente cortado de monumentos que son destruidos en el procedimiento), artefactos de jade, y por supuesto, jarrones con policromías (generalmente sacados de su contexto arqueológico en tumbas saqueadas). En este caso, como en el de otros muchos países, el gran mercado para las más preciadas antigüedades robadas no está en el país de origen: muchos objetos son confiscados en los Estados Unidos para ser vendidos por miles de dólares cada uno. El incremento reciente en el monto de destrucción trágica provocado por el saqueo está bien documentado en Guatemala —y puede ser directamente relacionado con la inflación en los precios pagados por antigüedades mayas en algunas décadas pasadas.[158]

Este tipo de confesiones no son tan comunes como parece. Hay decenas de arqueólogos que trabajan con traficantes de arte y colaboran con la identificación de objetos a cambio de comisiones que superan con creces cualquiera de los pagos que pueden obtener por una investigación legítima de naturaleza académica. La corrupción comienza, además, en el abuso de confianza, pues algunos arqueólogos estadounidenses han obtenido gran prestigio con sus trabajos y aprovechan esta circunstancia para realizar sus viajes con objetos sacados sin permiso, lo cual casi siempre obedece a una subestimación profunda de las autorizaciones otorgadas.

La soberbia y descaro no es algo novedoso. En una entrevista de 1968, un profesor de Houston llamado Lowell Collins se atrevía a argumentar que mientras no se quebrantasen las leyes de Estados Unidos, no había nada que temer porque el flujo de arte prehispánico se debía a que ninguno de los países latinoamericanos apreciaba el valor de las obras. Hoy en día, si se pregunta sobre esto a los propietarios de galerías que venden en Nueva York, Miami o Londres son más cautos, pero insisten en que es imposible devolver los objetos sustraídos, incluso los que no fueron vendidos legalmente, y que están más seguros en las naciones más desarrolladas.

La más visible falla en el sistema de recuperación de objetos culturales en América Latina se detecta en la enorme incongruencia que suele existir entre legislación y práctica. Los institutos patrimoniales no cuentan con presupuestos y casi nunca disponen de personal capacitado, no han elaborado inventarios detallados y esto facilita la labor en casi todos los hurtos. Se calcula que tres mil quinientos coleccionistas legales poseen tres millones de piezas de arte de todas las épocas latinoamericanas, pero se desconocen los coleccionistas que rehúsan la mirada pública, y que podrían ser dueños de 25% del pasado del continente. El saqueo cultural, por tanto, todavía demanda un inventario.

El problema se agrava debido al infame "huaqueo", una práctica cuyo término de origen peruano que se ha convertido en sinónimo de excavación ilegal donde participan incluso indígenas que por motivos estrictamente económicos usan palas y dinamita para conseguir abrir las "huacas" (la palabra procede del quechua y significa "lugar sagrado, templo") o restos de tumbas prehispánicas. Los huaqueros venden por casi nada lo que encuentran y los intermediarios, en cambio, preparan sus listas para clientes exigentes que posteriormente las revenden en grandes capitales del mundo a precios exorbitantes. De esta forma, se consolida un comercio que devasta zonas arqueológicas de forma permanente, y que contribuye a ampliar los vacíos históricos al impedir que los países puedan realizan la exploración del pasado latinoamericano.

En culturas donde no hay pródigos registros escritos, la dispersión de objetos es traumática y crea condiciones adversas para la reflexión a la vez que descontextualiza las referencias más distantes. La destrucción se completa cuando los factores naturales borran íntegramente el lugar excavado y se pierde así una oportunidad para la recuperación de la memoria del pueblo afectado.

HUAQUEO EN PERÚ

Óscar Contardo ha denunciado: "El huaqueo comenzó a extenderse durante el siglo XIX, cuando la combinación de pobreza de la población indígena y creación del mercado de los objetos precolombinos en Europa y Estados Unidos potenció un oficio que nació con la llegada de los españoles. Del saqueo como pasatiempo de domingo en el que los hacendados organizaban excavaciones como deporte, vertiginosamente se pasó a otro más lucrativo". En una carta a comienzos de siglo, el estudioso peruano Enrique Brüning relataba al arqueólogo Max Uhle: "Los huaqueros han saqueado en este tiempo tumbas (...) La mala cosecha debido a una sequía los ha obligado a ganarse el dinero de otra forma. Sólo los artículos cerámicos son objeto de comercio, pues los metales terminan todos en fundiciones". En los años treinta el uso de la dinamita y maquinaria le daría un nuevo giro al huaqueo que terminaría por asentarse gracias al fenómeno cultural del coleccionismo de objetos exóticos.[159]

Perú, con casi cien mil asentamientos arqueológicos, es uno de los principales países de América Latina que está en la mira de los más poderosos traficantes de bienes culturales del mundo; no obstante, ninguna de las legislaciones actuales nacionales o internacionales ha podido detener el saqueo que desde la década de los ochenta en el siglo XX supera con creces todo el daño causado por los conquistadores y religiosos españoles. De forma progresiva, el pueblo peruano ha ido perdiendo su patrimonio y su memoria, pedazo a pedazo, pieza a pieza, y ha sido difícil la reseña rigurosa de lo sucedido, pues ninguna institución suele colaborar con la obtención de datos y hay demasiados intereses que perturban el conocimiento cabal de esta tragedia.

Acaso hay una fecha que inaugura en Perú este ciclo de infamias de forma unánime: en 1911, el arqueólogo Hiram Bingham, un perseverante y desconocido profesor que estuvo entre 1906 y 1907 en Colombia y Venezuela, encontró por azar las ruinas incas de Machu Picchu, que habrían sido construidas alrededor del siglo XV en un promontorio rocoso donde coinciden las montañas Machu Picchu y Huayna Picchu de la provincia de Urubamba, localizada en la región del Cusco. Por lo que sabemos, el nombre del lugar provendría de los términos quechuas *machu* (viejo) y *picchu* (montaña), es decir, "montaña vieja". La noticia, que le brindó al académico una fama proverbial e inmerecida como la que tuvo en su momento su colega Howard Carter, se extendió por todas partes y con los años se convirtió en un reputado escritor y político que fue designado gobernador de Connecticut y senador del Congreso de Estados Unidos.

Lo que no se comenta de su viaje sino con reservas es que Bingham fue un traficante que extrajo no sólo vestigios para su archivo personal, sino cinco mil piezas incas que fueron exportadas de forma temporal a la Universidad de Yale, con la promesa ingenua de que una vez realizados todos los estudios pertinentes las obras retornarían al Perú. Incluso el presidente Augusto B. Leguía llegó a pensar que esto era cierto y firmó el decreto del 31 de octubre de 1912 para avalar la salida de este importante patrimonio cultural. Pero para 2006, el paciente canciller Óscar Maúrtua de Romaña escribió una comunicación al presidente de la Universidad de Yale, Richard Levin, pidiéndole que devolviera los objetos y no obtuvo respuesta hasta 2007. Yale debe devolver lo saqueado.

Uno de los elementos distorsionantes del pasado del Perú es la constitución de grupos nativos alienados cuyo modo de vida consiste en explotar como si de una mina se tratase la historia. En Chan Chan, considerada la ciudad de barro más importante del mundo, resultado de la labor de la cultura Chimú, y declarada Patrimonio de la Humanidad, hoy predomina la actividad del "huaqueo" de momias y joyas que son vendidas a los turistas con la abierta complicidad de las autoridades policiales. En añadidura, se ha formado en el sitio un basurero enorme que refleja la desidia y el desastre. Hay pueblos como Pampa Libre, en la provincia de Chancay, donde la actividad comercial se reduce al huaqueo. En San José de Moro, que se encuentra en el valle del Jequetepeque, hay grupos cuya única actividad es excavar incluso hasta arrasar el territorio. Tierra devastada, tierra abandonada. En la huaca Sorcape, se han instalado torres eléctricas y se ha devastado el lugar.

El conquistador Cieza de León hizo una primera descripción en 1547 de las líneas gigantescas que se hallan en las pampas de Nasca, a cuatrocientos cincuenta kilómetros al sur de Lima y en las cercanías del océano Pacífico. La cultura nasca preincaica dominó sobre el Chincha, Pisco, Ica, Nasca y Acari y se distinguió por su cerámica colorida y por sus geoglifos, que alcanzan en algunos casos los 300 metros de tamaño con dibujos enormes que representan colibríes, arañas, cóndores, monos, perros, grullas, ballenas, caracoles y lagartos y otros animales que desconcertaron a Toribio Mejía Xesspe en 1927. Hubo que esperar para conocer en detalle de qué se trataba hasta 1939, fecha en la que el arqueólogo estadounidense Paul Kosok sobrevoló el lugar y desde entonces se hizo famoso este enigma cultural que tantas conjeturas ha provocado. La más certera podría ser la de María Reiche, una matemática alemana que pensó que se trataba de un calendario. Hoy en Nasca pueden encontrarse problemas que dificultan la conservación de los hallazgos: en el cementerio preincaico de Chauchilla el huaqueo ha devastado todo, hay carreteras improvisadas que destruyeron parte de los dibujos y hay un constante flujo de objetos.

El asombroso descubrimiento en 1999 del cementerio Puruchuco-Huaquerones, en medio de la barriada más pobre de Lima, provocó desde el inicio una polémica sin precedentes porque los pobladores, estimulados por bandas de traficantes, comenzaron a saquear el yacimiento sin escrúpulos e hicieron caso omiso de los avisos que advertían que se trataba de un lugar con piezas del periodo llamado Horizonte Tardío. En las llamadas huacas, que serían espacios sagrados, nada ha quedado a salvo. En Huaca Malena, a 100 km de Lima, el huaqueo persiguió los tejidos de lana y algodón (de origen wari) y hoy se estima que esto ha producido 70% de daños en el sitio. Estos tejidos tendrían como tema figuras de felinos y raras figuras aladas que se mantienen en pie y sostienen en ocasiones un bastón. Los personajes resaltan porque suelen vestir túnicas decoradas con cuadrados coloreados que se disponen en columnas. Vale la pena comentar que en 1943, en la provincia de Condesuyos, fueron hallados ocho cántaros de la cultura wari, con noventa y seis mantos de plumas en su interior, y una vez que se inició la excavación científica, los ocho cántaros fueron encontrados completamente vacíos.[160]

Considerada como el hallazgo del siglo en la arqueología de América Latina, la tumba real del Señor de Sipán fue una grata sorpresa que hizo pública el notable experto Walter Alva Alva en 1987. Se trataba de un mausoleo localizado en el departamento de Lambayeque, al norte de Lima, y su novedad consistió en que demostró que existían en el Alto Perú preincaico rituales funerarios mochicas con joyas, textiles y cerámicas alrededor del 250 d.C.

Lo que importa comentar aquí es que, a pesar de que en 2002 se creó un museo para resguardar este patrimonio, fue inevitable el saqueo. En el mercado negro se ofrecieron millones de dólares por las piezas. Angustiado por las consecuencias y por el abuso de los coleccionistas, Alva Alva denunció en una carta a Interpol, con fecha del 14 de julio de 2004, a Leonardo A. Patterson. Comparó el catálogo de arte prehispánico que detallaba las posesiones de Patterson con los expolios conocidos y encontró que eran decenas las muestras de arte robado. En primer lugar se refirió a las cerámicas procedentes de los saqueos del Valle de Jequetepeque, ocurridos entre 1960 y 1980; a continuación mencionó las vasijas originarias de la región devastada de Piura; recordó las cerámicas del estilo Moche Virú y aseguró en su carta que ningún saqueo fue peor que el sucedido en 1988 en el asentamiento "La Mina", donde una tumba mochica fue completamente desvalijada. Algunos coleccionistas como Antón Roeckl poseen, por sí solos, millones de dólares en objetos peruanos de "La Mina", comprados al conocido traficante Raúl Apesteguía.

En una de las tantas historias que circulan sobre el saqueo de Sipán, aparece mencionada la banda de Ernil Bernal, quien era famoso por su olfato instintivo para detectar riquezas y escuché decir en Lima que cuando murió a manos de la policía había enterrado un gigantesco tesoro con ocho bolsas de oro. Algunos brujos recuperaron su cráneo para obligar al espíritu a confesar dónde había escondido su opulento botín, pero al parecer no tuvieron suerte.

Además del robo de objetos arqueológicos, se ha desatado un interés enorme por el arte religioso colonial. Sólo en Perú este nuevo crimen llegó en 2005 a superar 10%, aunque no hay catálogos que permitan establecer cifras reales como ya lo ha denunciado la historiadora Mariana Mould de Pease.[161] Entre 1996 y 2000, doscientas iglesias fueron robadas. Sólo en 2004 fueron decomisados cuarenta y dos objetos por un valor de un millón de dólares en el puerto de El Callao. Algunas piezas resultaron dañadas debido a la costumbre de los ladrones de arrancar las pinturas de sus marcos o desmembrar las minas de plata de los altares.

La búsqueda de esculturas de arcángeles arcabuceros se ha incrementado y ochenta recintos eclesiásticos han sido afectados, pero esta situación se extiende a Puno, Arequipa, Áncash, Lima, Junín, Tacna, Amazonas, Ica, Apurímac y Huancavelica. En 2006, la iglesia Nuestra Señora de Guadalupe fue saqueada, y aunque no fueron forzadas las cerraduras, se llevaron ocho lienzos de la Escuela Quiteña del siglo XVIII.

Aunque cada día los traficantes inventan nuevas estrategias para exportar los bienes culturales peruanos, existen rutas que incluso se alquilan como la que pasa del puerto de El Callao a Guayaquil. También se encuentra la vía Lima que va a Aguas Verdes y llega a Huaquillas, hasta continuar por Ibarra y utiliza a Bogotá o Medellín para el almacenamiento de piezas y posterior venta en Panamá. Asimismo se encuentra la ruta que sale del Cusco, vía Puno, hacia Bolivia, donde hay una mafia que controla los puestos policiales; con menos posibilidades, pero frecuente es la ruta que parte de Cusco, sigue hacia Arequipa y Tacna hasta que llega a Chile.

LA MEMORIA EXTRAVIADA DE GUATEMALA

Haroldo Rodas ha denunciado en su obra pionera *El despojo cultural. La otra máscara de la conquista* (1998) que entre 1960 y 1970 fueron registradas veintisiete estelas robadas en Guatemala. Karl R. Meyer, en *El saqueo del pasado,* ha dicho que sólo en la década del sesenta, cuando los guatemaltecos sufrían inestabilidad política y económica, al menos cuarenta estelas fueron mutiladas para facilitar su traslado a Estados Unidos.[162] Hoy en día produce estupor contemplar los fragmentos que han sobrevivido y se exhiben en el Museo Nacional de Arqueología y Etnología de la ciudad de Guatemala.

En una evidente competencia despiadada por descubrir las estelas, arqueólogos y traficantes emprendieron durante diez años una lucha sin tregua. En Yaltitud, Dolores, una estela fue despedazada. Hacia 1964, por ejemplo, la estela 8 de Dos Pilas, en Sayaxché, perdió el glifo porque fue aserrado. En 1965 dos sucesos conmovieron a la comunidad internacional: el robo y destrucción de la estela 1 del sitio La Amelia de Sayaxché, y en La Florida las estelas 7 y 9 se convirtieron en un temible rompecabezas. Jorge Luján Muñoz señaló que había descubierto para la misma fecha dos estelas salvajemente cortadas que fueron exhibidas en los Museos de Arte Primitivo de Nueva York y en el Museo de Brooklyn.[163] Ian Graham visitó el sitio Ocultún, sobre el río San Pedro, y encontró algunas estelas seccionadas sin pericia. Unos cinco monumentos de El Naranjo, en El Petén, llegaron hasta Honduras Británica y fueron devueltos en un estado deplorable.

Ya comenzada la década de los años setenta, se descubrieron estelas rotas como la de Jimbal, y monumentos como el Mirador de San Andrés, en Petén, el de Nakum o el de Flores sufrieron destrucción y saqueo. En 1970, se utilizó fuego para cortar una estela en Uolantún. En 1971, fue asesinado un vigilante cuando protegía el sitio La Naya, que fue saqueado y devastado. En 1972, el FBI decomisó en West Helena, Arkansas, una estela procedente de Machaquilá picada en 25 fragmentos. Diversas acusaciones han responsabilizado durante años a la misión militar de Estados Unidos en Guatemala de trasladar objetos artísticos en valijas diplomáticas, pero no se ha podido establecer un caso legal.

Lo más increíble es que en los inicios del siglo XXI no se ha detenido el tráfico de arte maya en Guatemala. El 13 de octubre de 2001 se reportó el robo de un fragmento de la estela 27 en el sitio arqueológico Dos Pilas, en Petén. El 26 de febrero de 2005, fue robado un fragmento de la Estela 7 en Yaxhá, con 1.20 m de altura. Para 2006, la respetable organización ICOMOS (siglas de International Council on Monuments and Sites) había analizado dos mil ciento sesenta y cuatro incidentes de robo en cincuenta y dos asentamientos arqueológicos. En sitios como La Honradez, se determinó que ha habido doscientas tres excavaciones ilegales; en Xultún ha habido doscientas cuarenta y uno, y desde Naranjo se ha informado que ciento cincuenta y cuatro excavaciones ponen en peligro la zona.

Conviene destacar que otro de los intereses de los saqueadores en Guatemala ha sido el arte religioso católico. El 7 de junio de 1872 un presidente llamado Justo Rufino Barrios decretó la extinción de las órdenes religiosas existentes y ordenó la confiscación de todos sus bienes, los cuales en su mayoría se perdieron o vendieron. Según Rodas, la falta de un inventario provocó graves daños porque las imágenes y objetos de culto fueron fundidos o aniquilados.[164] En el año 2000, los robos a iglesias y conventos se incrementaron a ciento veinticinco, mientras que sólo hubo treinta y nueve en 1996. Baste indicar que el 11 de marzo de 2004 desapareció de la Iglesia de San Pedro Carchá una escultura de gran valor simbólico del siglo XVIII.

LA LISTA ROJA DE MÉXICO

En México, el tráfico ilícito de arte ha sido tan constante que muchos coleccionistas estadounidenses llegaron a pensar que era la única forma de conseguir obras prehispánicas. Hoy se estima que 80% de los asentamientos arqueológicos de la península de Yucatán fueron excavados por ladrones en busca de vasijas policromas mayas, colgantes de jade y relieves provenientes de monumentos. Es probable que se conozcan muy pocas exhibiciones de máscaras teotihuacanas, pero en el mercado se venden decenas y es habitual encontrarlas a la venta en catálogos internacionales. Estas máscaras fueron talladas en piedras como la serpentina o el alabastro, y se han distinguido por sus colores verdes, marrón claro, negro o blanco, y por sus tamaños que oscilan entre 20 y 28 cm y en el caso de las más pequeñas entre 13 y 19 cm.[165]

Cuadro 6
Bienes culturales saqueados en Guatemala en 2004

Número	Lugar	Fecha	Núm. piezas	Título	Datos especiales
1	Aldea Los encuentros, Solola	26/1/04	1	Inmaculada Concepción	Recuperada 02-12-04
2	San Francisco La Unión, Olimtepeque	03-03-04	4	San Francisco de Asís Quetzaltenango, Virgen de la Candelaria, Sagrada Familia, otros objetos	
3	Oratorio San José, San Francisco La Unión, Quetzaltenango	03-05-04	1	San José	
4	San Pedro Carcha, Alta Verapaz	11-03-04	1	Santísima Trinidad (Piedad)	Objeto Id. Núm. 34
5	San Antonio Ilotenango, Departamento de Quiche	25/3/04	4	Virgen de la Candelaria, San Pedro Apóstol, Santiago Apóstol, San Jacinto	
6	Coban, Alta Verapaz, Iglesia el Calvario	29/3/04	1	Santo Domingo de Guzmán	Núm. 35
7	Aldea Palo Gordo, San Antonio, Departamento de Suchitepequez	04-05-04	1	Sagrado Corazón de Jesús	
8	Antigua Guatemala, Zacatepequez Museo de Arte Colonia	05-02-04	3	Virgen de Dolores, Cristo en Agonía, Sueño del Papa Gregorio IX (Pintura)	Núm. 37 Núm. 36 Núm. 38

Número	Lugar	Fecha	Núm. piezas	Título	Datos especiales
9	Estanzuela, Zacapa	06-01-04	2	San Antonio de Padua, Virgen Niña	Núm. 41
10	Semuy, Chisec, Alta Verapaz	15/6/04	1	Virgen del Rosario	Recuperada 15/6/04
11	Comunidad de Santa Bárbara, San Jerónimo Baja Verapaz	07-10-04	3	Virgen de Santa Bárbara, Virgen de la Concepción, Virgen María	
12	Aldea Río Blanco, Sacapulas, Quiche	17/7/04	1	Santo Tomás Apóstol	Núm. 43
13	Aldea Agua Salobrega, Sanarate, El Progreso Guastatoya	24/7/04		Virgen de la Asunción, Corona Ducal de la Virgen de la Asunción	
14	Palacio Nacional de la Cultura Guatemala	26/7/04	1	Lámpara de Antorcha	Núm.45
15	Santo Domingo, Sacapulas, Quiché	27/7/04	3	Patriarca San José, Candelero de bronce, Candelero de bronce	
16	Finca El Tambor, San Felipe Retalhuleu, Departamento de Retalhuleu	08-04-04	3	Virgen María, San José, Niño Dios	

Número	Lugar	Fecha	Núm. piezas	Título	Datos especiales
17	Colonia Ciudad Peronia, Municipio de Mixco, Departamento de Guatemala	16/8/04	1	Virgen del Carmen del Calvario	
18	Aldea la Ciénega, Municipio de San Raymundo Departamento de Guatemala	21/8/04	3	Virgen María, Virgen María Jesús del Nazareno	
19	Municipio de San José El Golfo, Departamento de Guatemala	20/10/04	3		
20	Quetzaltenango, Quetzaltenango Hospital Regional de Occidente	20/12/04	1	San Rafael Arcángel	Núm. 47
Total de Piezas	38				

Fuente: Ministerio de Cultura y Deportes de Guatemala.

Lo mismo sucede con las figurillas olmecas de jade. Se estima que 90% de ejemplares conocidos de figuras de arcilla de Nayarit es de procedencia dudosa. En 2006, desaparecieron seis sellos prehispánicos de las más de cincuenta y siete mil piezas que el pintor Diego Rivera donó al pueblo mexicano en agosto de 1955 mediante un fideicomiso instaurado en el Banco de México, las cuales permanecían en el Museo Diego Rivera Anahuacalli.

Hay crecientes casos de robo de arte sacro colonial mexicano, sobre todo de los famosos Cristos de marfil o los que se hacen con pasta de maíz, pero en general esculturas y objetos de diversos tipos son sacados de las iglesias con frecuencia.[166] Fue en Michoacán donde la técnica de pasta de maíz llegó a su perfección, con figuras de tamaños que van desde 25 o 30 cm hasta más de 2 m de altura, y su rasgo más resaltante es su insistencia en la crucifixión, lo que ha despertado la atención de los coleccionistas. El 10 de mayo de 2006, fue denunciado el robo de la estatua de la Virgen de Guadalupe en la iglesia Santo Tomas Atzingo, próxima a Chimal. En Pazulco, son extraídas estatuas y pinturas del siglo XVI. El Instituto Tlaxcalteca de la Cultura (ITC) ha registrado ciento cincuenta robos entre 1997 y 2007.

El experto Heinrich Pfeiffer, integrante desde el año 1999 de la Comisión Pontificia para los Bienes Culturales de la Iglesia, hizo una denuncia en 2007 que provocó el escándalo inerte que suele generar el tema. Entre otras muchas cosas, dijo que el arte colonial sacro mexicano era aceptado como moneda por grupos de narcotraficantes, que guardaban en las bóvedas de los bancos decenas de piezas para futuras transacciones comerciales.[167]

En América Latina, el tráfico de drogas y el tráfico de bienes culturales tienden a asociarse cada vez más.

DE BRASIL A VENEZUELA

En Brasil, la búsqueda de los saqueadores se ha dirigido ante todo a las urnas amazónicas, que son sacadas ilegalmente del país y vendidas a coleccionistas particulares.[168] Estas urnas se clasifican en cuatro tipos según su lugar de origen: Marajoará (isla de Marajó), Macará, Cunani (Estado de Amapa) y Guarita (principalmente en el río Urubú). Son pequeñas: no sobrepasan los 30 y los 85 cm de alto, su decoración es geométrica, su forma es globular y son portadoras de cenizas. Hoy son vendidas en subastas de modo legal, pese a que proceden casi todas de excavaciones ilícitas. En numerosas tribus, algunas empresas inescrupulosas petroleras han destruido aldeas completas.

En Colombia, grandes cantidades de hombres y mujeres viven de la "guaquería". En menos de quince años, más de diecisiete robos han sido denunciados de las estatuas de San Agustín, que fueron fragmentadas en bloques y sacadas del país. La llamada media caña es un instrumento frecuente usado por los traficantes en Colombia, debido a que sirve para saber si la tierra se encuentra mezclada y confirmar el comienzo de una exploración que concluirá con el saqueo.

Respecto del arte colonial, una prueba de que se mantiene este tipo de robo ocurrió en enero de 2006, cuando un grupo de delincuentes se llevó cinco cuadros de temas religiosos, pintados en los siglos XVII y XVIII, del templo colonial de San Juan de Dios, ubicado en el centro de Bogotá.

Los traficantes de drogas guardan en sus casas decenas de muestras de arte colonial, y no fue un hecho fortuito que en el inventario de los bienes de Pablo Escobar, conocido delicuente que murió a manos de la policía colombiana y la Dirección Antidrogas de Estados Unidos, aparecieran obras que se creían en Europa.

Hacia 1988, un grupo de ladrones penetró en Museo Carlos Zevallos Menéndez en Guayaquil, Ecuador, ya por segunda vez, para llevarse diferentes objetos, y al salir prendieron fuego a las instalaciones para ocultar el robo, causando una gran destrucción. La mayor parte de las piezas robadas jamás se ha recuperado. En 2005, fueron fundidas decenas de piezas de oro de la cultura puruhá. En julio de 2007, una banda asaltó la iglesia de San Marcos, construida en el siglo XVI y se llevaron consigo una Virgen de El Carmen.

Desde 1992, en Ecuador han desaparecido ciento diecisiete piezas catalogadas como patrimonio cultural, pese a que en el art. 23 de la *Ley de Patrimonio Cultural* de 1979 se señala que "ningún objeto perteneciente al Patrimonio Cultural de la nación puede salir del país, excepto en los casos en que se trate de exposiciones o de otros fines de divulgación, en forma temporal, siempre con permiso del Directorio; previo informe técnico del Instituto de Patrimonio Cultural. Todo acto que manifieste intención de sacar bienes culturales del país será sancionado conforme a lo dispuesto por el Reglamento. En casos en que de hecho se hubiese sacado del país dichos bienes éstos serán incautados; se sancionará a los responsables con prisión de hasta dos años y las demás que se establecieren en el Reglamento". El poco interés ha impedido que se procesen las solicitudes de devolución de piezas en diversas partes del mundo. En la lista roja elaborada por el ICOM, se encuentran las figuras de la cultura Jama Coaque, que estuvo al norte de la provincia de Manabí.

Bolivia ha sufrido constantes arremetidas contra su patrimonio. Por un lado, los coleccionistas buscan piezas selectas; por otro lado, los turistas exigen pedazos que le sirvan como recuerdos. En Iskanwaya, parte de la provincia de Larecaja, han sido robadas numerosas piezas de la cultura mollo y no ha sido posible impedirlo porque no se cuenta con presupuestos para proteger el área.

Las iglesias sufren constantes robos de lienzos y objetos coloniales. En enero de 2006 se supo que cinco lienzos fueron extraídos de la capilla Santiago de Chicani, en el sudeste de la ciudad de La Paz, que ya en 1965 había afrontado la extracción de 14 cuadros de los 20 que poseía. Debido a la falta de catalogación de estas y otras obras, es poco lo que se conoce para proceder a la detención de los responsables del robo. En junio de 2007 se supo que habían sido robados seis lienzos coloniales de la Basílica Menor "Santa Bárbara" de la localidad de Caquingora, a 115 kilómetros de la ciudad de La Paz. Al parecer, los seis lienzos robados no tenían autoría y fueron los siguientes: *San Gregorio Magno, San Vicente Ferrel, San José con el Niño Jesús, San José con el Niño Jesús, San Miguel Arcángel,* y *María Inmaculada.*

Chile tampoco ha estado a salvo[169] y hoy es uno de los corredores más populares de los traficantes. En el desierto de Atacama, los asentamientos arqueológicos han sido sometidos a un despojo continuo, como lo ha denunciado Fernando García al combatir "el saqueo sistemático de algunos sitios arqueológicos como resultado de la acción irresponsable de profesionales que contaron con la adecuada autorización para efectuar excavaciones, pero que luego dejaron las tumbas abiertas, permitiendo la acción vandálica de sujetos que sólo buscaban lucrar con ello. Así, por ejemplo, una situación de esta naturaleza fue denunciada por el gobernador provincial de El Loa en septiembre de 1992, relativa a los cementerios de Chiu Chiu y Topater".[170]

Igual sucede en Hornito, hoy casi completamente destruido, o las caletas cercanas al río Loa, de las que apenas quedan pequeñas muestras. En el cerro arqueológico Bonete, la negligencia permitió que la actividad minera cercana acabara con todo. Un traficante bastante conocido fue Jaime Quinteros Chiang, quien entre 1964 y 2000 saqueó lugares arqueológicos y fue considerado por muchos como un amante del patrimonio cultural.[171] Nadie se imaginó que su humilde casa era un almacén con miles de objetos destinados a la venta. Según confesó Quinteros a quienes lo atraparon y lograron condenarlo a prisión de forma excepcional, ya había vendido lo más importante al extranjero. En 2001, se descubrió otro caso en Temuco, en Chillán y Santiago, donde se supo de una gigantesca venta de arte mapuche.

A pesar de que no existe un censo completo de los bienes culturales del patrimonio eclesiástico, los periódicos chilenos constantemente documentan la pérdida de imágenes, como sucedió el 30 de marzo de 2003 en el Museo Colonial de San Francisco, donde fue sustraída una Virgen del Carmen que tenía 150 años de antigüedad. A saber, este objeto fue devuelto, pero miles de otras muestras de arte colonial nunca volvieron a verse. El periodo de la dictadura de Pinochet fue especialmente favorable al robo de arte, con la complicidad de militares y policías que hoy se encuentran impunes. La DIBAM (Dirección de Bibliotecas, Archivos y Museos) cuenta con pocos recursos para estas investigaciones y hay grandes saboteos entre el personal para responsabilizar a los culpables.

Raras veces se comenta el caso de Venezuela, donde el comercio de objetos arqueológicos ha sido descarado debido al poco interés que ha despertado el tema en el público. Durante casi todo el siglo XX, los traficantes se aprovecharon de la negativa oficial de protección a las comunidades indígenas, y numerosos objetos de las tribus guajiras, yanomamis y de casi todas fueron llevados a Estados Unidos y hoy forman parte de colecciones institucionales "honorables". Posteriormente, en las iglesias comenzaron a desaparecer, como fue el caso del Estado Trujillo, las imágenes sacras sin dejar rastro y los cuerpos policiales no han indagado en las causas de estos delitos. Apenas en 1994 se creó la Brigada contra el Tráfico Ilícito de Arte a partir de la fundación de un Instituto de Patrimonio Cultural (conocido por sus siglas IPC). En 2006, Fundapatrimonio, una institución de la Alcaldía del Municipio Libertador, firmó un acuerdo con la Guardia Nacional para crear la Unidad de Resguardo Patrimonial. Ya para entonces se había descubierto que había grupos dedicados a robar el cobre, la madera y cualquier detalle de las antiguas casonas del casco histórico de Caracas.

PAÍSES DE CENTROAMÉRICA EN RIESGO

En Costa Rica, hacia la década de los setenta del siglo XX, existían unos cinco mil huaqueros que se ocupaban de suministrar jade y oro a los coleccionistas. Para ese entonces, la actividad producía quinientos mil dólares anuales. Meyer ha escrito que "en Costa Rica, una familia de cinco personas puede vivir con 34 dólares al mes, y el profesor mejor pagado (…) recibía cerca de 102 dólares mensuales. En un cementerio rico, cuatro hombres encontraron, en donde días, 226 vasijas que produjeron 5 330 dólares, o sea, más de 265 dólares al día".[172] Hoy en día esta cifra es bastante modesta y ha sido superada con creces: pasó la barrera de los cinco millones de dólares.

En Panamá, el robo de arte prehispánico es frecuente. Hubo un caso, sin embargo, que alarmó a la comunidad de arqueólogos: en febrero de 2003 se supo que había desaparecido la colección de oro y plata del Museo Antropológico Reina Torres de Araúz. A saber, se trata de piezas con fechas que oscilan entre el 400 y el 1500 d.C., y aunque algunas fueron recuperadas, una buena parte sigue sin paradero conocido.

El Salvador es uno de los países cuya riqueza arqueológica ha sido objeto de atención por parte de bandas criminales internacionales que conocen que existen lugares como Chalchuapa, donde hay un sitio arqueológico por kilómetro. Se cuentan más de seiscientos sitios arqueológicos y trescientos que están siendo estudiados por expertos. No obstante, las autoridades no han podido controlar el flujo de objetos a los tristemente célebres "coyotes" del arte. El Lago de Güija, por ejemplo, es famoso por sus saqueos, pero no es único. Hacia 1987, se contaban cinco mil exploraciones ilegales en el área de Cara Sucia. En 1999, fue denunciado el hurto de dos cuentas de jade encontradas en la estructura siete o Casa del Hechicero en el antiguo museo de Joya de Cerén.

En Honduras, la zona arqueológica de Copán ha sido saqueada sin que la vigilancia haya podido impedirlo, pese a que la zona fue declarada en 1980 Patrimonio Cultural de la Humanidad por la UNESCO. Hacia 1900, el arqueólogo Sylvanus Morley llamó a esta región "la Atenas del Nuevo Mundo" y no se equivocó porque hombres y mujeres de todas las culturas viajan a admirar las ruinas con fervor justificable. Copán se ha distinguido como un conjunto integrado por el llamado Grupo Principal, la zona residencial al suroeste El Bosque y la zona residencial al noreste Las Sepulturas, pero lo más que sorprende es el altar Q, donde figuran esculpidos dieciséis gobernantes de Copán, sentados sobre los jeroglíficos de sus nombres y en su orden dinástico. La atracción turística ha sido también la de coleccionistas interesados en piezas del lugar, lo que ha sido causa de robos. En febrero de 1998, la tumba de una reina, que pudo ser la esposa de Yax K'uk Mo', fue completamente arrasada. Debido a la guerra civil entre el gobierno y la guerrilla, las familias desplazadas a esta área robaron piezas que nunca han reaparecido. Todavía pueden encontrarse vasijas mayas en locales de artesanía a sólo doscientas cincuenta y trescientas lempiras, el equivalente de unos quince dólares.

También las imágenes religiosas han sufrido robo. En los departamentos occidentales de Lempira, Ocotepeque y Copán, las iglesias son víctimas de bandas criminales que trasladan las piezas al extranjero. En 2006, sufrieron saqueo las iglesias de San Antonio de Oriente y Langue, en Choluteca San Antonio de Oriente y Langue, en Choluteca. En marzo del mismo año, fue sacada la imagen de San José en el municipio Copán. En octubre de 2005 fueron sustraídos setenta y cinco bienes religiosos del museo colonial de Comayagua, la excapital de Honduras ubicada a 80 kilómetros al norte de Tegucigalpa. Entre los bienes se encontraban un frontal de oro, ofrendas, esmeraldas, joyas y una imagen de La Dolorosa.

EL INTERMINABLE DESPOJO DE ARGENTINA

Entre 2004 y 2005, fueron confiscadas dos mil seiscientas setenta y cinco piezas prehistóricas en Argentina. La policía detuvo a turistas, traficantes y ladrones comunes, pero no sucedió nada más, porque luego vino su liberación y hasta la fecha de hoy museos como el de Ciencias Naturales Bernardino Rivadavia guardan las piezas sin orden ni control. Los aeropuertos del país han sido desbordados por el continuo envío de corales, briozoos, braquiópodos, moluscos gastrópodos o cefalópodos, equinodermos, artrópodos, pero están también las plantas fósiles, los restos de vertebrados y mamíferos. Existen leyes como la N° 24 633 (Circulación de obras de arte) y la N° 25 743 (Protección de bienes arqueológicos y paleontológicos), donde quedan fijados los requerimientos básicos de exportación de bienes culturales y naturales; no obstante, la corrupción ha impedido que se cumplan estas normas que no afectan a los traficantes.

El arqueólogo Daniel Schavelzon, riguroso defensor de la cultura latinoamericana, ha denunciado[173] que no son respetadas las ruinas de los asentamientos indígenas, como sucedió en Tafí del Valle, donde se impuso una visión turística depredadora y se construyó un poblado improvisado. Asimismo ha insistido en sus libros en la falta de juicios a los militares que participaron en robos de obras de arte en la década sanguinaria de los ochenta. Justo en 1980 fueron robadas las joyas de la catedral de Córdoba y hasta la fecha nunca ha sido posible establecer responsabilidades. A fines del mismo año, también fueron robadas pinturas y obras del Museo de Bellas Artes. Schavelzon ha sido contundente al decir: "El expolio, el robo, el vaciamiento, no son casuales, son el resultado de una historia que los engendró y de un presente que de una forma u otra no logra definir el futuro de la herencia cultural de todos los argentinos".[174]

En 2006, Interpol en Argentina recibió denuncias por setecientos setenta y cinco robos. En julio de 2007, el más extraño robo de la década correspondió a una banda que sustrajo del Museo Histórico Nacional un reloj que perteneció a Manuel Belgrano, héroe de la independencia argentina que debido a su pobreza y honestidad se vio obligado antes de morir a usar el reloj como pago de una deuda. De forma insólita, en 2007 se han acrecentado los robos de objetos de la independencia sudamericana, que son altamente cotizados.

EL EXPOLIO DE RESTOS SUBACUÁTICOS

Las aguas del planeta ocultan secretos que podrían cambiar la historia. Según algunos expertos, si fuera posible extraer de los pecios el oro, plata y minerales que existen en mares y océanos, sería posible dar comida a quinientos millones de personas durante cien años. O se podría pagar la deuda externa de los países del Tercer Mundo.

En efecto, hay centenares de miles de patrimonios culturales subacuáticos. En los cenotes sagrados mayas, que son una especie de cavernas inundadas en la península de Yucatán, el fondo suele contener objetos prehispánicos mayas de enorme importancia. Ciudades enteras como Port Royal de Jamaica no soportaron la ferocidad de los elementos de la naturaleza y se hundieron. La zona del Caribe incluye decenas de pueblos sumergidos en las aguas como el de la isla de Cubagua, el primer asentamiento fundado por los españoles para la explotación de las perlas.

En cuanto a los pecios, baste comentar que en América del Norte se han contabilizado sesenta y cinco mil navíos perdidos entre los años 1500 y 2006. Hay zonas especialmente vulnerables, como las Azores, donde entre 1522 y hoy en día más de ochocientos cincuenta barcos se hundieron, de los que han quedado sumergidos noventa galeones españoles y cuarenta buques portugueses que naufragaron en la ruta de las Indias. Para ser más preciso, estimo modesta la información que señala que en el Atlántico español existen unos ochocientos galeones del siglo XVI de los que doscientos cincuenta están a menos de cuarenta metros de profundidad. Personalmente sospecho que son más de mil quinientos.

Entre España y América Latina y el Caribe existe uno de los patrimonios subacuáticos de mayor riqueza del mundo. No hay que olvidar que el expolio requería de galeones que partían del Guadalquivir y hacían una escala en Las Canarias. A saber, se transportaron unos ciento ochenta y un mil trescientos treinta y tres kilogramos de oro y dieciséis millones ochocientos ochenta y seis mil ochocientos quince kilogramos de plata entre 1503 y 1660, según el historiador J. Earl Hamilton,[175] pero esta cifra ha sido discutida por Pierre Chaunu,[176] quien alega con nuevos documentos examinados que fueron trescientos mil kg de oro y veinticinco millones de kg de plata. Podría ser incluso peor, pues más de 50% del oro y plata jamás se declaraba. La concentración del comercio en Sevilla se debía a que existía el monopolio administrado en todos sus aspectos por la Casa de la Contratación, fundada en 1503.

Por lo general, el viaje de ida demoraba un largo mes de acuerdo con las tempestades y al estado de los navíos. La llamada flota de Tierra Firme se enrumbaba hacia Cartagena, Nombre de Dios y Portobelo; en cambio, la de Nueva España se dirigía hacia Veracruz. Se reagrupaban en Cuba para el regreso, con una escala en las islas Azores, donde señoreaban espías que advertían las rutas a los piratas. Con este fin, los corsarios se apostaban pacientes frente a la entrada de las barras de Cádiz y Sanlúcar, aguardaban y allí saqueaban todo el contenido de los galeones, incluido el tabaco, el cacao, animales, añil y cualquier otro producto que pudiera ser vendido. El pirata holandés Pieter Heyn, que es el héroe de los holandeses, se consagró saqueando en 1628 la flota española que transportaba toda la plata; se llevó un millón de ducados, sin contar el daño por destrucción de los barcos que comandaba el almirante Juan de Benavides.

Fue y es un saqueo continuado: los españoles saquearon a los pueblos indígenas, los corsarios despojaban a los españoles, pero ahora decenas de expediciones internacionales desvalijan los restos, destruyendo los asentamientos e impidiendo el retorno ya no sólo de riquezas sino de bienes patrimoniales.

Un ejemplo de esto puede ser la historia de la escuadra que comandaba el conde Jean d'Estrées. Tras el saqueo de Tobago, se dirigió a Curação, y vencidos los holandeses una maldición cayó sobre su flota, porque el 11 de mayo de 1678 perdió diecisiete naves en una tempestad. El 10% de cinco mil hombres perecieron en medio del mar y algunos que lograron alcanzar las islas próximas a La isla de Aves, en Venezuela, murieron de hambre y de sed. Este pecio, provocado por un desastre naval sin precedentes en la historia, ha sido objeto de la voracidad de cazadores de tesoros.

El peligro sobre los asentamientos arqueológicos subacuáticos es grande porque apenas existen legislaciones de protección. Predominan los aventureros sortarios como Mel Fisher, quien en 1985, después de 20 años de búsqueda, encontró en los cayos de La Florida los restos del galeón español *Nuestra Señora de Atocha,* hundido el 5 de septiembre de 1622, logró fundir decenas de piezas y vendió las partes sin problemas. El barco causó la muerte a doscientos sesenta pasajeros, pero dejó un tesoro valorado en ciento sesenta y trescientos treinta millones de euros.

Otro paradigma de la larga lucha que va a a ser necesaria ha sido el caso del hallazgo del *Cisne Negro,* en el cual la empresa Odyssey anunció que había descubierto un tesoro submarino de artefactos y monedas de plata y oro con valor de trescientos setenta y tres millones de euros, con un total de diecisiete toneladas de oro y plata o quinientas mil monedas. Increíblemente, toda la fortuna fue transportada por avión a Estados Unidos. El Ministerio de Cultura de España formuló un reclamo, pero poco se hizo.

Conviene advertir que toda América Latina incluye en sus mares y océanos pecios de valor inestimable. Sólo en la isla de Puerto Rico hay más de cuatrocientos barcos hundidos. En la bahía de Montevideo, en Uruguay se conocen doscientos naufragios entre 1772 y 1930, que incluían fragatas, bergantines, corbetas, barcos de vapor y barcos de pasajeros. En Colombia, Cuba y Venezuela frente a sus costas hay numerosos barcos que han sido víctimas de una rapacidad inédita.

La única esperanza que se tiene de que esta situación cambie procede de la decisión adoptada el viernes 2 de noviembre de 2001 por la Asamblea plenaria de la XXXI sesión de la Conferencia General de la UNESCO con ochenta y siete votos a favor, que garantizó la existencia de una Convención sobre la Protección al Patrimonio Subacuático, pero faltan décadas para que se aplique. En 1982, Naciones Unidas había aprobado la *Convención sobre el Derecho al Mar*, aunque no existía una precisión jurídica sobre los pecios como la que, por ejemplo, abre el marco de la nueva Convención:

1. (a) Por "patrimonio cultural subacuático" se entiende todos los rastros de existencia humana que tengan un carácter cultural, histórico o arqueológico, que hayan estado bajo el agua, parcial o totalmente, de forma periódica o continua, por lo menos durante 100 años, tales como:

(i) los sitios, estructuras, edificios, objetos y restos humanos, junto con su contexto arqueológico y natural;

(ii) los buques, aeronaves, otros medios de transporte o cualquier parte de ellos, su cargamento u otro contenido, junto con su contexto arqueológico y natural; y

(iii) los objetos de carácter prehistórico.

2. (b) No se considerará patrimonio cultural subacuático a los cables y tuberías tendidos en el fondo del mar.

(c) No se considerará patrimonio cultural subacuático a las instalaciones distintas de los cables y tuberías colocadas en el fondo del mar y todavía en uso.

Es un instrumento alentador; ahora bien, el saqueo del patrimonio subacuático es un secreto a voces en las aguas de América Latina, y pese a estos avances legales internacionales, la verdad es que la negligencia y corrupción de algunos funcionarios empobrece la discusión. El saqueo cultural de América Latina no se detiene. En un mundo donde el precio —no el valor— de los objetos justifica su olvido o adquisición, el peligro es mayor: la globalización tecnológica ha proporcionado a los traficantes tecnologías de búsqueda o de compra y venta que van a acelerar la ruina de la memoria de toda la región.

SEGUNDA PARTE

El saqueo cultural en la historia: guerra,
comercio e imperio

Le había fijado como destino aniquilar su cultura.

Himno babilónico a Ishbierra hace 40 siglos

CAPÍTULO I

Guerra

Matar enemigos sirva para estimular la cólera
de nuestros hombres; arrebatar los bienes
al adversario tiene por objeto distribuir el botín.

SUN TZU, *El arte de la guerra*

LOS DAÑOS PREMEDITADOS

En general, el saqueo y destrucción cultural de América Latina no fue un suceso colateral provocado por los daños que suelen causar las guerras: fue un etnocidio premeditado por las grandes potencias para apropiarse o eliminar los símbolos más significativos de la identidad de la región. Por una parte, está claro que el propósito fue instaurar una estructura jurídica y política capaz de desanimar cualquier resistencia a la ocupación y despojo sufrido; por otra parte, siempre estuvo claro que la memoria colectiva era el eje que motivaba la vida cultural y religiosa de los pueblos indígenas y luego de esclavos africanos. Se entendió que, como ya lo denunció George Orwell en su novela *1984*, controlar el pasado ha sido la mejor manera de controlar el futuro.

Desde todo punto de vista, el atentado cultural contra los latinoamericanos fue un hito siniestro que fabricó una identidad fractal (que reproduce el esquema de Tenochtitlan, la ciudad enterrada y olvidada sobre la que se edificó la Ciudad de México) y cubrió, como si se tratase de un palimpsesto, un modelo triunfalista de concepción del mundo sobre los vestigios apesadumbrados de otro modelo. Sin embargo, es

207

conveniente precisar aquí que este fenómeno no ha sido el único en la historia, pues se conocen numerosos casos en los que la guerra fue un instrumento para reconfigurar la memoria del adversario. Desde hace tres mil quinientos años, la humanidad sólo ha tenido doscientos treinta años de paz. Por década, han ocurrido seis conflictos internacionales y seis guerras civiles; entre 1945 y 1995 hubo más de ciento cincuenta guerras. Y es indispensable conocer que en todas las guerras el factor de pillaje ha sido un objetivo clave.

LOS PRIMEROS BOTINES

No hay un consenso sobre los verdaderos orígenes paleolíticos de la guerra[1] y del saqueo, aunque se ha constatado que los grupos cazadores ya entablaban combates con sus adversarios para conseguir alimentos o territorio. La investigación arqueológica ha permitido datar entre el catorce mil y el doce mil la presencia de la primera guerra en la que se cometieron asesinatos con un salvajismo ritual en la zona del Cementerio 117 en el Nilo sudanés. En el Neolítico se construyeron fortificaciones en Jericó y en Catal Höyük para defender a la población del exterminio de los grupos rivales.

Las guerras de conquista eran crueles y sólo fueron posibles con el desarrollo de las sociedades jerarquizadas que anhelaban acrecentar su poder y riqueza mediante el derecho de botín (ius predae). Saquear, verbo derivado del latín y que en sus raíces pasa por el idioma griego que tomó la voz fenicia "saq", es literalmente "meter en el saco". En Mesopotamia, durante la III Dinastía de Ur, hace 40 siglos, se concibió incluso la idea de arrasar culturalmente un lugar, pese a que era costumbre respetar los templos de los adversarios. Una tablilla que contiene un himno dirigido a Ishbierra, gobernador de Mari, menciona la primera convocatoria a una devastación total: "Sobre la orden de Enlil de reducir a ruinas el país y la ciudad de..., le había fijado como destino aniquilar su cultura".[2]

Uno de los primeros casos conocidos y documentados de un patrimonio cultural destruido deliberadamente en una batalla fue el ocurrido en la antigua ciudad de Ebla, la más importante región paleosemita de Siria. En el tercer milenio antes de Cristo, este enclave tuvo doscientos cincuenta mil habitantes y más de mil doscientos funcionarios administrativos. La organización de la biblioteca de Ebla ha llevado a pensar que sus encargados hicieron uso de técnicas avanzadas. Esta biblioteca fue abandonada cuando el Palacio Real de Ebla fue atacado e incendiado y los destructores decidieron reducir a fragmentos miles de tablillas.

En el *Antiguo Testamento*, hay menciones continuas sobre las grandes destrucciones de los asirios:

1 Los israelitas que habitaban en Judea oyeron todo cuanto Holofernes, jefe supremo del ejército de Nabucodonosor, rey de Asiria, había hecho con todas las naciones: cómo había saqueado sus templos y los había destruido, 2 y tuvieron gran miedo ante él, temblando por la suerte de Jerusalén y por el Templo del Señor su Dios,

(…)

11 Todos los hombres, mujeres y niños de Israel que habitaban en Jerusalén se postraron ante el Templo, cubrieron de ceniza sus cabezas y extendieron las manos ante el Señor.

12 Cubrieron el altar de saco y clamaron insistentemente, todos a una, al Dios de Israel, para que no entregase sus hijos al saqueo, sus mujeres al pillaje, las ciudades de su herencia a la destrucción y las cosas santas a la profanación y al ludibrio, para mofa de los gentiles.

En Ezequiel 38,10 encontramos una advertencia al conquistador:

Así dice el Señor omnipotente: En aquel día harás proyectos, y maquinarás un plan perverso. 11 Y dirás: "Invadiré a un país indefenso; atacaré a un pueblo pacífico que habita confiado en ciudades sin muros, puertas y cerrojos. 12 Lo saquearé y me llevaré el botín; atacaré a las ciudades reconstruidas de entre las ruinas, al pueblo reunido allí de entre las naciones; es un pueblo rico en ganado y posesiones, que se cree el centro del mundo." 13 La gente de Sabá y Dedán, y los comerciantes de Tarsis y todos sus potentados, te preguntarán: "¿A qué vienes? ¿A despojarnos de todo lo nuestro? ¿Para eso reuniste a tus tropas? ¿Para quitarnos la plata y el oro, y llevarte nuestros ganados y posesiones? ¿Para alzarte con un enorme botín?"

La respuesta al pillaje entre los profetas consistía en atribuirlo a la ira de Dios, que solía castigar severamente a los rebeldes que adoraban ídolos.

Un episodio clásico de saqueo de una ciudad griega fue el episodio concluido con el asedio de Troya, que habría ocurrido tras el uso de un caballo de madera enviado como obsequio a los troyanos y que realmente contenía a un grupo de guerreros. Según la leyenda, los hombres de Agamemnón penetraron en Troya y durante tres días y tres noches arrasaron el lugar y se llevaron consigo joyas y numerosos objetos que evidenciaban el esplendor del reino de Príamo. No debe olvidarse que la cólera del héroe en la *Ilíada* se debió a que le fue arrebatada una parte de su botín. En el canto I, Aquiles reclama al rey: "Jamás el botín que obtengo iguala al tuyo cuando éstos saquean una populosa ciudad de los troyanos: aunque la parte más pesada de la impetuosa guerra la sostienen mis manos, tu recompensa, al hacerse el reparto, es mucho mayor".

En el año 331 a.C., Alejandro Magno, ya divinizado, se dirigió a Persépolis y ocupó el palacio. Se cuenta que una hermosa hetaira ateniense llamada Tais lo retó a incendiar el palacio para humillar la cultura persa. Alejandro, completamente ebrio, se levantó y junto con sus más fieles amigos se dedicó a destruir, y como el palacio tenía madera de cedro, ardió hasta sus cimientos. El tesoro de Persépolis fue transportado en veinte mil mulas y cinco mil camellos. En la introducción al *Arta Viraf Namh* o *Libro Verdadero de la Ley* se señaló: "El maldito Ahrimán, el condenado, para hacer perder a los hombres la fe y el respeto de la ley, impulsó al maldito Iskander el griego [Alejandro], a venir al país de Irán para traer a él la opresión, la guerra y los estragos. Pilló y arruinó la Puerta de los Reyes, la capital. La Ley, escrita en letras de oro sobre pieles de buey, se guardaba en la fortaleza de los escritos de la capital. Pero el cruel Ahrimán suscitó al malhechor Iskander y éste quemó los libros de la Ley e hizo matar a los hombres prudentes, a los legisladores y a los sabios".[3]

Al norte de África, en lo que es ahora Túnez, el imperio romano se movilizó durante las guerras púnicas contra una ciudad que desafió su poder militar, y no sólo arrasó el sitio hasta el extremo de que en el siglo XX los arqueólogos apenas consiguieron ruinas, sino que fundó un nuevo centro económico en el puerto. Cartago, fundada tal vez en 814 por Dido, llegó a ser el símbolo de la destrucción y el saqueo porque se mató de hambre a los habitantes, sobre los edificios derruidos se arrojó sal y no quedó nada de su memoria, salvo las referencias que los propios historiadores romanos conservaron por los testigos que fueron llevados a Roma. La frase más famosa asociada con este triste hecho se ha atribuido a Catón el viejo, quien solía finalizar sus discursos en el 150 diciendo: *Delenda est Carthago* (¡Destruid Cartago!).

Al igual que otras grandes capitales de imperios, Roma sufrió el saqueo y la destrucción en el 410:

> Al tercer día de haber entrado en la ciudad los bárbaros se marcharon espontáneamente, no sin provocar el incendio de unos cuantos edificios, pero no incendio tan grande como el que en el año 700 de la fundación de la ciudad había provocado el azar. Y, si recordamos el fuego provocado para espectáculo de Nerón, que era emperador suyo, de Roma, sin duda alguna no se podrá igualar con ningún tipo de comparación este fuego que ha provocado ahora la ira del vencedor con aquel que provocó la lascivia de un príncipe. Ni tampoco debo recordar ahora en esta relación a los galos, los cuales se apoderaron rápidamente, en el espacio casi de un año, de las trilladas cenizas de una Roma incendiada y destruida. Y para que nadie dude que los enemigos tuvieron permiso para proporcionar ese correctivo a esta soberbia, lasciva y blasfema ciudad, los lugares más ilustres de la ciudad que no habían sido quemados por los enemigos, fueron destruidos por rayos en esta misma época.[4]

Alarico tomó Roma con sus hordas y desde el 24 de agosto, día del suceso, hasta una semana después, la ciudad fue aniquilada. Los papiros sirvieron como lumbre en las orgías. Uno de los caudillos de los godos, cuando sus tropas incendiaron las bibliotecas, levantó su voz y propuso dejarlas a los enemigos como distracción idónea para apartarlos de los ejercicios militares y entregarlos a ocupaciones sedentarias y ociosas. Montaigne, fuente de esta anécdota, la relató como si se tratase de un modelo absolutamente contrario a los hechos aquí expuestos.[5]

Conquistada toda Mongolia, el sanguinario Timuyin (c. 1167-1227), mejor conocido como Gengis Kan, emprendió la conquista de China. El año 1219, dirigió su ejército de nómadas hacia el oeste, y logró dominar el extenso territorio que hoy abarcan Irak, Irán y parte del Turkestán occidental. En 1220 llegó a Bujara en busca del sultán, quien ya había huido. Se conserva una crónica del ataque a la mezquita de Bujara, donde los libros fueron confiscados y destruidos:

> Llevaron al patio de la mezquita cofres llenos de libros y de manuscritos sagrados y los vaciaron en el suelo, utilizaron los cofres como pesebres en

las caballerizas, bebieron copas de vino y llamaron a los músicos de la ciudad para divertirse y bailar en la mezquita. Los mongoles cantaron y gritaron para saciar sus apetitos, y ordenaron a los imanes, a los sabios, a los doctores de la religión, a los jefes de los clanes y a los notables que se pusieran a su servicio y que se ocuparan de atender sus caballos. El Kan decidió entonces partir para su palacio, seguido por sus hombres, que pisotearon las páginas arrancadas del libro sagrado, caídas entre el cúmulo de objetos destrozados. En aquel instante, el emir imán Jalaleddin Ali ben Hassan Al-Rendi, jefe religioso supremo de la Transoxiana, se volvió al imán Rokneddin Imamzadeh, el eminente sabio, y le preguntó: ¿Qué es lo que nos ocurre, Molana? ¿Es un sueño o la realidad? Molana Imamzadeh respondió: No digáis nada más. Es el viento de la cólera de Dios que nos barre, y ya no nos quedan fuerzas para hablar.

Hulagu Khan,[6] nieto de Gengis Kan, repitió su crueldad en Bagdad, ciudad a la cual llegó en 1257. En algún momento, el califa fue capturado y entró junto con el invasor al palacio Al-Rihainiyyin, donde estaba toda la familia real, asesinada sin piedad. El cuerpo del monarca fue enrollado dentro de una alfombra y así lo golpearon hasta morir, pues como se había profetizado que si su sangre llegaba a la tierra los mongoles sufrirían, evitaron ese problema con la envoltura. Los manuscritos de la biblioteca fueron entonces transportados a orillas del Tigris, fueron arrojados y la tinta se mezcló con la sangre. Fue una destrucción premeditada contra el prestigio intelectual de los bagdadíes. Como se sabe, en Bagdad estaban las más importantes escuelas de leyes, matemáticas y literatura.

Es interesante observar que en la Edad Media se fortalece una nueva concepción que distingue la guerra justa (*bellum iustum*)[7] de la guerra injusta (*bellum iniustum*): la acción otorgaba el derecho legítimo de hacer la guerra sin limitación para consolidar una buena causa. Creía Tomás de Aquino que para la guerra justa se requería de la autoridad del príncipe, la existencia de una causa justa y la recta intención de los combatientes.[8] La idea de la guerra justa podía ser la venganza de una injuria. Esto no impidió, por supuesto, que durante la Cuarta Cruzada en 1204 se saqueara sin injurias de por medio la ciudad de Constantinopla bajo una excusa religiosa que amparó la eliminación de obras de gran valor del mundo clásico.

DEL RENACIMIENTO A LA GUERRA
DE LOS TREINTA AÑOS

En Granada, durante enero o febrero de 1500, un austero sacerdote llamado Francisco Jiménez de Cisneros[9] dio la orden que suponía, de un modo radical, la integración de una nueva cultura, y la eliminación de otra. La confusión era enorme, pues ese mismo hombre no había dejado de causar problemas en su anhelo de convertir a los infieles. De casa en casa, sacerdotes y soldados confiscaban libros y, entre golpes y cuchicheos, advertían que había llegado la hora de quemar un antiguo libro sagrado, el *Corán*.

Como es obvio, la reacción de los creyentes musulmanes no se hizo esperar, aunque los disturbios fueron controlados por las tropas españolas que habían tomado la ciudad en 1492, después de diez largos años de sitio. Hubo quien enterró sus ejemplares, pero la pesquisa fue minuciosa y logró conseguir más de cinco mil libros.[10] Los reyes vencedores, los grandes héroes de la reconquista del reino de España, Fernando e Isabel, apodados los católicos, autorizaron esa quema porque eran conscientes de que vivían años decisivos. Cisneros, el astuto confesor de la reina, les había señalado cómo la tolerancia podía ser peligrosa en una ciudad donde los textos musulmanes se leían en secreto. No bastaba con proclamar la unidad de todo un pueblo, no bastaba con vencer a los moros, no bastaba con imponer una nueva fe: era necesario propiciar acciones para borrar una fe distinta, una concepción del mundo resumida en la visión de un hombre llamado Mahoma, y en un libro con el poder de convocar a los enemigos en cualquiera nueva ocasión.

En esta etapa miles de símbolos culturales musulmanes fueron borrados de la faz de la Tierra. Lo increíble es que en 1492 también los españoles encontraron un Nuevo Mundo, al que someterían con idénticas purgas, como lo prueba este libro. En buena medida, la guerra justa fue una de las nociones que se aplicó para la conquista de América Latina. Francisco de Vitoria pensaba que el rechazo al comercio y a la evangelización constituían una injuria suficiente capaz de legitimar una acción de guerra contra los indios:

> Porque la causa de la guerra justa es rechazar y vengar una injuria, como queda dicho siguiendo a santo Tomás; pero los bárbaros, negando el derecho

de gentes a los españoles les hacen injuria; luego si es necesaria la guerra para adquirir su derecho, pueden lícitamente hacerla (…) Si los bárbaros, ya sean sus jefes, ya sea el pueblo mismo, impidieran a los españoles anunciar libremente el Evangelio (...) hacen los bárbaros injuria a los cristianos (...) luego, tienen ya éstos justa causa para declarar la guerra (...) es lícito a los españoles ocupar sus tierras y provincias, establecer nuevos señores y destituir a los antiguos, y hacer las demás cosas que por derecho de guerra son lícitas en toda guerra justa.[11]

Se llama "*sacco* de Roma" al saqueo indiscriminado de esta ciudad el 6 de mayo de 1527, momento en el que tropas alemanas, españolas e italianas se desbordaron en las calles y tomaron para sí miles de obras de arte y destruyeron numerosos edificios. En 1576, los tercios de España atacaron y saquearon Amberes durante tres largos días, que aniquilaron el Ayuntamiento y los bienes culturales de la ciudad. La Guerra de los Treinta Años, que duró entre 1618 y el año de 1648, cuando se firmó la Paz de Westfalia, fue particularmente destructiva en Europa y los soldados quemaron y saquearon bienes culturales en numerosos poblados como en Magdeburgo, donde se llevaron los objetos de la catedral. El desastre hizo que el jurista Hugo Grocio creyera que había llegado el momento de limitar el pillaje mediante nuevas reglas de la guerra.[12]

DE LAS REVOLUCIONES A LA CONFERENCIA DE BRUSELAS

Asombrado por las situaciones conflictivas de su tiempo, el pensador suizo Emerich de Vattel, en *Le droit des gens ou principes de la loi naturelle* (1758), se adelantó a las legislaciones contemporáneas y pidió que se excluyera de las guerras la destrucción deliberada de monumentos: "La destrucción voluntaria de monumentos públicos, de templos, de tumbas, de estatuas, de cuadros, etc, es condenada absolutamente, incluso por el derecho de gentes voluntario".[13]

En 1790, un anticuario llamado Aubin-Louis Millin advirtió en su texto *Antiquités nationales ou Recueil de Monuments* a la Asamblea Constituyente en Francia que las obras de arte y los "monumentos históricos" (hoy se le considera inventor de esta expresión) corrían peligro debido a los excesos revolucionarios y se creó la *Commission des Monuments*, que en 1794 se transformó en la *Commission Temporaire des Arts* y ordenó inventariar y conservar todos los objetos artísticos y científicos.

Antoine Quatremere de Quincy, en julio de 1796 publicó sus *Lettres a Miranda* (Francisco de Miranda), cuyo título completo es "Cartas sobre el perjuicio que ocasionaría a las artes y la ciencia el desplazamiento de los monumentos de arte de Italia, el desmembramiento de sus escuelas y la expoliación de sus galerías, museos y colecciones". En sus textos advertía su oposición al saqueo basado en el derecho de conquista: "¡Imagine las obras maestras del arte dispersas por todas partes y por todas partes no reconocidas, mutiladas y laceradas en el fragor de todos estos choques, libradas a la incuria y muy pronto al olvido!".[14]

El paso de Napoleón Bonaparte atemorizó a muchos, porque ordenó la confiscación y destrucción de centenares de obras de arte. Durante la ocupación en España, el expolio francés de las bibliotecas, palacios y monasterios españoles fue tan grave, que llevó a José Bonaparte a prohibir a sus generales requisar y llevarse a Francia los bienes del Reino de España. Al fin y al cabo, él era el rey. Una parte de esos tesoros fue devuelta a España, pero otra se quedó en Francia, en virtud de la Paz de Viena de 1815. Por si fuera poco, lo que dejaron los franceses se lo llevaron los ingleses que ayudaron en la lucha contra Francia, entre ellos Wellington. La abadía de Montserrat, que contaba con una de las bibliotecas más extraordinarias de España y quizá de Europa, con un archivo completo y organizado, fue arrasada para evitar que sirviera como fortificación. La biblioteca y el archivo fueron pasto de las llamas. Sólo algunos libros se salvaron, la mayoría porque no estaban en aquel momento. Buena parte de la producción impresa de la abadía —que había tenido imprenta desde 1499— desapareció; el archivo de la escuela de música más antigua de Europa —la Escolanía de Montserrat— que había dado músicos importantes durante los siglos XVI, XVII y XVIII y que custodiaba abundantes muestras de música medieval, desapareció para siempre.

Este fenómeno de aniquilación se repitió en Italia. El 23 de junio de 1796 se firmó en Bolonia el armisticio entre Pío VI (1775-1799) y la república francesa, conocido como *Tratado Tolentino,* en el que además de dinero se exigió la entrega a Francia de centenares de obras de arte, que fueron trasladadas casi de inmediato. En 1811, Bonaparte volvió a saquear el arte italiano.

En Egipto, las tropas de Napoleón llevaron lo saqueado al Louvre, que como otros museos posee miles de objetos robados. Durante una expedición a Egipto para extraer un obelisco, el comandante de las tropas francesas dijo: "La antigüedad es un jardín que por derecho natural pertenece a quienes lo cultivan y cosechan su fruto".

En 1813, los soldados americanos tomaron Canadá y York, quemaron el Parlamento y la biblioteca legislativa. Un avance rápido permitió a los británicos, en cambio, llegar a la bahía Chesapeake, en agosto de 1814, y el general Robert Ross ordenó quemar todo lo que fuese representativo de la cultura combatida y recomendó ser fieles al juramento de la reciprocidad del combate. Como consecuencia ardieron la Casa Blanca, la Casa del Tesoro y el Capitolio. La Biblioteca del Congreso se quemó el 24 de agosto, y lo único que podía verse en su lugar, al día siguiente, eran las ruinas.

Un instrumento pionero en el intento por detener esta campaña contra los objetos culturales en los ataques fue el de las "Instrucciones de Lieber" de 1863,[15] que en Estados Unidos se refirieron a la defensa de "los bienes pertenecientes a las iglesias, a los hospitales u otros establecimientos de carácter exclusivamente caritativos, las instituciones educativas y a las fundaciones para el progreso de los conocimientos humanos, como escuelas, universidades, academias, observatorios y museos de arte u otros que tengan un carácter científico no pueden ser considerados como propiedades públicas en el sentido del art. 31; pero pueden ser utilizados cuando el servicio público lo exija, y deben ser respetados" (art. 34). Asimismo dispuso sobre la protección a "las obras de arte clásico, las bibliotecas, las colecciones científicas o los objetos de gran valor (...) deben ser preservados de todo daño que no sea inevitable, incluso si están en ciudades fortificadas que sean asediadas o bombardeadas" (art. 35).

En 1874, la Conferencia de Bruselas preparó un borrador que nunca fue aprobado en uno de cuyos artículos se solicitaba perseguir a todo aquel que en medio de la guerra provocase destrucción o saqueo intencional de bienes culturales. En Europa, comenzaba una conciencia indignada de los grandes daños culturales que causaba la guerra.

EL SAQUEO NAZI

En el siglo XX, el Holocausto fue el nombre que se dio a la aniquilación sistemática de millones de judíos a manos de los nazis durante la Segunda Guerra Mundial. Pero este acontecimiento fue precedido por un memoricidio, donde millones de bienes culturales tangibles e intangibles fueron destruidos en purgas culturales inimaginables.

El 4 de febrero de 1933, la *Ley para la Protección del Pueblo Alemán* restringió la libertad de prensa y definió los esquemas de confiscación de cualquier material considerado peligroso. Una especie de fervor inusitado, limitado únicamente por la presión internacional europea, se apoderó de estudiantes e intelectuales. En abril, salieron a la calle las *Tesis contra el espíritu antigermánico*. De las 12 tesis, la cuarta señalaba: "Nuestro más peligroso adversario es el judío". El 7 se hizo pública la Ley para la Renovación del Funcionariado Profesional, que excluía a los judíos.

El 9 de mayo, Goebbels, en Kaiserhof, se dirigió al gremio de los actores y les advirtió: "Protesto contra el concepto que hace del artista el único en ser apolítico (...) El artista no puede mantener atrás, porque debe tomar la bandera y marchar a la cabeza". Rodeado por los más talentosos intérpretes del teatro de Goethe y Schiller, no perdió tiempo y se atrevió a hacer una invitación a eliminar los rasgos judíos de la cultura alemana.

El 10 de mayo fue un día agitado. Los miembros de la Asociación de Estudiantes Alemanes comenzaron a recoger todos los libros prohibidos. Había una euforia inesperada, contagiosa. Los libros, junto con los que se habían obtenido en centros como el Instituto de Investigaciones Sexuales o en las bibliotecas de judíos capturados, fueron transportados a Opernplatz. En total, el número de obras sobrepasaba los 25 000. Pronto, se concentró una multitud alrededor de los estudiantes. La hoguera ya estaba encendida con kerosene desde las 11:30. Joseph Goebbels levantó la voz y después de saludar explicó los motivos de la quema:

> La época extremista del intelectualismo judío ha llegado a su fin y la revolución de Alemania ha abierto las puertas nuevamente para un modo de vida que permita llegar a la verdadera esencia del ser alemán. Esta revolución no comienza desde arriba, sino desde abajo, y va en ascenso. Y es, por esa razón, en el mejor sentido de la palabra, la expresión genuina de la voluntad del Pueblo (...)

Durante los pasados catorce años Uds., estudiantes, sufrieron en silencio vergonzoso la humillación de la República de Noviembre, y sus bibliotecas fueron inundadas con la basura y la corrupción del asfalto literario de los judíos. Mientras las ciencias de la cultura estaban aisladas de la vida real, la juventud alemana ha reestablecido ahora nuevas condiciones en nuestro sistema legal y ha devuelto la normalidad a nuestra vida (...)

Las revoluciones que son genuinas no se paran en nada. Ninguna área debe permanecer intocable (...)

Por tanto, Uds. están haciendo lo correcto cuando Uds., a esta hora de medianoche, entregan a las llamas el espíritu diabólico del pasado (...)

El anterior pasado perece en las llamas; los nuevos tiempos renacen de esas llamas que se queman en nuestros corazones.[16]

La operación *Bücherverbrennung* o quema de libros, cuyas características se habían mantenido secretas hasta ese instante, se reveló pronto en su verdadera dimensión porque el mismo 10 de mayo se quemaron libros en numerosas ciudades alemanas.

Las reacciones negativas no detuvieron a Goebbels. El 14 de agosto anotaba en su diario que pensaba conformar una *Reichskulturkammer* o Cámara de Cultura del Reich, con sus respectivas divisiones de Prensa, Radio, Literatura, Cine, Teatro, Música y Artes Plásticas. En septiembre, impuso su idea. La propuesta de esta cámara era impulsar la arianización de toda la cultura alemana y prohibió la música atonal judía, el blues, el surrealismo, el cubismo y el dadaísmo. Logró convencer a la cineasta Leni Riefenstahl de preparar las películas de propaganda, lo que resultó un éxito porque se estrenaron películas de gran calidad técnica.

El 25 de abril de 1935, Goebbels obtuvo el poder total sobre la censura. Ese mandato le permitió iniciar acciones de depuración en todas las bibliotecas del país, privadas y públicas. Contó para este propósito con la ayuda de la Gestapo y la Sicherheitsdienst. El nombramiento de Heinrich Himmler el 17 de junio de 1936 como jefe de las SS, facilitó a Goebbels el trabajo porque dispuso de una policía centralizada capaz de cumplir a cabalidad cualquier orden de aprehensión o censura.

El año 1937, fue designado Bernhard Rust en una comisión que, durante abril y octubre, hizo una lista de las obras de arte condenables por el régimen nazi. Como consecuencia de esta acción, fueron confiscadas 16 500 obras de arte moderno, y al menos 650 pinturas, esculturas y libros fueron exhibidos en una muestra que se tituló "Arte Degenerado" y que se realizó en Munich. Un año más tarde, fueron tocadas piezas de "Música Degenerada". La obra de Siegfried Kracauer, por ejemplo, especialmente una que llevaba por título *Die Angestellten. Aus dem neuesten Deutschland* (Frankfurt, Societätsdruckerei, 1930), fue quemada debido a sus análisis sociológicos, que contradecían las estadísticas imaginarias del partido nazi.

El único adversario de Goebbels en las quemas de libros fue Alfred Rosenberg, el director de la Oficina para la Supervisión General de la cultura, la ideología, la educación y la instrucción de la NSDAP. Rosenberg era autor de *El mito del siglo veinte*, un influyente libro publicado en 1930 que le había ganado el respeto del propio Hitler. Pero el mismo Rosenberg, un lector devoto de Arthur Schopenhauer y de la música clásica, amargamente confesó las razones del triunfo de su oponente: "Hitler sabía naturalmente que yo tenía un conocimiento más profundo del arte y la cultura que Goebbels, y de hecho el último pudo escasamente ver bajo la superficie. No obstante, él dejó a ese hombre la dirección de esta esfera de vida alemana que amó tan apasionadamente. Porque como más tarde yo me lo decía a mi mismo, el último pudo rodear al Führer con un ambiente que yo nunca hubiera podido crear. Él alimentó el elemento teatral en el Führer". El papel de Rosenberg sería de enorme importancia para Hitler sólo en su política exterior contra las naciones invadidas.

Rosenberg constituyó la Einsatzstab Reichsleiter Rosenberg (ERR), que sería utilizada para confiscar bienes culturales para el Institut zur Erforschung der Judenfrage (Instituto para la Investigación de la Cuestión Judía). En julio de 1940, se dio la orden de conseguir libros para la mítica biblioteca nazi llamada Hohe Schule,[17] que tendría su sede en Bavaria. Entre sus funciones, se especificó la de actuar en las zonas ocupadas para investigar bibliotecas, archivos y museos. El 12 de junio de 1942 fue creada la Oficina de Confiscación de Bienes Culturales en los Territorios Ocupados, que cumplió su labor de modo bastante eficaz. Se conoce que el total de archivos examinados fue de 402 museos, 531 institutos y 957 bibliotecas.

Bien por medio del Ministerio de Propaganda o de la ERR, los nazis destruyeron o expoliaron la cultura de todos los países que invadieron. En 1940, Holanda fue objeto de un saqueo sin precedentes. En septiembre de ese mismo año, fue confiscada la Biblioteca Klossiana de los Masones, así como la biblioteca del Instituto de Historia Social, fundado en 1934, con ciento sesenta mil libros. No se salvaron la Biblioteca Judía Rosenthaliana,[18] con cien mil volúmenes, ni las bibliotecas de las comunidades judeo-portuguesas, sefardíes o judeo-alemanas. En 1945, cuando aparecieron los libros de la Rosenthaliana, muchos textos estaban tiroteados. El Archivo del Movimiento de Mujeres sufrió saqueo, igual que la Sociedad Teosófica, que tenía obras en sánscrito, la Alianza Francesa, la Sociedad Spinoziana, la Sociedad Antroposófica, los Grupos de Estudio del Esperanto, casas editoriales como Albert de Lange, Querido, Pegasus-Verlag y Bermann-Fischer.

El apoyo del comandante de la *Wehrmacht* en Holanda facilitó la confiscación de libros en forma masiva y así fue posible empacar las obras del judío De Cat in Haarlem. Otra biblioteca que corrió con la mala fortuna del saqueo fue la de Beth-Hamidrasch Etz Chaim, en Amsterdam, fundada en 1740 y dotada con cuatro mil volúmenes. El Seminario Israelí de Holanda, con cuatro mil trescientos volúmenes hebraicos y dos mil judaicos, fue violentamente sometido, de modo similar a la Sociedad Judía de Literatura, con sus preciosos manuscritos de 1480 a 1560. Entre 1942 y 1944, veintinueve mil judíos deportados perdieron un millón de libros.

En Bélgica el daño causado al patrimonio bibliográfico fue enorme. La biblioteca de la Universidad de Lovaina fue quemada por segunda vez. El 18 de enero de 1941, G. Utikal, líder de operaciones del ERR en el oeste, escribió a Rosenberg para informarle de su labor en la confiscación de bibliotecas y su interés en los libros de los políticos que habían huido del país. Entre octubre de 1940 y febrero de 1943, ochocientas cajas fueron enviadas a Berlín y se estima que fueron robadas ciento veinte mil obras. Pasado el 21 de junio de 1940, fue confiscada la colección de la librería comunista Obla, y siguieron a este acto la revisión de ocho mil casas y departamentos. Tampoco tuvieron suerte las bibliotecas de la librería Cosmópolis, el Instituut voor Sociale Geschiedenis o la Casa de los Jesuitas, con sesenta mil libros.

Francia había sido ocupada el 2 de mayo de 1940, cuando los tanques alemanes burlaron las defensas. El 3 de junio, París fue bombardeado. Once días después, el ejército nazi entró a la capital en una polémica marcha por los Campos Elíseos. La ERR confiscó setecientas veintitrés bibliotecas, con un millón setecientos sesenta y siete mil ciento ocho libros. A Francfort fueron enviadas las obras de la Alianza Israelí Universal, con cuarenta mil volúmenes, la Escuela Rabínica, con diez mil libros, la Sociedad de Judíos de Francia, con cuatro mil volúmenes y los veinte mil textos de la librería Lipschütz, los quince mil textos del editor Calman Levy y la colección de cinco mil libros de David Weill. Miles de obras judías fueron quemadas de forma continua.

Entre 1940 y 1944, el Museo Jeu de Paume se convirtió en el depósito de veintidós mil obras de arte robadas por los nazis. El experto Jacques Jaujard, quien era director de Museos Nacionales de Francia, evacuó tesoros del Louvre hacia la provincia para protegerlos, pero con poca suerte.[19] La unidad de *Sonderstab Musik* decomisó miles de libros e instrumentos musicales de virtuosos como Wanda Landowska, Darius Milhaud, Gregor Piatigorski y Arthur Rubinstein.

La Biblioteca Turgenev, para el año de la invasión a París, era dirigida por una administración presidida por el historiador ruso Dmitrii Odinets, y en el consejo estaban Mark Aldanov, Mikhail Osorgin y Boris Nikolaevskii. Era una institución para los emigrados rusos y su prestigio era enorme debido a que el propio Lenin había estudiado con sus libros. Los documentos de Ivan Bunin estaban depositados allí. Durante la invasión, la ERR llegó al lugar y empacó en octubre cien mil libros, para escándalo del director, que fue detenido. También fueron confiscadas las estatuas, pinturas y archivos. Años más tarde, los libros de esta biblioteca se dispersaron y lo que se preservó fue transportado a la Unión Soviética. En la década de los cincuenta del siglo XX, varios libros fueron enviados a la Biblioteca Lenin, pero un grupo considerable fue colocado en la biblioteca del Club de Oficiales de Legnica, donde, por desgracia, el encargado de la biblioteca lo redujo a cenizas.

Los miembros de la ERR, preocupados por el contenido de la Biblioteca Petliura[20] y su relación con las actividades de emigrados ucranianos, visitaron este centro el 22 de julio de 1940, que estaba localizado en la 41, rue de La Tour d'Auvergne. El 22 de octubre la biblioteca fue sellada y entre el 20 y 24 de enero de 1941, un grupo de soldados guardó quince mil libros en cajas y los confiscó para su posterior traslado a Berlín. La mayoría de esos libros desapareció.

El 12 de marzo de 1938, Austria fue ocupada por el ejército nazi. No hubo resistencia alguna y de inmediato comenzó el proceso de

Anschluss contra los judíos, que contaban con cuatrocientas cuarenta y cuatro organizaciones. La persecución contra los intelectuales fue especialmente cruel y muchos escritores optaron por el suicidio. Fueron quemados ejemplares de Heinrich Heine, Friedrich Wilhelm Foerster, Konrad Heiden y Tucholsky. La paranoia iba en aumento y se cometieron excesos curiosos como en Krems, donde fue decomisada una edición de Homero en griego de la biblioteca de Paul Brüll porque los agentes creyeron que tenía anotaciones en clave para sacar a los nazis de Austria. También fueron confiscados los libros del rabino de Viena, el doctor Israel Taglicht. En cuanto a Josef Bick, director de la Biblioteca de Viena, fue detenido y llevado al terrible campo de concentración de Dachau. Muchos de los libros del barón Louis de Rothschild fueron saqueados y se perdieron para siempre. Algunos libros como el *Talmud* y la *Torá* fueron hundidos en el Danubio.

El 10 de noviembre los nazis destruyeron doscientos sesenta y siete sinagogas con sus bibliotecas.[21] En abierta rivalidad con la ERR, el Ministerio de Propaganda de Goebbels tenía en Viena un Departamento de Evaluación de libros llamado *Bücherverwertungsstelle*, apoyado por la Gestapo y la SD. Para el 25 mayo de 1939, en los depósitos de esta unidad el número de libros de logias masónicas era de seiscientos cuarenta y cuatro mil, de los que se convirtieron cuatrocientos diez mil en pulpa de papel.[22]

Mucho antes de la Segunda Guerra Mundial, la poderosa comunidad judía de Polonia se distinguió por crear numerosos centros culturales que poseían importantes bibliotecas y archivos. Este esfuerzo cultural quedó en ruinas en 1939. A las 4:45 de la madrugada del primero de septiembre de ese año, las tropas nazis de Alemania invadieron Polonia. Las divisiones Panzer fueron seguidas por la infantería motorizada y apoyadas por aviones de la Luftwaffe que bombardearon el país sin misericordia. En un plazo de tres semanas, la resistencia polaca cedió y su gobierno huyó a Rumania. Casi de inmediato comenzó un proceso perverso de purificación cultural.

Los Brenn-Kommandos acabaron con las sinagogas judías y prendieron fuego a la Gran Biblioteca Talmúdica del Seminario Teológico Judío de Lublín. Un informe nazi señalaba que era "motivo de especial orgullo destruir la Academia Talmúdica, conocida como una de las más grandes de Polonia (...) Nosotros sacamos la notable biblioteca talmúdica fuera del edificio y colocamos los libros en el mercado, donde les prendimos fuego. El fuego demoró veinte horas".

Desde 1939, no hubo semana en la cual no se produjese un ataque contra una biblioteca o museo polaco. La Biblioteca Raczynsky, la Biblioteca de la Sociedad Científica y la Biblioteca de la Catedral (dotada con una renombrada colección de incunables) sufrieron quemas devastadoras. En Varsovia, la Biblioteca Nacional, en octubre de 1944, fue destruida con tal saña que se quemaron setecientos mil libros. Esto no es todo: la biblioteca militar, con trescientas cincuenta mil obras, fue arrasada. Cuando los alemanes abandonaban el país, quemaron los archivos de la Biblioteca Pública. La Biblioteca Tecnológica de la Universidad, con setenta y ocho mil libros, fue atacada y destruida en 1944. A duras penas, los bibliófilos rescataron tres mil ochocientos cincuenta títulos unos años después.

Cracovia fue bombardeada durante tres días en 1939. Los soldados destruyeron la biblioteca Ch. Hilfstein y la de la Asociación de Alumnos Judíos del Colegio de Administración y Comercio. Las bibliotecas de las escuelas fueron particularmente saqueadas y destruidas. Se quemaron los libros de las escuelas de Ceder Iwri y la escuela de mujeres, con doscientos y seiscientos catorce volúmenes, de la escuela elemental 56 *Talmud Torá I* y 57 *Talmud Torá II*. Al concluir la guerra no había libros en las escuelas judías.

La biblioteca I. L. Peretz fue saqueada, al igual que la Cejrej Mizrachi con sus cuatrocientos ochenta volúmenes, la Hacair y la de la asociación Doctor M. Rosenfeld. Entre las bibliotecas de préstamo, sufrió destrucción total la de Abraham y Adolf Gumplowicz, con veinticinco mil libros. La Biblioteca Universal fue quemada y su propietaria Matylda Grossfeld fue enviada al Campo de Concentración de Bez Æec, donde murió víctima del hambre en 1943.

El 13 de septiembre fueron cerradas las sinagogas de Cracovia. Todos los ejemplares del *Talmud* o la *Torá* fueron quemados. En lugar de centros judíos, fueron abiertas bibliotecas alemanas en Cracovia como la Staatsbibliothek Krakau, creada en abril de 1941. La División Oriental, en noviembre de 1942, elaboró un concienzudo informe para reportar las colecciones confiscadas y colocadas en la Staatsbibliothek. Entre otras, se indicó que se trasladaron los ochocientos volúmenes del doctor S. Schmelk, los tres mil volúmenes de M. Schor, y unos tres mil novecientos libros de la Biblioteca Ezra, lo único que sobrevivió de un total de sesenta mil textos. En medio de este horror, una comisión coordinada por el erudito Peter Paulsen llegó a Cracovia y ordenó la confiscación de libros y obras de arte.

Según los expertos, unos quince millones de libros desaparecieron en Polonia. En 1940 comenzó un proceso de depuración de las librerías y bibliotecas llevado a cabo por el Hauptabteilung Propaganda der Regierung des Generalgouvernements (Departamento de la Administración General del Gobierno), que tuvo el dudoso honor de preparar las listas de títulos prohibidos y llegó a incluir tres mil doscientos textos.

Entre 1938 y 1945, el ejército alemán, inspirado por el mito de una raza pura con textos sagrados, invadió también Checoslovaquia. Casi de inmediato, las bibliotecas de la zona de Sudetenland sufrieron saqueos y numerosos ataques, además de quemas públicas de libros. K. H. Frank, en noviembre de 1939, ordenó el cierre de las universidades. En otoño de 1942, otro decreto forzó la entrega de todos los escritos checos que fuesen primeras ediciones o ediciones raras. Los libros de los judíos checos contemporáneos fueron destruidos y las obras de algunos autores clásicos desaparecieron rápidamente.

En Rusia, la política de destruir la memoria de los pueblos fue aplicada de modo regular. En Petrovoredz existían treinta y cuatro mil doscientos catorce exhibiciones de museos y unos once mil setecientos libros raros en las bibliotecas palaciegas. El 23 de septiembre de 1941, los soldados saquearon todos los museos y quemaron los libros que consideraron impropios. En Novgorod los monumentos, obras artísticas y libros que fueron robados, fueron destruidos. En Smolensk, existía un Museo de Arte fundado en 1898, que fue saqueado, y todas las bibliotecas y escuelas devastadas. Al menos seiscientos cuarenta y seis mil libros desaparecieron allí. En las cercanías de Moscú, fueron aniquiladas ciento doce bibliotecas, cuatro museos y cincuenta y cuatro teatros. En el pequeño pueblo de Polotnyanny Zavod, fue saqueado el Museo Pushkin y luego quemado. Asimismo fue ocupada la Casa Museo de Tolstoi en Yasnaya Polaina y quemados varios manuscritos.

La Academia de Ciencias de Bielorrusia fue quemada con sus libros. Como si no bastara, en la Biblioteca Pública de Odesa se quemaron dos millones de libros. Al menos mil seiscientas setenta iglesias ortodoxas fueron quemadas, doscientas treinta y siete iglesias católicas, sesenta y nueve

Los saqueadores buscan
principalmente momias
prehispánicas en Perú.
© 2007

El Retablo de los
Ángeles del Templo
de San Pedro de la
Comunidad de
Challapampa de Juli
Puno (siglo XVI) fue
devuelto por Estados
Unidos, país donde se
encuentran miles
de obras de arte lati-
noamericanas robadas.
© 2007

El antiguo Templo del Sol de los incas fue usado como base para construir encima el Palacio Episcopal, en Cusco, Perú. © 2007

Otra muestra de arquitectura inca sobre la que los españoles construyeron un edificio en Cusco. © 2007

Los antiguos murales como Homenaje a la mujer fueron borrados en 1990 en Nicaragua.
© 1990

Muestra de inscripción romana borrada para eliminar la memoria de un político.
© Harriet Flower

La Puerta del Sol de Tiwanaku estuvo abandonada por siglos. © 2007

Las ruinas de una iglesia colonial en Guatemala. © 2007

Muestra de una estela maya picada por los traficantes de arte.
© Haroldo Rodas

Piedra con escritura maya, salvada de la depredación de los saqueadores. © 2007

Las ruinas de Machu Picchu se encuentran en peligro por los turistas. © 2007

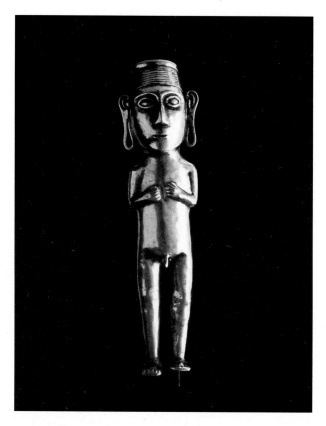

Los objetos de arte inca siguen siendo objeto de la codicia en el mundo. ©2007

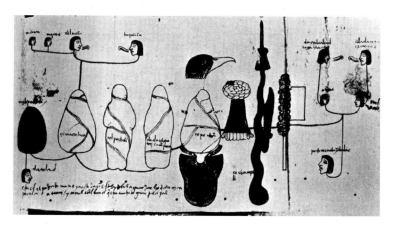

Pintura que relata el destino de los ídolos desaparecidos de Huitzilopochtli.
© Richard Greenleaf

Muestra del Códice Borgia. © 2007

El original del Códice Borbónico está en la Asamblea General de Francia. © 2007

Imagen de frailes destruyendo los códices.
© Códice 13 Tlaxcala, Glasgow University Library, 2007

Fray Juan Zumárraga quemó escritos aztecas. © 2007

La diosa Coatlicue fue descubierta y enterrada por los españoles para evitar
que revivieran los cultos nativos. © John Pohl

La Catedral de México y ruinas tapiadas del Templo Mayor de los aztecas. © 2007

El Penacho de Moctezuma se encuentra fuera de México. © 2007

Paises que han reportado importantes
pérdidas en su propiedad cultural

Principales museos arqueológicos y etnológicos

Número de las principales casas de subasta

Mapa del tráfico de bienes culturales de América Latina hacia Estados Unidos. © UNESCO

Imágenes de la destrucción de libros del editor Spivacow en Argentina durante 1980.
© Ricardo Figueras

La invasión de Irak provocó el saqueo del Museo de Bagdad. © Corbis/Reuters

Los talibanes destru-
yeron las estatuas del
Budismo en Bamiyán.
© 2007

capillas, quinientas treinta y dos sinagogas, y siempre con todos sus depósitos bibliográficos.

En Ucrania, los alemanes destruyeron ciento cincuenta y un museos, sesenta y dos teatros y unas diecinueve mil doscientas bibliotecas. Cuando los soldados alemanes invadieron Estonia en 1941, prohibieron todos los libros prosoviéticos y los destruyeron.

Esta política nazi de destrucción provocó el traslado de millones de libros y obras de arte, que en muchos casos aún siguen sin regresar a su lugar de origen o están desaparecidos. Hay miles de colecciones cuyos dueños han reclamado en vano su devolución.[23]

Según W. Jütte,[24] se destruyeron las obras de más de cinco mil quinientos autores. Los principales textos de los más destacados representantes de inicios del siglo XX alemán recibieron vetos continuos y ardieron sin piedad. La Comisión para la Reconstrucción Cultural Judeo-europea estableció que en 1933 había cuatrocientas sesenta y nueve colecciones de libros judíos, con más de tres millones trescientos siete mil volúmenes[25] distribuidos de modo irregular. Al finalizar la Segunda Guerra Mundial, no quedaba ni la cuarta parte de estos textos.

La Segunda Guerra Mundial (1939-1945) fue uno de los acontecimientos más devastadores del siglo XX, no sólo porque acabó con la vida de millones de hombres y mujeres, sino también porque destruyó gran parte del legado cultural de Europa. Millones de obras fueron robadas y millones de libros y archivos fueron aniquilados.

El daño que causó esta destrucción mundial provocó una reacción por parte de las organizaciones internacionales, y en 1954 se aprobó en La Haya la *Convención para la Protección de los Bienes Culturales en Caso de Conflicto Armado*. Era un paso importante que intentaba crear conciencia sobre el memoricidio y numerosos países adhirieron la medida que proponía, entre otras cosas:

1. Salvaguardar y respetar los bienes culturales en caso de conflicto armado tanto de carácter nacional como internacional).
2. Prever la posibilidad de otorgar una protección especial a un número limitado de refugios destinados a salvaguardar bienes culturales muebles en caso de conflicto armado, de centros monumentales y otros bienes culturales inmuebles de gran importancia, inscribiéndolos en el "Registro internacional de bienes culturales bajo protección especial".

3. Tomar en cuenta la posibilidad de asignar el emblema protector distintivo de la convención a algunos edificios y monumentos importantes.
4. Crear dentro de las fuerzas armadas unidades especiales que se encarguen de la protección del patrimonio cultural.
5. Penalizar las violaciones de la convención y darle amplia difusión entre el público en general y ciertos grupos específicos, como los profesionales del patrimonio cultural, el ejército o los servicios encargados del cumplimiento de la ley.

Sin embargo, la verdad es que la existencia de un instrumento de tal naturaleza no impidió que los conflictos armados y los procesos de colonización determinaran entre 1930 y 2003 un saqueo interminable de la memoria histórica de decenas de pueblos.

LOS CHINOS TAMBIÉN SAQUEAN

Cualquier excusa parece buena para hacer la guerra. El 7 de julio de 1937, el ejército japonés atacó el puente Marco Polo, en las afueras de Pekín, para vengar un ultraje que nadie recordaba. El general chino Chiang Kai-Shek, que había eludido los combates directos, tuvo que iniciar una guerra de resistencia con el Kuomintang y un ejército popular que no pudo contener el avance del enemigo. Para noviembre, habían caído Shangai y Nanjing. En 1931, dentro de sus planes de expansión, los japoneses se adueñaron de Manchuria. La situación era realmente caótica. En diciembre, cincuenta mil soldados japoneses asesinaron a trescientas mil personas en un lapso de cuatro semanas. Hacia 1938, Japón dominaba el noreste de China, interior del valle del Yang-tsê hasta Hankou, y la zona alrededor de Cantón en la costa sureste. El Kuomintang se desplazó a Chongqing, en la provincia suroccidental de Sichuan.

Durante esta guerra, ocurrida entre 1937 y 1945, el número de bienes culturales arrasados fue enorme. En 1912, la biblioteca pública de Beijing tenía dos ramas. Según se conoce, había un total de cincuenta y un bibliotecas y doscientas treinta y nueve bibliotecas gratuitas para una población de cuatrocientas treinta y tres millones de personas. En 1925, la cifra se incrementó a quinientas cincuenta y dos bibliotecas, y en 1928 había seiscientas cuarenta y tres. En 1934, ya había dos mil ochocientas dieciocho y en 1936 ya había cuatro mil cuarenta y un bibliotecas. Era un momento de auge que despertó a partir de la revolución literaria, el movimiento del 4 de mayo de 1919 y la masificación de la educación.

Los efectos de la destrucción causada por Japón fueron letales. Los bibliotecarios lograron salvar los textos en lengua extranjera de la Universidad Nan-ka'i, pero en 1937 un brutal ataque con bombas y artillería redujo a cenizas más de doscientos veinticuatro mil libros. En la región de Paoting, capital de He Pei, no escaparon el Instituto He-pei de Tecnología, el Colegio Nacional Peiyang de Ingeniería, el Colegio Normal de Mujeres, el Colegio de Comercio y de Leyes. Además del saqueo, la colección de trescientos cincuenta mil libros de la biblioteca de la Universidad Nacional de Tsing-Hua, sufrió tales daños que fueron destruidos doscientos mil libros.

Dentro de una política de borrar la memoria del adversario, observada durante muchos de los acontecimientos de esta historia, encontramos que los japoneses no perdonaron las bibliotecas de Shanghai, Nanking, Soochow y Hangchow. Una crónica revela que un militar japonés dijo que "se limpiaría a China de su pensamiento corrupto". La de la Universidad Gran China, de la Universidad de Shangai, de la Universidad del Conservatorio de Música y numerosas colecciones privadas fueron sacadas a las calles y convertidas en piras públicas. Las tiendas de numerosos anticuarios fueron robadas ante los ojos impasibles de las máximas autoridades japonesas.

Los saqueados y atacados repiten a veces el error por turnos: son vejados, pero insisten en vejar a los otros. La ocupación China del Tíbet, en 1950, por ejemplo, condenó decenas de escritos a su desaparición, pero ya en 1966 el número se incrementó de modo alarmante y tanto la cárcel como la muerte podía costarle a un monje poseer determinados textos, como ha confirmado E. M. Neterowicz.[26] Al menos, seis mil monasterios y más de cien mil monjes fueron atacados y las obras de arte desaparecidas.

El 18 de agosto de 1966, el mundo entero supo de la Guardia Roja, un ejército de militantes fanáticos del comunismo en la República Popular China. La impresión que causó este descubrimiento fue enorme porque este grupo de jóvenes procedentes de las ciudades y de los campos, vociferaba, en la plaza Tiananmen, en Pekín, citas del *Libro rojo* de Mao Zedong, y, en nombre de ese libro, pedía una transformación radical de la nación. En cierto modo, Mao Zedong, hacia 1966, sabía que era necesario cambiar de estrategias porque sus enemigos se estaban apoderando de espacios políticos y militares importantes, y las grandes contradicciones y fallas del Gran Salto Adelante, que lo habían obligado a abandonar los escenarios públicos, exigían una iniciativa rápida. En la Undécima Sesión Plenaria del Octavo Comité del Partido, el 8 de agosto, hizo que se promulgase la Gran Revolución Cultural Proletaria, en un texto que vendría a ser conocido como el de los Dieciséis Puntos.

Días más tarde, se reunió con el movimiento Hongweibing (Guardia Roja), integrado por jóvenes de entre 12 a 30 años, organizados en secciones y destacamentos, con cuarteles generales provinciales y municipales. En la plaza, mostró a sus opositores el nuevo instrumento de lucha que tenía, y para demostrar su apego a los rebeldes, se colocó una banda roja. La Revolución Cultural se puso, pues, en marcha. En el fondo, era un intento de introducir el análisis marxista de la sociedad para destruir los focos de resistencia intelectual y popular y las inclinaciones "capitalistas" de la población y los miembros del Partido Comunista. Mao quería reducir a los que llamó los Cuatro Viejos: costumbres, hábitos, cultura y pensamiento. Se trazó como objetivo la construcción de un nuevo país, pero bajo las premisas de que no existe "ninguna construcción sin destrucción" y de que "es justo rebelarse contra los reaccionarios".

En poco tiempo, los intelectuales clasificados como "oportunistas" sufrieron asalto y prisión. En las calles, millones de guardias rojos, vestidos del mismo modo, amedrentaban a los líderes más moderados y sometían por la fuerza a cualquier escritor que no dedicase su obra a la revolución. Desde 1949, la quema de libros era bastante popular, pero se incrementó en 1967, en plena Guerra Fría, cuando sobrevino una etapa de destrucción masiva de obras, a lo largo de toda la nación. La Universidad de Pekín sufrió la confiscación y quema de todos los libros considerados dañinos para la conciencia del pueblo.[27] Era tal la histeria que un autor como Ba Jin ha confesado: "Yo destruí libros, revistas, cartas y manuscritos que yo había almacenado por años (...) Yo me negaba completamente a mí mismo, a la literatura y a la belleza".[28]

DE PALESTINA A SARAJEVO

En junio de 1967, Israel atacó Palestina (Cisjordania, Jerusalén, este de Jordania y la franja egipcia de Gaza), así como el Sinaí de Egipto y la zona de Golán en Siria. Como resultado de esta guerra, y tras una serie de acuerdos, Israel devolvió algunos de los territorios ocupados, pero se adueñó de otros, hoy en disputa. Esta lucha, estimulada por sectores extremistas de ambos bandos, causó miles de pérdidas en relación con los bienes culturales. Bibliotecas y archivos, museos y piezas de arte desaparecieron sin remedio.

La presión por las flagrantes violaciones contra la identidad de las comunidades por parte de las grandes potencias provocó que en Argel se aprobara en 1976 la *Declaración universal de los derechos de los pueblos*, donde se condenaba el imperialismo debido a que "con procedimientos pérfidos y brutales, con la complicidad de gobiernos que a menudo se han autodesignado, sigue dominando una parte del mundo. Interviniendo directa e indirectamente, por intermedio de las empresas multinacionales, utilizando a políticos locales corrompidos, ayudando a regímenes militares que se basan en la represión policial, la tortura y la exterminación física de los opositores; por un conjunto de prácticas a las que se les llama neo-colonialismo, el imperialismo extiende su dominación a numerosos pueblos". En su segundo artículo, proclamó que "todo pueblo tiene derecho al respeto de su identidad nacional y cultural". Lo que realmente sorprende es que en sus textos sobre cultura estableció:

Artículo 13.
Todo pueblo tiene el derecho de hablar su propia lengua, de preservar y desarrollar su propia cultura, contribuyendo así a enriquecer la cultura de la humanidad.
Artículo 14.
Todo pueblo tiene derecho a sus riquezas artísticas, históricas y culturales.
Artículo 15.
Todo pueblo tiene derecho a que no se le imponga una cultura extranjera.

En su artículo 17, mencionó un término que tendría un gran futuro: "Todo pueblo tiene derecho a utilizar el patrimonio común de la humanidad, tal como la alta mar, el fondo de los mares, el espacio extraatmosférico".

Este concepto de "patrimonio común de la Humanidad" ya había sido descrito en Naciones Unidas el 19 de junio de 1967, en medio de las discusiones sobre el futuro especial del espacio ultraterrestre. El autor intelectual fue el profesor Aldo A. Cocca, quien logró declarar la Luna, planetas y cuerpos celestes como "patrimonio común de la humanidad".

Ajenos a los acuerdos internacionales, en Bosnia-Herzegovina los serbios perpetraron los actos de violencia cultural más desproporcionados de la historia de Europa. Entre 1993 y 1994, mientras la Organización de las Naciones Unidas discutía la posibilidad de juicios rigurosos a criminales de las guerras en Bosnia, las milicias de HVO (nacionalistas croatas de Bosnia) destruían sin piedad diversos monumentos musulmanes. Entre otros edificios, arrasaron mezquitas, bibliotecas públicas y privadas, estatuas y todo patrimonio del grupo adverso.

Se cree que desde 1992 hasta el final de la guerra fueron afectadas ciento ochenta y ocho bibliotecas, cuarenta y tres completamente destruidas, y resultaron devastadas mil doscientas mezquitas, ciento cincuenta iglesias católicas, diez iglesias ortodoxas, cuatro sinagogas, mil monumentos culturales, y esa cuenta aún está incompleta.

Un escritor bosnio, Ivan Lovrenovic ha contado que, en efecto, la Vijecnica, el imponente, elevado y colorido edificio dedicado a albergar la Biblioteca Nacional de Bosnia y Herzegovina, en Sarajevo, abierto en 1896 junto al río Miljacka, fue bombardeado desde las diez y media de la noche del 25 de agosto de 1992 con fuego de artillería.[29] La biblioteca tenía un millón quinientos mil volúmenes, ciento cincuenta y cinco mil obras raras, cuatrocientos setenta y ocho manuscritos, millones de periódicos del mundo entero, pero fue devastada por órdenes del general serbio Ratko Mladic por medio de veinticinco obuses incendiarios, lanzados durante tres días, a pesar de que sus instalaciones estaban marcadas con banderas azules para indicar su condición de patrimonio cultural.

Los informes del Consejo de Seguridad Europea se han referido a "una catástrofe cultural y europea de una amplitud aterradora";[30] y en un informe penoso, melancólico y severo la Comisión de Expertos de las Naciones Unidas estableció que hubo "destrucción intencional de bienes culturales que no se puede justificar por la necesidad militar".[31] Ni siquiera los nazis lograron destruir con tanta eficacia.

El Consejo de Seguridad de Naciones Unidas del 25 de mayo de 1993, creó el Tribunal Penal Internacional para la ex Yugoslavia por medio de la resolución 827, para juzgar a los responsables de violaciones de las Convenciones de Ginebra de 1949, genocidio y crímenes de guerra. En su artículo 3, optó por condenar penalmente a quienes cometieran:

d) La toma, destrucción o daño deliberado de edificios consagrados a la religión, a la beneficencia y a la enseñanza, a las artes y a las ciencias, a los monumentos históricos, a las obras de arte y a las obras de carácter científico;

e) El pillaje de bienes públicos o privados.

En el Estatuto de Roma de la Corte Penal Internacional, aprobado el 17 de julio de 1998, claramente se estableció la sanción contra quienes se dirijan "intencionalmente ataques contra edificios dedicados al culto religioso, la educación, las artes, las ciencias o la beneficencia, los monumentos, los hospitales y otros lugares en que se agrupa a enfermos y heridos, a condición de que no sean objetivos militares" (8e.IV). El primero de julio de 2002, increíblemente, entró en vigor este nuevo instrumento jurídico.

En 1999 se reforzó la protección a los bienes culturales en el ámbito internacional con la aprobación de un Protocolo complementario de la Convención de 1954 y en el artículo 9 se estableció claramente:

1. Sin perjuicio de las disposiciones de los Artículos 4 y 5 de la Convención, toda Parte que ocupe total o parcialmente el territorio de otra Parte prohibirá e impedirá con respecto al territorio ocupado:

a) toda exportación y cualquier otro desplazamiento o transferencia de propiedad ilícitos de bienes culturales;

b) toda excavación arqueológica, salvo cuando sea absolutamente indispensable para salvaguardar, registrar o conservar bienes culturales;

c) toda transformación o modificación de la utilización de bienes culturales con las que se pretenda ocultar o destruir testimonios de índole cultural, histórica o científica.

2. Toda excavación arqueológica, transformación o modificación de la utilización de bienes culturales en un territorio ocupado deberá efectuarse, a no ser que las circunstancias no lo permitan, en estrecha cooperación con las autoridades nacionales competentes de ese territorio ocupado.

DE BAMIYÁN A BAGDAD

En 2001, el grupo radical conformado por los talibanes escandalizó al mundo al comenzar el saqueo y eliminación de las estatuas gigantescas de Buda en Herat, Ghazni, Kabul y Jalalabad. Un periodista que preguntó qué iba a suceder con las estatuas en el valle de Bamiyán, en el centro de Afganistán, recibió esta respuesta de un fundamentalista: "Quiero asegurarles que ni las piernas ni la cabeza quedarán". "No tenemos intención de dejar estatuas en pie." De esta manera, se arrasó con dos colosales figuras de Buda que habían sido excavadas en la roca, las mayores del mundo, con una altura de 34,5 y 53 metros y que databan del siglo segundo después de Cristo.

Como reacción a este ataque,[32] la Conferencia General de la Organización de las Naciones Unidas para la Educación, la Ciencia y la Cultura, reunida en París en su 32ª reunión, en 2003, elaboró una enérgica declaración de repudio cuyo enunciado advertía:

Recordando la trágica destrucción de los Budas de Bamiyán, que afectó a toda la comunidad internacional,

Expresando su profunda preocupación por el aumento del número de actos de destrucción intencional del patrimonio cultural,

Refiriéndose al Artículo I.2.c de la Constitución de la UNESCO, en el que se encomienda a ésta que ayude a conservar, hacer progresar y difundir el saber "velando por la conservación y la protección del patrimonio universal de libros, obras de arte y monumentos de interés histórico o científico, y recomendando a las naciones interesadas las convenciones internacionales que sean necesarias para tal fin",

Recordando los principios enunciados en todas las convenciones, recomendaciones, declaraciones y cartas de la UNESCO relativas a la protección del patrimonio cultural,

Consciente de que el patrimonio cultural es un componente importante de la identidad cultural de las comunidades, los grupos y los individuos, y de la cohesión social, por lo que su destrucción deliberada puede menoscabar tanto la dignidad como los derechos humanos,

Reiterando uno de los principios fundamentales enunciados en el Preámbulo de la Convención de La Haya para la Protección de los Bienes Culturales en caso de Conflicto Armado de 1954, donde se afirma que "los daños ocasionados a los bienes culturales pertenecientes a cualquier pueblo constituyen un menoscabo al patrimonio cultural de toda la humanidad, puesto que cada pueblo aporta su contribución a la cultura mundial",

Recordando los principios relativos a la protección del patrimonio cultural en caso de conflicto armado establecidos en las Convenciones de La Haya de 1899 y 1907, y en particular los Artículos 27 y 56 del Reglamento anexo a la Cuarta Convención de La Haya de 1907, así como otros acuerdos posteriores,

Consciente de la aparición de reglas de derecho internacional consuetudinario, reafirmadas por la jurisprudencia pertinente, relativas a la protección del patrimonio cultural tanto en tiempos de paz como en caso de conflicto armado,

Recordando también las cláusulas 8.2.b.ix y 8.2.e.iv del Estatuto de Roma de la Corte Penal Internacional, y, si procede, el párrafo d) del Artículo 3 del Estatuto del Tribunal Penal Internacional para la ex Yugoslavia, referentes a la destrucción intencional del patrimonio cultural.

Y de esta manera se reafirmó el valor del patrimonio cultural y precisó qué se entendía por destrucción intencional:

[...] se entiende por "destrucción intencional" cualquier acto que persiga la destrucción total o parcial del patrimonio cultural y ponga así en peligro su integridad, realizado de tal modo que viole el derecho internacional o atente de manera injustificable contra los principios de humanidad y los dictados de la conciencia pública, en este último caso, en la medida en que dichos actos no estén ya regidos por los principios fundamentales del derecho internacional.

El mismo año de esta tardía declaración, el mundo volvería a vivir una catástrofe cultural. En su errática visión del conflicto con la agrupación árabe Al-Qaeda, posible responsable del ataque al World Trade Center en 2001, la administración de George W. Bush aniquiló la cultura de Irak, donde las consecuencias fueron trágicas. El impacto psicológico ha sido, en ese sentido, total.

Por acción u omisión, el ejército de Estados Unidos ha estimulado la quema de un millón de libros en la Biblioteca Nacional de Bagdad y en el resto de las bibliotecas del país; a esto debe sumarse el saqueo de trece mil obras de arte del Museo Arqueológico de Bagdad y de todos los museos de la nación; y como si no fuera suficiente, siete mil asentamientos arqueológicos fueron objeto de pillaje y se robaron más de ciento cincuenta mil piezas de arte antiguo. Universidades, academias, colegios gremiales y escuelas fueron convertidos en ruinas: en Bagdad, Mosul y Basora el desastre dejó a millares de estudiantes sin instrumentos ni locales de estudio.

En 2004, Faluya y Nasiriya sufrieron ataques que arrasaron todos sus vestigios culturales: decenas de mezquitas quedaron en ruinas. El primero de abril de 2005, explotó parte del minarete de Samarra, que había sido utilizado por francotiradores de Estados Unidos para disparar contra militantes de la resistencia; y en junio del mismo año las tropas polacas causaron daños irreversibles al asentamiento de Babilonia, según lo constató un experto del Museo Británico.[33] Al principio, se creía que los saqueos culturales eran espontáneos; hoy sabemos que fueron premeditados.

El proyecto de reconstrucción cultural de Irak del Pentágono ha abarcado el asesinato de intelectuales a manos de grupos paramilitares iraquíes entrenados por la CIA. Un plan que explica por sí solo la guerra cultural de Irak. La censura contra intelectuales iraquíes fue aplicada por Paul Bremer III, coordinador de la CPA (siglas de la Coalition Provisional Authority). En sus inicios, este político neoconservador fijó nueve temas prohibidos y para justificarse señaló que era "un canje de seguridad por un poco de libertad". Su decisión permitió el cierre de diez periódicos, uno de los cuales, *Al-Hawza al-Natiqa*, fue defendido en marzo de 2004 con marchas multitudinarias en Bagdad. Algunos periodistas, avergonzados por el encarcelamiento de sus colegas y el exceso de censura, se atrevieron a renunciar a sus cargos, como fue el caso de Ismael Zayer, redactor jefe de *Al-Sabah*, un diario paradójicamente financiado por Estados Unidos. Con la llegada de Iyad Allawi, en 2004, comenzó una época de terror con la designación de una Comisión de Medios que intimidó a cualquier articulista de opinión que cuestionara la labor del flamante primer ministro.

Según las denuncias más recientes, en enero de 2006 se descubrió que el infame Comité de Desbaazificación de Irak, controlado por el Congreso Nacional Iraquí, ha perseguido a cualquier intelectual sospe-

choso de haber participado en el partido Baaz que respaldó a Sadam
Hussein, y han confiscado de las casas e instituciones todo documento
o libro escrito por algún baazista. Todo empleado público de las instituciones culturales que no está de acuerdo con la presencia de tropas de
Estados Unidos en Irak es despedido de inmediato. En el mercado de
Al Mutanabbi, está prohibido vender cualquier libro que haga alusión al
régimen anterior a la ocupación; es interesante revisar los nuevos libros
de historia que autoriza el Ministerio de Educación Iraquí porque han
suprimido cualquier referencia negativa del colonialismo inglés en la
región durante la década de los años veinte y treinta del siglo XX.

Según la Unión Iraquí de Profesores Universitarios, ya se han cometido más de mil asesinatos contra intelectuales desde abril de 2003.
El viernes 30 de julio de 2004, en una de las laberínticas calles de Ma-
mudiya, a unos 30 kilómetros al sur de la ciudad de Bagdad, asesinaron
a Ismail Jabbar al-Kilabi, director del Instituto Normal de Enseñanza.
El 27 de julio del mismo año, por ejemplo, fue atacado Muhammad al-
Rawi, presidente de la Universidad de Bagdad. Su muerte no fue un
caso aislado. También murió el doctor Abdul Latif al-Maya, un eximio
académico de ciencias políticas de la Mustansiriya. Tuve el placer de co-
nocerlo, y me sorprendió sobremanera que luego de sus declaraciones a
una televisora fuera víctima del fuego de unas ametralladoras que no
procedían, al menos hasta donde se sabe, de integrantes de la resistencia.
Ambos eran críticos acerbos de la política de invasión y ninguna investigación ha permitido conocer quién lo acribilló.

Hay otros muertos. Menciono el crimen horrendo contra el doctor
Nafa Aboud, profesor de literatura árabe de la Universidad de Bagdad,
cuyo único delito fue pedir la paz para su nación. Y en la macabra lista,
que no voy a suministrar completa, resaltaría el monstruoso atentado
contra el doctor Sabri al-Bayati, geógrafo, un erudito que había logrado crear una escuela de grandes profesionales. Y no veo cómo olvidar al
doctor Fala al-Dulaimi, asistente del decano de la Mustansariya, al doctor
Hissam Sharif, miembro notable del Departamento de Historia de la
Universidad de Bagdad, o al profesor Wajih Mahjoub, del Departamento de Educación Física.

Mario Vargas Llosa, en el prefacio de su *Diario de Irak*, escribió:
"Con todos los sufrimientos que les ha traído la intervención militar, éstos
son todavía mínimos comparados a los que los iraquíes han padecido

debido a la política genocida, de abyección y de represión sistemática del Baaz".[34] Su tesis fue la del mal menor: justificó la invasión por la caída de la dictadura de Hussein. Una vuelta adecuada a la tesis de la guerra justa. No obstante, su reflexión es inadmisible porque ignora que la ocupación dejó más de setecientas mil personas muertas, fosas comunes, torturas de prisioneros en Abu Ghraib y Guantánamo, censuras y asesinatos de más de mil intelectuales y destrucción irremediable del patrimonio histórico iraquí.

CAPÍTULO II

Comercio

Más que cualquier otro elemento único,
el incremento en los precios del arte
ha sido responsable por el robo, mutilación
y destrucción totales de obras de arte
en todas partes del mundo, y éste es el problema.

KARL MEYER, *El saqueo del pasado*

EL BENÉFICO MERCADO DE LA IDENTIDAD

La guerra ha sido una de las fuentes más constantes de destrucción cultural y saqueo, bajo la premisa del derecho de botín,[35] pero hay otras causas que deben mencionarse.

En el momento de la ocupación de Grecia por parte del Imperio otomano, lord Elgin pensó que los monumentos de la civilización griega corrían peligro, pidió un permiso para sacar los mármoles del Partenón, y lo obtuvo. Con más de trescientos obreros, extrajo unos siete mil cuatrocientos diez metros de los más de quince mil que tenía el friso original; consiguió, además, quince de las noventa y dos metopas y diecisiete figuras parciales de los pedimentos, junto a piezas del Erecteión, que había quedado en ruinas en la guerra de independencia griega entre 1821 y 1823. Tomó pedazos de los Propileos y del Templo de Atenea Niké. Posteriormente, lord Elgin vendió las obras y todavía se encuentran en el Museo Británico, que se ha negado repetidas veces a devolver los originales.[36]

Esta falsa voluntad filantrópica enriqueció miles de museos en todo

237

el mundo, y hoy se alega que este saqueo cultural fue necesario para preservar los bienes culturales de países pobres que no podían preservar su propio legado. En el fondo, los museos exhiben lo que puede calificarse como trofeos de guerra, obtenidos como prueba de una invasión exitosa. Los museos de Estados Unidos y Europa están saturados de muestras de origen ilícito. Más de 60% del arte latinoamericano prehispánico que ha sobrevivido se encuentra fuera de sus respectivas regiones.

El saqueo de bienes culturales también es fomentado, ante todo, por razones estrictamente económicas que movilizan bandas dedicadas a la expoliación sistemática de yacimientos arqueológicos, paleontológicos, subacuáticos y pinturas rupestres en cuevas protegidas.

En la lista de ganancias, el tráfico ilícito de arte aparece después del tráfico de drogas y de armas. Sólo en Italia, en los últimos cinco años, la policía ha confiscado ciento veinte mil antigüedades extraídas ilegalmente. Más de la mitad de los asentamientos arqueológicos en China, en la ciudad de Yenné en Malí y en Camboya ha sido excavado por traficantes. Existen once mil objetos de arte sustraídos de Irak desde 2003. De ciento ochenta y seis países, Interpol cuenta con las denuncias de unos veinticinco.

Cuadro 7
Base de datos del tráfico ilícito de arte

País	Pinturas y estatuas	Esculturas	Vasos	Mobiliario	Litúrgicos	Relojes	Libros	Otros	Cifra total
Argelia	¿?	2	2	¿?	¿?	4	2	89	99 (1)
Argentina	34	5	1	¿?	2	¿?	8	9	59
Armenia	2	¿?	¿?	¿?	1	¿?	¿?	¿?	¿?
Austria	118	113	23	6	34	5	13	8	320
Bielorrusia	81	2	0	0	65	0	2	24	174
Bolivia	46	1	¿?	¿?	90	¿?	1	1	139
Camboya	0	19	0	0	0	0	0	0	19
Chipre	8	0	0	0	0	0	0	1	9
Ecuador	88	4	0	0	4	0	0	125	221
Estonia	0	0	0	0	1	0	0	7	8
Francia	¿?	¿?	¿?	¿?	¿?	¿?	¿?	¿?	¿?
Alemania	¿?	¿?	¿?	¿?	¿?	¿?	¿?	¿?	¿?
Grecia	428	0	0	0	0	0	16	672	1 116
Hong Kong, China	¿?	1	1	¿?	¿?	¿?	1	6	9 (2)
Hungría	246	23	30	1	1	78	16	0	395
Indonesia		80			4			800	884

Israel	2	1	1	1	47	7	17	366	442
Italia	4 874	1 589		5 427	3 402	605	1 879	10 019	27 795
Kazakstán	25	0	0	0	14	15	18	96	168
Latvia	87	14	7		14		2		124
Luxemburgo	3	1	4	0	0	0	0	2	10
Malta	34	14	9	15	14	9	¿?	50	145
México	27	69	0	0	26	0	0	0	122
Mónaco	0	1	0	1	0	0	0	0	2
Polonia	341	128	¿?	13	179	21	6	4	692
Portugal	¿?	¿?	¿?	¿?	¿?	¿?	2	¿?	2
Rusia	2 428	11	¿?	1	44	16	246	511	3 257
Eslovenia	7	25	5	1	2	2	2	93	137
Sudáfrica	0	0	0	3	0	0	0	19	22
España	106	39		15	11	2	2	12	187
Suiza	467	132	18	72	24	2 567	35	57	3 372
Siria	¿?	¿?	¿?	¿?	¿?	¿?	¿?	1	1
Túnez	0	3	1	0	0	0	0	5	9
Turquía	3	47		1	3		103	20	177
Ucrania	236	2	4		42	2	7	182	475
Zimbabwe	0	0	0	0	0	0	0	2	2

Fuente: Interpol, 2007.

Hay demasiado dinero en juego y poco que perder en el tráfico ilícito de arte: todavía es perseguido con poco coraje por las autoridades internacionales. Salvo que se presente un escándalo periodístico, predomina el soborno en las aduanas de puertos, terminales de transporte terrestre y aéreo que permite la exportación clandestina de obras de arte robadas. El soborno sustituye así el arancel que se pagaría por una pieza legal.

La obra de arte es un bien que se revaloriza anualmente entre 10% y 15% y esto facilita, sin dudas, que los traficantes almacenen grandes cantidades de arte en depósitos secretos durante años para distraer la búsqueda policial. Luego los objetos son negociados: ahora se utiliza internet y se crean páginas temporales *web* que son notificadas por correo electrónicos a quienes estén interesados en las subastas. En 2007, Interpol y UNESCO acordaron proponer una serie de medidas básicas para contrarrestar el aumento de las ventas de bienes culturales en internet. No fue fácil, como debe suponerse, llegar a esto:

Exhortar firmemente a las plataformas de venta de Internet a que incluyan en sus páginas de ventas de bienes culturales el siguiente texto de descargo de responsabilidad:

"En lo que respecta a los objetos culturales puestos a la venta, se advierte a los clientes que antes de comprarlos: i) efectúen comprobaciones y soliciten la prueba de que su procedencia es lícita, comprendidos los documentos que prueben la legalidad de la exportación (y de ser posible, también de la importación) del objeto que probablemente haya sido importado; y ii) soliciten la prueba del título de propiedad".

2. Pedir a las plataformas de Internet que proporcionen la información pertinente a las entidades encargadas de aplicar la ley y cooperen con ellas en la investigación de las ofertas sospechosas de venta de objetos culturales.

3. Crear una autoridad central (en el marco de la policía nacional de otra instancia) que sea también responsable de la protección de los bienes culturales y se encargue de comprobar y supervisar permanentemente la venta de objetos culturales en Internet.

4. Cooperar con las fuerzas de policía nacionales y extranjeras y con Interpol, así como con las autoridades responsables de otros Estados interesados, con el fin de:

a) velar por que cualquier robo y/o apropiación ilícita de un objeto cultural se comunique a las Oficinas Centrales Nacionales de Interpol, para que la información pertinente pueda incluirse en la base de datos de Interpol sobre obras de arte robadas;

b) difundir por Internet la información sobre todo robo y/o apropiación ilícita de un objeto cultural, así como sobre toda venta posterior de dicho objeto cultural, tanto en el territorio nacional de origen como en el de destino;

c) facilitar la rápida identificación de los objetos culturales por medio de: i) el mantenimiento de inventarios actualizados, con fotografías de los objetos culturales o por lo menos con su descripción, por ejemplo, mediante la norma Object-ID2; y ii) mantener una lista de expertos recomendados;

d) usar todas las herramientas disponibles para efectuar comprobaciones sobre bienes culturales sospechosos, en particular la base de datos de la Interpol sobre obras de arte robadas y los DVD correspondientes de la Interpol; e) investigar y enjuiciar las actividades delictivas relacionadas con la venta de objetos culturales en Internet e informar a la Secretaria General de la Interpol de las investigaciones mas importantes que abarquen a varios países.

5. Mantener estadísticas y archivar la información sobre las comprobaciones realizadas en materia de ventas de objetos culturales mediante Internet, los marchantes en cuestión y los resultados obtenidos.

6. Adoptar medidas jurídicas a fin de poder incautarse inmediatamente de los objetos culturales en caso de que exista una duda razonable sobre la licitud de su origen.

7. Garantizar la devolución a sus legítimos dueños de los objetos incautados de origen ilícito.

El saqueo, especialmente, es estimulado por coleccionistas, que pagan sumas fabulosas de dinero por el placer de poseer piezas de arte únicas. En México o Perú, la palabra "coleccionista" ha sido sinónimo de "saqueador", porque los traficantes responden en ocasiones a pedidos especiales y pagan a los huaqueros, por ejemplo, pequeñas sumas de hasta cien o doscientos dólares y venden el producto a sus clientes en doscientos mil dólares. Miami o Madrid son actualmente las distribuidoras del crimen cultural en el planeta.

En El Petén, los "huecheros" arriesgan sus vidas en saqueos programados al corazón de la selva, pero son víctimas de su improvisación en las excavaciones ilícitas, y a menudo dejan la vida enterrados por un accidente. Los verdaderos organizadores de estos saqueos disponen de una inversión, son peritos expertos en el valor de las mejores piezas, pero el trabajo sucio es realizado por obreros que suelen vivir cerca de los asentamientos y que son explotados. Con frecuencia, en la década de los ochenta, el contratista era amparado por la falta de legislaciones y se atrevía incluso a visitar los asentamientos.

Según Meyer, "la mayor parte del arte que se vende proviene de tres áreas —México, América Central y las repúblicas andinas de la América del Sur— y casi todo ha sido sacado de contrabando de sus países de origen".[37] Los huaqueros han constituido generaciones enteras en América Latina. Hay familias que sólo han conocido el salario del saqueo de objetos arqueológicos desde la época colonial. Abuelos, padres e hijos, sometidos por la pobreza, han imaginado que un día va a aparecer una pieza que les salvará la vida y se han consagrado en cuerpo y alma a su sórdida y peligrosa labor.

La corrupción política ha gestado parte del saqueo. El sector policial y militar en América Latina, en lugar de proteger los asentamientos, durante décadas sólo sirvió para garantizar que la mercancía robada llegara a su destino sin daños. En la pista de aterrizaje de Uaxactún, por decir, entre 1960 y 1980, aterrizaban aviones en los que militares y hasta el gobernador acudían a pactar con contratistas y en Carmelita aterrizaban helicópteros del ejército que cargaban las piezas. El descaro era usual. En Perú, decenas de huaqueros estuvieron al servicio de políticos. La burla de los intermediarios y saqueadores ha estado basada precisamente en su impunidad.

Durante la triste época de las dictaduras en el Cono Sur, el saqueo cultural fue continuo y propició que numerosos oficiales pudieran crear colecciones particulares como las del entorno del general Augusto Pinochet. Algunos llegaron a regalar bienes culturales nacionales como muestras de aprecio a sus amigos.

Otro rasgo preocupante y causa de un severo expolio son los hurtos en museos, bibliotecas, archivos y fundaciones, que han sido desvalijados debido a su escasa vigilancia. En 2004, veinticuatro infolios y grabados de gran valor, cortados, fueron robados de la biblioteca del Museo Nacional, de la Universidad de Río de Janeiro. Fue un robo realizado por encargo, pues se trataba de registros sobre las primeras expediciones de naturalistas europeos en territorio brasileño en los siglos XVI y XVII. En el museo del complejo arqueológico Tambo Colorado en Pisco, veinticuatro piezas arqueológicas, que incluían valiosas cerámicas Paracas, Nasca, Wari e Ica-Chincha, fueron sustraídas durante un asalto en 2006. Lo peor de todo es que algunos ladrones destruyen las obras que no han podido vender, y de esa manera hay cuantiosos bienes culturales perdidos que ya podrían haber sido eliminados.

CAPÍTULO III

Imperio

LA DEFINICIÓN DE UN IMPERIO

Es difícil definir lo que es un imperio; es imposible no reconocerlo. A lo largo de la historia premoderna, los primeros imperios (egipcios, sumerios, persas, asirios, griegos, romanos, chinos, islámicos) se distinguieron por consolidar proyectos de opresión basados en la utilización de los tributos para financiar las campañas de guerra, el culto religioso y una administración compleja; asimismo fueron eficaces en expandir el poder central a las periferias por medio de la invención de tecnologías e infraestructuras; apoyaron la noción de un grupo élite que subyugó a los pueblos invadidos mediante un sistema de ideas postuladas como universales capaces de disolver las particularidades (aunque se invitó a los líderes extranjeros a incorporarse tras aceptar la supremacía de los conquistadores). Los imperios se han dividido en centralizados o descentralizados y en brutales o benignos, marítimos o terrestres.

A partir de 1500, se amplía de modo espectacular la extensión territorial conocida con los descubrimientos geográficos del Nuevo Mundo y algunos países europeos que habían sido víctimas de conquistas en su propia historia pasaron a ser imperios, como sucedió con España, que había sufrido la invasión árabe. En el siglo XIX, los ingleses renovaron el proyecto europeo con lo que hoy se conoce como "neoimperialismo": hacia 1876 se llegó a hablar de la reina Victoria como emperatriz de Occidente.

Según Michael Doyle, "el imperio es una relación, formal o informal, en la cual un estado controla la efectiva soberanía política de otra sociedad política. Puede conseguirse por la fuerza, por la colaboración política, por la dependencia económica, social o cultural. El imperialismo es, sencillamente, el proceso o política de establecer o mantener un imperio".[38] Según Stephen Howe, imperio es "una unidad política extensa, compuesta, multiétnica o multinacional, usualmente creada por conquista, y dividida entre un centro dominante y otro subordinado, algunas veces lejano, periférico".[39] Para constituir las colonias, se ha pensado que es necesaria la migración regulada en la cual los colonizadores mantengan lazos fuertes con su lugar de origen, a saber: imperio es palabra derivada del latín *imperium,* que se traducía como "dominio, orden, poder". Entre los legisladores romanos, *imperium* se refería al poder del "emperador" de convocar a las tropas.

IMPERIO Y CULTURA

Las relaciones de un imperio son económicas, políticas, militares y culturales. En el proceso de unificación territorial y cultural, cada imperio ha aportado el formato de identidad genérico y ha exportado su memoria histórica para imponerla como valor hegemónico. El saqueo cultural de los pueblos colonizados, por tanto, nunca ha sido una práctica inocente o accidental.

Para entender cómo han actuado los imperios en la historia, es imprescindible una propuesta que analice profundamente las consecuencias culturales en la sociedad. De ahí que sea apropiado recuperar cuáles son los aspectos que involucra la cultura según Rogelio Díaz-Guerrero:

> Vamos a percibir a una sociocultura como un sistema de premisas socioculturales interrelacionadas que norman o gobiernan los sentimientos, las ideas, la jerarquización de las relaciones interpersonales, la estipulación de los tipos de papeles sociales que hay que llenar, las reglas de la interacción

246

de los individuos en tales papeles, los dónde, cuándo y con quién, y cómo desempeñados. Todo esto es válido para la interacción dentro de la familia, la familia colateral, los grupos, la sociedad, las superestructuras institucionales, educacionales, religiosas, gubernativas y, para tales problemas, como los desiderata principales de la vida, la manera de encararla, la forma de percibir a la humanidad, los problemas de la sexualidad, la masculinidad y la feminidad, la economía, la muerte, etc.[40]

Dado que la cultura actúa como un repertorio transmisible, no ha habido relación de dominio concebible sin control de la memoria, eje de la identidad. En su carta de 1782, para solicitar la retirada de los libros del inca Garcilaso de la Vega, el rey Carlos III manifestaba que su preocupación era la memoria de los indígenas, un lazo indisoluble en la gestación de la rebelión colectiva.

La cultura dominante se ha autorreferido como superior y centro de poder metropolitano totalitario, y ha encausado a la cultura dominada dentro de la parcialidad, la minusvalía, el salvajismo y la periferia tribal, patrimonial, feudal, fraccionada o distante. El objetivo principal de todo imperio ha consistido en la sustitución progresiva de los elementos de la cultura en desventaja "para que correspondan con los valores y estructuras del centro dominante del sistema o para hacerse su promotor".[41] La dirección de un imperio ha fomentado el consuelo de la participación proactiva entre los líderes locales de las regiones dominadas y el diseño de programas educativos destinados a persuadir sobre la necesidad de la integración con el eje central. Para cumplir con esto, se han fortalecido los lazos afectivos por medio de nuevas penurias de acceso y se han establecido alianzas provisorias de organización capaces de saturar con la nueva cultura a los derrotados, convencer a los escépticos de la imposibilidad de alternativas de autonomía, y secuestrar toda esperanza que no esté signada por la conformidad. Los imperios europeos en América Latina, por ejemplo, fueron eficaces al comprender la importancia de los caciques de las tribus en el siglo XVI; en el siglo XVIII, los habían convertido en los aliados principales de la colonización. En las *Leyes de Burgos* de 1512 se pedía que se entregasen los niños descendientes de los caciques para ser formados por los franciscanos, y la orden cumplió este proyecto en los conventos de Santo Domingo y Concepción de la Vega. La fundación de escuelas para los hijos de los líderes indígenas fue una prioridad para romper con sus vínculos culturales y establecer un inmemorialismo capaz de favorecer la adquisición de religión y cultura occidental y cristiana. Esta insistencia, por supuesto, derivaba de la máxima conocida de que no hay imperio que pueda imponerse sin la colaboración de un sector nativo: líderes políticos, religiosos, comerciantes e incluso escritores.

El escritor Rudyard Kipling, nacido en la India, defendió con coraje las avanzadas del ejército británico en su poema *La carga del hombre blanco*, editado en 1899. Cuando casi finalizaba el siglo expresó:

Llevad la carga del hombre blanco—
Enviad adelante a los mejores de entre vosotros—
Vamos, atad a vuestros hijos al exilio
Para servir a las necesidades de vuestros cautivos;
Para servir, con equipo de combate,
A naciones tumultuosas y salvajes—
Vuestros recién conquistados y descontentos pueblos,
Mitad demonios y mitad niños.[42]

Lord Lugard, en *The Dual Mandate in British Tropical Africa* (1922), advertía que los europeos estaban en África no por causas filantrópicas, pero contribuían con los nativos para encaminarlos de una "cultura primitiva" a una cultura civilizada.

Las fases de instalación de la estructura cultural de un imperio, una vez analizados los casos de España, Inglaterra o Portugal, indican que se impuso un criterio bastante uniforme que estuvo vigente durante siglos: 1) Exterminio o deslegitimación de los símbolos culturales del adversario: o el etnocidio o la subordinación forzosa o consentida de la memoria colectiva del grupo sometido. 2) Colonización por medio de migraciones selectas que implantaron instituciones jurídicas y religiosas para contener la resistencia y extender el dominio. 3) Dualismo cultural pedagógico en el esquema civilización o barbarie: el bien y el mal han sido categorías técnicas de intimidación entre los sometidos. 4) Bipolarismo socio-cultural: la asimilación fue recompensada con creces. Exploración, detección, invasión, intervención e implantación: cinco signos que han apuntado a la transculturación progresiva y a la redefinición de la identidad del sometido. A fin de cuentas, y sin cortapisas, lo que se buscaba era una identidad receptiva y resignada, en el nivel más conveniente para lograr el acceso a la supremacía del poder. Incluso, se forjó una ideología en la que se propuso un proyecto cultural libertario y legal de sociedades abiertas que combatían el atraso contra sociedades cerradas, y se auspició el monopolio occidental de ideales modernos.

Edward Said, en *Cultura e imperialismo*, aparecido originalmente en 1993, descubrió que podían estudiarse los imperios occidentales de finales del siglo XIX y principios del XX a partir de formas culturales como la novela, y llegó a comprender con notable humildad cómo un género literario podía reforzar y reflejar el arrojo por la dominación económica. Para él, imperialismo era el conjunto de "prácticas, teorías y actitudes de un centro metropolitano de dominación que rige un territorio distante".[43] Aunque ajeno a la totalización, Said advirtió que la novela europea que conocemos no hubiera existido sin el soporte ideológico que la sostuvo y ofreció una interpretación de los textos de Dickens, Forster, Conrad y Kipling, que cambió para siempre el modo ingenuo de leerlos. A Defoe, por ejemplo, atribuyó ser padre de la novela en lengua inglesa con *Robinson Crusoe*, una obra en la que un occidental llega a una isla y pretende fundar un nuevo mundo cristiano e inglés.

Después de Said, se ha explorado la integridad cultural de los principales imperios y la retórica de la "misión civilizadora", acaso expuesta en *El corazón de las tinieblas* de Joseph Conrad:

> Toda Europa participó en la educación de Kurtz. Poco a poco me fui enterando de que, muy acertadamente, la Sociedad para la Eliminación de las Costumbres Salvajes le había confiado la misión de hacer un informe que le sirviera en el futuro como guía. Y lo había escrito (…) aquel informe era una magnífica pieza literaria. El párrafo inicial sin embargo, a la luz de una información posterior, podría calificarse de ominoso. Empezaba desarrollando la teoría de que nosotros, los blancos, desde el punto de evolución a que hemos llegado "debemos por fuerza parecerles a ellos (los salvajes) seres sobrenaturales (…) Su argumentación era magnífica, aunque difícil de recordar. Me dio la noción de una inmensidad exótica gobernada por una benevolencia augusta. Me hizo estremecer de entusiasmo. Las palabras se desencadenaban allí con el poder de la elocuencia (…) Eran palabras nobles y ardientes. No había ninguna alusión práctica que interrumpiera la mágica corriente de las frases, salvo que una especie de nota, al pie de la última

página, escrita evidentemente mucho más tarde con mano temblorosa, pudiera ser considerada como la exposición de un método. Era muy simple, y, al final de aquella apelación patética a todos los sentimientos altruistas, llegaba a deslumbrar, luminosa y terrible, como un relámpago en un cielo sereno: "¡Exterminad a estos bárbaros!".[44]

Desde el siglo XVI, la expansión de los imperios europeos fue al mismo tiempo la consolidación del capitalismo como sistema, y fue desarrollada la penetración de mercados en tierras vírgenes que poseían recursos abundantes, y los pobladores autóctonos que resistieron el despojo fueron calificados paradójicamente como salvajes. El capitalismo, entendido como "un sistema económico cultural, organizado económicamente alrededor de la institución de la propiedad y la producción de comodidades y basado culturalmente en el intercambio de relaciones, en la compra y venta, que ha permeado a la mayoría de la sociedad",[45] no hubiera podido jamás crear su infraestructura internacional sin procesos como el esclavismo, la transculturación y el etnocidio.

Un intento paralelo al del sistema capitalista fue realizado por la Unión de Repúblicas Socialistas Soviéticas, un conjunto de quince repúblicas que pretendió contradictoriamente expandir el comunismo con el esquema natural de un imperio, burocratizado y anacrónico, que sometió naciones como Lituania, Estonia, Ucrania, Polonia o Checoslovaquia, por mencionar sólo algunas, e impuso relaciones de fuerza satelitales circunscritas a mantener su economía. Durante el mandato de Josef Stalin, que comenzó en 1924 y concluyó en 1953, se consolidaron las purgas culturales y se persiguió a judíos, musulmanes, budistas o católicos por igual.

A comienzos del siglo XIX, 35% de las tierras del mundo estaba en manos de imperios occidentales; en 1914, la cifra había ascendido a 84%. El imperio británico contaba con cuatrocientos millones de personas y casi treinta y tres millones de kilómetros cuadrados en los primeros años del siglo XX, pero el periodo de guerras mundiales favoreció la vigorización de potencias nuevas como Estados Unidos y la Unión Soviética, que mantuvieron una tensión internacional por el control ideológico de las antiguas colonias europeas hasta 1989, año en el que la caída del muro de Berlín y el desplome soviético convirtió a Estados Unidos en una superpotencia global y a partir de entonces, se insistió con frecuencia en que Estados Unidos había pasado a ser un verdadero imperio, que cometía incluso errores arcaicos y pretendía imponerse como un proyecto de pensamiento único en el mundo. Desmoronados por la historia, desplazados, los imperios europeos y asiáticos se vieron obligados a marchar a la retaguardia mundial, pero hoy participan en la disputa por aprovechar la globalización (un término que emergió en 1983 de la mano del especialista en mercadotecnia Theodore Levitt[46]) o el cosmopolitismo de las masas para establecer una red efectiva entre cultura y comercio.

En 1969, la publicación de *La era del imperialismo* de Magdoff recuperó una crítica poderosa en la que ya denunciaba la política económica intervencionista de Estados Unidos. El desmedido afán de lucro comercial y la competencia con otras naciones industrializadas condujo a controlar las mayores fuentes de materia de prima y derribar gobiernos hostiles a su exploración de nuevos mercados. Entre los nuevos rasgos de lo que consideró como imperialismo,[47] Magdoff describió el nuevo esquema: "1) el cambio del énfasis central de la rivalidad en el modelado del mundo a la lucha por impedir la contracción del sistema imperialista; 2) el nuevo rol de los Estados Unidos como organizador y líder del sistema imperialista mundial, y 3) el surgimiento de una tecnología cuyo carácter es internacional".[48]

Ya se advertían los conflictos interminables en todas aquellas zonas abastecedoras de materias primas y energías, pues fueron delimitadas como zonas de seguridad a las que se impidió tener sistemas políticos autónomos o adversos a los intereses de las transnacionales. Los bancos estadounidenses penetraron los mercados extranjeros con sucursales o participación obligada en bancos capaces de incidir en la formación de las economías más importantes. En 1918, había treinta y una sucursales de bancos estadounidenses en América Latina; en 1967, había ciento treinta y cuatro. A nivel mundial, se estableció el dólar como divisa referencial en la Conferencia de Naciones Unidas de julio de 1944, celebrada en el hotel Bretton Woods. El nuevo orden económico creó instituciones como el Banco Mundial y el Fondo Monetario Internacional, destinadas a proteger un sistema de cambio del oro a treinta y cinco dólares la onza (que debían adoptar todos los países de la conferencia).

Carlos Rangel, acaso el más conocido teórico del liberalismo en América Latina, se opuso con candidez a la tesis del imperialismo y sostuvo que la desigualdad económica de las naciones no podía ser explicada culpando a las potencias desarrolladas del expolio económico de los países pobres. En *El Tercermundismo* (1982), texto de cabecera de diversos institutos, Rangel admitió que el imperialismo ha existido siempre: "En todo tiempo los grupos humanos poderosos han sometido a los grupos humanos inermes y han perpetrado contra ellos atropellos, exacciones y humillaciones".[49] No obstante, discrepó de quienes creen que esas potencias hubieran obtenido su poder y riqueza del vandalismo. Sin datos científicos comprobables, Rangel argumentó que el colonialismo fue un mal negocio, incluso para España, que quedó empobrecida —a su juicio— tras siglos de explotación de América Latina. En el prólogo de la obra, Jean-Francois Revel insistió en defender la idea de que el saqueo no basta para el desarrollo: "Los bárbaros invadieron y saquearon el imperio romano, pero lejos de desarrollarse gracias a ese botín, lo que hicieron fue extender, junto con su dominio, el atraso, revirtiendo Europa Occidental al estadio protohistórico". Revel llamó bárbaros, como lo hacían griegos, a todos los pueblos que no fueron romanos, y por supuesto que, pese a su ilusión, desconoció la historia de Europa entre los siglos IV y X: es obvio que las naciones emergentes reprodujeron el mismo esquema de dominación del imperio romano, casi una copia, y con los siglos utilizaron las riquezas obtenidas por el pillaje para su desarrollo militar y civil.

Toni Negri y Michael Hardt publicaron su libro *Imperio* en 2000 para anunciar que el nuevo imperio, contrario a lo que se pensaba, no tenía territorio:

> El mercado mundial se unifica políticamente en torno a lo que, desde siempre, se conoce como signos de soberanía: los poderes militares, monetarios, comunicacionales, culturales y lingüísticos. El poder militar por el hecho de que una sola autoridad posee toda la panoplia del armamento, incluido el nuclear; el poder monetario por la existencia de una moneda hegemónica a la que está completamente subordinado el mundo diversificado de las finanzas; el poder comunicacional se traduce en el triunfo de un único modelo cultural, incluso al final de una única lengua universal. Este dispositivo es supranacional, mundial, total: nosotros lo llamamos "Imperio". Pero todavía hay que distinguir esta forma imperial de gobierno de lo que se ha llamado durante siglos el "imperialismo". Por ese término entendemos la expansión del Estado-nación más allá de sus fronteras;

la creación de relaciones coloniales (a menudo camufladas tras el señuelo de la modernización) a expensas de pueblos hasta entonces ajenos al proceso eurocéntrico de la civilización capitalista; pero también la agresividad estatal, militar y económica, cultural, incluso racista, de naciones fuertes respecto a naciones pobres.[50]

Según Negri y Hardt, Estados Unidos no es imperio sino parte de un imperio que realmente correspondería al capitalismo como sistema global. Sin embargo, su teoría no ha logrado convencer. En 1927, el periodista Walter Lippman había señalado que

hoy todo el mundo piensa en Estados Unidos como un imperio, excepto los norteamericanos. Nos estremecemos con la palabra imperio e insistimos que no se debe usar para describir el dominio que ejercemos desde Alaska hasta Filipinas, desde Cuba y Panamá y más allá (...) controlamos las relaciones exteriores de todos los países del Caribe; ninguno de ellos puede entrar en una seria relación externa sin nuestro consentimiento; controlamos sus relaciones entre ellos (...) ejercemos el poder de la vida o la muerte sobre sus gobiernos y ningún gobierno puede sobrevivir si rehusamos reconocerlo. Ayudamos a muchos de estos países a decidir sobre lo que ellos llaman elecciones y no vacilamos, como lo hicimos recientemente con México, en decirles qué clase de constitución deben tener (...) De cualquiera manera que escojamos llamarlo, esto es lo que el mundo entero llama un imperio, o al menos un imperio en creación. Admitiendo que la palabra tiene connotaciones desagradables parece, sin embargo, que llegó el momento de no seguir engañándonos.[51]

Setenta años más tarde, en 1997, el pensador neoconservador Irving Kristol escribió: "Uno de estos días el pueblo americano se va a dar cuenta de que nos hemos convertido en una nación imperial (...) Sucedió porque el mundo quería que sucediese".[52]

Con setecientas treinta y siete bases, tres mil setecientas treinta y una instalaciones militares en cuarenta países, con unas tropas activas consistentes en un millón quinientos mil soldados, con la expoliación de millones de kilómetros cuadrados de territorio a distintos países, con un historial oscuro de mil quinientas intervenciones y ocupaciones políticas y militares, con la participación directa en el financiamiento de asesinatos de miles de políticos considerados peligrosos por disentir de su modelo económico, con una invasión sin aval jurídico de Afganistán e Irak, con el control de 75% de las empresas multinacionales del mundo, con el desconocimiento de tribunales penales internacionales, con el amparo de millones de bienes culturales saqueados y destruidos, con el monopolio de 83% de los ingresos de las industrias tecnológicas y culturales, con todo esto que describo, es poco creíble imaginar que Estados Unidos no tenga la política exterior de lo que podríamos calificar como un imperio, acaso con nuevas características, más dinámico, más operativo, más omnipresente y con nuevas herramientas de expansión como internet o los medios de comunicación televisivos y radiales, que están al servicio de guerras culturales globales por homogeneizar los deseos y costumbres y vectorizar la ruptura de la diversidad cultural. Dentro de la defensa de la libertad cultural, el imperio estadounidense presenta una oferta con un paquete de mercadeo exclusivo que incluye la libertad de cultura de empresa y consumo cultural para asegurar una posición de liderazgo único planetario.

En la historia del saqueo cultural de América Latina, por ejemplo, Estados Unidos ha cumplido con los principios de cualquier imperio: 1) Durante al menos un siglo ha legitimado el tráfico ilícito de bienes culturales latinoamericanos que poseen sus instituciones públicas, privadas y grupos de coleccionistas. 2) Ha destruido decenas de obras en intervenciones e invasiones como las de Cuba, Haití o Panamá. 3) Utilizó la guerra ideológica anti-comunista para estimular la persecución y destrucción de todo elemento cultural adverso. 4) Durante décadas ha utilizado todos los componentes a su alcance para debilitar todas las concepciones culturales latinoamericanas de resistencia a su modelo de concepción del mundo. 5) Ha contribuido al etnocidio de comunidades indígenas para controlar reservas energéticas.

IMPERIO Y LENGUA

Un poderoso eje de la pretendida superioridad cultural procede de la imposición de un idioma aceptado como base común de la comunicación en un imperio. El humanista Antonio de Nebrija, en 1492, mientras Colón realizaba su periplo, publicaba su *Gramática castellana* y la dedicaba a la reina Isabel para advertirle "que siempre la lengua fue compañera del imperio". En esto, seguía la lección griega y romana: "Después que Vuestra Alteza metiese debajo de su yugo...muchos pueblos bárbaros i naciones de peregrinas lenguas (...) aquellos tenían necesidad de recibir las leyes quel vencedor pone al vencido i con ellas nuestra lengua".[53] La lengua como instrumento político para inculcar la comprensión del nuevo orden que se establece: una vía directa para la interacción religiosa y jurídica.

En 1847, el humanista venezolano Andrés Bello consagró este principio en su *Gramática de la lengua castellana*, aparecida en Chile y dedicada al uso de "los americanos" (todavía ser americano era ser oriundo del continente América). Bello, preocupado porque la independencia política provocase una anarquía lingüística en los pueblos hispanoamericanos, escribió:

No tengo la pretensión de escribir para los castellanos. Mis lecciones se dirigen a mis hermanos, los habitantes de Hispano-América. Juzgo importante la conservación de la lengua de nuestros padres en su posible pureza, como un medio providencial de comunicación y un vínculo de fraternidad entre las varias naciones de origen español derramadas sobre los dos continentes. Pero no es un purismo supersticioso lo que me atrevo a recomendarles. El adelantamiento prodigioso de todas las ciencias y las artes, la difusión de la cultura intelectual y las revoluciones políticas, piden cada día nuevos signos para expresar ideas nuevas, y la introducción de vocablos flamantes, tomados de las lenguas antiguas y extranjeras, ha dejado ya de ofendernos, cuando no es manifiestamente innecesaria, o cuando no descubre la afectación y mal gusto de los que piensan engalanar así lo que escriben. Hay otro vicio peor, que es el prestar acepciones nuevas a las palabras y frases conocidas, multiplicando las anfibologías de que por la variedad de significados de cada palabra adolecen más o menos las lenguas todas, y acaso en mayor proporción las que más se cultivan, por el casi infinito número de ideas a que es preciso acomodar un número necesariamente limitado de signos. Pero el mayor mal de todos, y el que, si no se ataja, va a privarnos de las inapreciables ventajas de un lenguaje común, es la avenida de neologismos de construcción, que inunda y enturbia mucha parte de lo que se escribe en América, y alterando la estructura del idioma, tiende a convertirlo en una multitud de dialectos irregulares, licenciosos, bárbaros;

embriones de idiomas futuros, que durante una larga elaboración reproducirían en América lo que fue la Europa en el tenebroso periodo de la corrupción del latín. Chile, el Perú, Buenos Aires, México, hablarían cada uno su lengua, o por mejor decir, varias lenguas, como sucede en España, Italia y Francia, donde dominan ciertos idiomas provinciales, pero viven a su lado otros varios, oponiendo estorbos a la difusión de las luces, a la ejecución de las leyes, a la administración del Estado, a la unidad nacional. Una lengua es como un cuerpo viviente: su vitalidad no consiste en la constante identidad de elementos, sino en la regular uniformidad de las funciones que éstos ejercen, y de que proceden la forma y la índole que distinguen al todo.[54]

Con estas palabras, quedó claro que la colonización triunfó al legar una lengua oficial e imponerse sobre más de mil lenguas indígenas que se hablaban en el siglo XIX. Como lo ha indicado el pensador José Manuel Briceño Guerrero, el sistema colonial español sometió a los pueblos conquistados a una unificación y homogeneización: "A través de la evangelización, el mestizaje, la explotación laboral, el avasallamiento, las leyes, la fundación de ciudades, el comercio, la guerra, los pactos, las escuelas, la búsqueda de oro, a través de toda su compleja gestión, el imperio penetra en la diversidad y le va imponiendo su unidad".[55]

No fue, por supuesto, una acción sin conflicto: todavía el modo de ser del latinoamericano se expresa en tendencias opuestas. Briceño Guerrero habla de una batalla entre el discurso mantuano, propio de la cultura hispano-cristiana, el discurso europeo segundo, que emergió de la Ilustración y que promueve la razón, y el discurso salvaje, asumido por los vencidos, humillados y ofendidos. Aunque el imperio español fue eficaz en aplicar una fórmula de adaptación a su discurso, la resistencia ha sido feroz y ha propiciado una identidad heterogénea, un laberinto infinito en el que se pierde todo esfuerzo de predominio de la occidentalización.

Entre las consecuencias más nefastas de la unilateralidad cultural ha estado la aniquilación de la diversidad lingüística, bajo la presión de lo que Robert Phillipson ha denominado imperialismo lingüístico, y según su definición se trata de "la dominación afirmada y mantenida por el establecimiento y la reconstitución continua de desigualdades estructurales y culturales entre el inglés y el otro lenguaje".[56] Según otro especialista, Johan Galtung, las fases de este fenómeno pasan por una primera etapa con la presencia de los colonizadores y la imposición de su lenguaje; una segunda etapa con la formación de la élite local, que asimila el idioma del colonizador y sirve como un operador político y comercial; y una tercera etapa en la que se persuade sobre la importancia del idioma con todos los medios y tecnologías al alcance.[57]

Lenguas como el francés o el alemán y hasta el mismo portugués y español se expandieron en América Latina no por voluntad espontánea sino como resultado del colonialismo practicado durante cinco siglos. Hoy en día el idioma inglés cumple ese papel, que consiguió posicionarse debido, primero, al esfuerzo de la administración del Imperio británico y ahora debido a la tenaz campaña de difusión que realiza Estados Unidos para facilitar el papel del libre comercio. De los numerosos argumentos para defender el inglés, se sostiene que es el idioma del capitalismo mundial; el idioma de la ciencia; del progreso tecnológico informático; de la globalización y de la contemporaneidad.

El inglés, de la familia germánica del indoeuropeo, se ha propagado de forma creciente en una versión general desde el siglo XIX y hoy ha desplazado a cientos de idiomas, a los que ha colocado en la incómoda situación de estar en peligro de extinción. Thomas Babington Macaulay (1800-1859), un escritor y político que laboró como miembro de Concilio de la East India Company desde1834 hasta 1838, escribió una *Minuta sobre la Educación hindú* en 1835, donde sugería abiertamente que los nativos dejaran de estudiar árabe y sánscrito porque el inglés tenía más ventajas: "En la India, el inglés es el idioma hablado por la clase gobernante. Es hablado por la clase más alta de nativos en el gobierno. Se ha convertido también en la lengua del comercio a través de los mares del este. Es la lengua de dos grandes comunidades europeas en crecimiento, una en el sur de África, la otra en Australasia; comunidades que se están volviendo más importantes cada año, y conectadas más estrechamente con nuestro imperio de la India. Ya sea que miremos hacia el valor intrínseco de nuestra literatura, o a la situación particular de este país, veremos la razón más fuerte para pensar que, de todas las lenguas extranjeras, la lengua inglesa es la que será más útil para nuestros súbditos nativos".[58]

En el siglo XXI, se estima que existen seis mil ochocientas lenguas, pero veintiséis desaparecen cada año. El 96% de todos los idiomas son hablados por 4% de la población mundial: baste la referencia de que en Papua-Nueva Guinea hay ochocientos treinta y dos lenguas. Entre tanto, el inglés ha venido a convertirse en una *lengua franca* planetaria que atenta contra el multilingüismo.

LA GUERRA CONTRA LA DIVERSIDAD CULTURAL

El tema de imperio y cultura expone una situación crítica que coloca al sector cultural en la mira de un gigantesco combate contemporáneo en el que se han retocado los objetivos.

Acaso deba explicarme: en medio de la XXXIII Asamblea General de la UNESCO, se realizó una reunión el 20 de octubre de 2005, donde ciento cuarenta y ocho estados votaron a favor de la Convención sobre la Protección a la Diversidad Cultural, con la excepción de dos naciones. Una de ellas fue previsiblemente Estados Unidos, que había reingresado a la UNESCO en 2004 tras 20 años de ausencia, y amenazó con volver a retirarse si se aprobaba esta normativa, como lo hizo saber su secretaria de Estado, Condoleeza Rice, en una carta fechada el 5 de octubre que quiso presionar a cualquier partidario de esta idea:

> Los Estados Unidos se reincorporaron a la UNESCO con la intención de participar activamente en ella y de contribuir a la labor importante de la organización en los campos de la educación, la ciencia y la preservación cultural. No queremos cambiar eso, pero esta convención amenaza el apoyo a la UNESCO en los Estados Unidos. Le instamos vivamente a participar y trabajar con nosotros para asegurar que la convención no deshaga toda la buena labor que juntos hemos realizado en la UNESCO.

Para entender esta reacción de protesta habría que destacar que Estados Unidos ha respaldado desde hace décadas políticas de libre comercio ante la Organización Mundial de Comercio (OMC) y ha considerado que la cultura es una mercancía (sujeta a propiedad intelectual) que no debe ser objeto de restricciones aduanales ni de restricciones estatales que beneficien una industria cultural local, y es obvio que este nuevo instrumento jurídico internacional pone en peligro todo el esfuerzo diplomático y económico de imponer el libre mercado como único sistema económico para el desarrollo. Además, Estados Unidos ha decidido mantener su hegemonía cultural y ha utilizado el proceso de globalización tecnológica para realizar una propaganda y una difusión sin precedentes de sus concepciones del mundo al establecer los patrones de propiedad intelectual expuestos en el Acuerdo General sobre Aranceles y Comercio (GATT) y en las discusiones de la Organización Mundial de Comercio (OMC). El GATS o Acuerdo General sobre Comercio de Servicios fue destinado a favorecer la privatización o liberalización de servicios como los de las comunicaciones y cultura, y entre estos últimos se incluyeron los archivos, bibliotecas y museos. Entre 1950 y 1998, las exportaciones del comercio mundial crecieron 19%; uno de los sectores que más creció fue el de las industrias culturales, que ya habían sido definidas así en 1947 por Theodor Adorno y M. Horkheimer. Estas industrias culturales, en las que los bienes y servicios son producidos, reproducidos, conservados y difundidos según criterios industriales y comerciales, se transformaron en las portadoras principales de información y su criterio económico de expansión se concentró en la Unión Europea, Japón y Estados Unidos.

Como señala Jeremy Rifkin, esta orientación apunta a la comercialización de las experiencias culturales para establecer controles:

[…] la comercialización de una amplia gama de experiencias culturales en vez de con los bienes y servicios basados en la industria tradicional. El turismo y todo tipo de viajes, los parques y las ciudades temáticas, los lugares dedicados al ocio dirigido, la moda y la cocina, los juegos y deportes profesionales, el juego, la música, el cine, la televisión y los mundos virtuales del ciberespacio, todo tipo de diversión mediada electrónicamente se convierte rápidamente en el centro de un nuevo hipercapitalismo que comercia con el acceso a las experiencias culturales. La metamorfosis que se produce al pasar de la producción industrial al capitalismo cultural viene acompañada de un cambio igualmente significativo que va de la ética del trabajo a la ética del juego. Mientras que la era industrial se caracterizaba por la mercantilización del trabajo, en la era del acceso destaca sobre todo la mercantilización del juego, es decir la comercialización de los recursos culturales incluyendo los ritos, el arte, los festivales, los movimientos sociales, la actividad espiritual y de solidaridad y el compromiso cívico, todo adopta la forma de pago por el entretenimiento y la diversión personal.

Uno de los elementos que define la era que se avecina es la batalla entre las esferas cultural y comercial por controlar el acceso y el contenido de las actividades recreativas.[59]

Nunca antes tantos medios de comunicación estuvieron al servicio de preservar un pensamiento único: ni egipcios, ni griegos ni romanos tuvieron a su disposición los instrumentos de penetración mediática como los que ha ostentan los gobiernos de Estados Unidos para imponer sus tesis. Los medios de comunicación (televisión, radio, periódicos, publicidad) han sido fundamentales en la formación del conocimiento que respalda la gestión sociocultural. El teórico Herbert Schiller, en 1979, acusaba a su propio país de convertir a los medios en vehículos de las ideas para fortalecer la vigencia del sistema, el consumismo y el *american way of life* (modo de vida estadounidense).[60] Según Armand Mattelart, otro importante pensador, este "imperialismo cultural no se reduce únicamente, pues, a las manifestaciones de fuerza en el ámbito de los medios de comunicación y de la cultura de masas, aun cuando estos dispositivos ocupen un lugar cada vez más estratégico en la configuración de la relación neocolonial con los otros pueblos. Se trata de los modelos de institucionalización de las tecnologías de comunicación, los modos de organización espacial, los paradigmas científicos, los esquemas de consumo de aspiraciones, los modos de gestión de la empresa, los sistemas de alianzas militares. O incluso el derecho, como lo demuestra la naturalización del derecho contractual cortado a la medida del pensamiento jurídico estadounidense y lingua franca que regula las relaciones internacionales de los negocios".[61]

La UNESCO justificó la protección a la diversidad cultural precisamente porque el predominio cultural estadounidense ha contribuido a poner en peligro el futuro de casi seis mil comunidades que no tienen las mismas oportunidades tecnológicas de difusión e integración. Es un hecho que la incorporación de medios de comunicación como transmisores de mensajes culturales juega un rol fundamental en la reelaboración de valores y símbolos compartidos en las sociedades actuales; es una forma de centralizar patrones.

La protección a la diversidad no es otra cosa que la posibilidad de resguardar las llamadas industrias culturales nacionales, que abarcarían todas las industrias donde se conjugan la creación, la producción y la comercialización de contenidos inmateriales y culturales en su naturaleza protegidos por *copyright* y que toman la forma de bienes o servicios. La idea es excluirlas de cualquiera de las leyes generales que rigen los acuerdos de libre comercio de la OMC, con lo cual queda claro que si bien actualmente las industrias culturales estadounidenses (como, por ejemplo, el cine) ocupan un mercado de 85% y en algunos casos de 90%, ahora existe un instrumento jurídico poderoso que confirma plenamente el derecho soberano de los países a darse políticas culturales autónomas en pro de la identidad.

La importancia de las industrias culturales en la actualidad puede incluso ser objeto de estadísticas determinantes. Hay un informe de la UNESCO, titulado *International Flows of Selected Cultural Goods and Services 1994-2003*, en el cual se señala que tres países que serían Reino Unido, Estados Unidos y China produjeron la alarmante cifra de 40% de los bienes culturales comercializados en el mundo. El 60% restante fue producido por ciento diecisiete países. El negocio es tan enorme que este tipo de comercio internacional de bienes culturales aumentó entre 1994 y 2002 de la cantidad de treinta y ocho mil millones a sesenta mil millones de dólares. En 2002, América Latina y el Caribe sólo representaron 3% del comercio total de bienes culturales.

Los impresos —libros, periódicos, publicaciones y otros productos impresos— representaron 31% del comercio cultural mundial en 2002. Los mayores exportadores de libros del mundo fueron Estados Unidos (18%), Reino Unido (17%), Alemania (12%), España (6%) y Francia (5%). En las artes visuales —que comprenden, entre otros bienes, las pinturas, los grabados, las litografías, las estatuas originales y las esculturas— el Reino Unido, China, Estados Unidos, Alemania y Suiza sumaron 60% de las exportaciones en 2002. Es una brecha que se expande, no que se cierra. En todas las áreas las desigualdades se globalizan: los veinte hombres más ricos del mundo tienen tanto patrimonio como los tres mil millones de personas más pobres.

La conclusión del informe es dramática, pero la guerra comercial es la traducción exacta de una guerra más profunda, de naturaleza cultural. A pesar de las tensiones que el incidente descrito de la UNESCO originó, y sigue originando por su puesta en vigor la entrada en vigor el 18 de marzo de 2007, la verdad es que fue apenas un episodio que evidenció el papel destacado que tiene la cultura en los procesos del mundo contemporáneo. De alguna forma, apenas es el esbozo de una guerra cultural.

GUERRA CULTURAL

El término *guerra cultural* reproduce la palabra alemana *Kulturkampf* que creó Rudolf Virchoff en 1873 para referirse a una polémica religiosa entre el imperio alemán y el Vaticano. Según Vaclav Havel, "los conflictos culturales van en aumento y son más peligrosos hoy que en cualquier otro momento de la historia".[62] Un pensador como Jacques Delors ha admitido que "los futuros conflictos estarán provocados por factores culturales, más que económicos o ideológicos".[63] Un historiador como Samuel P. Huntington ha escogido el término "Choque de civilizaciones" que da título a su famoso libro:

> En el mundo de la posguerra fría, las distinciones más importantes entre los pueblos no son ideológicas, políticas ni económicas; son culturales. Personas y naciones están intentando responder a la pregunta más básica que los seres humanos pueden afrontar: ¿quiénes somos? Y la están respondiendo en la forma tradicional en que los seres humanos la han contestado, haciendo referencia a las cosas más importantes para ellos. La gente se define desde el punto de vista de la genealogía, la religión, la lengua, la historia, los valores, costumbres e instituciones. Se identifican con grupos culturales: tribus, grupos étnicos, comunidades religiosas, naciones y, en el nivel más alto, civilizaciones. La gente usa la política no sólo para promover sus intereses, sino también para definir su identidad. Sabemos quiénes somos sólo cuando sabemos quiénes no somos, y con frecuencia sólo cuando sabemos contra quiénes estamos.[64]

Otros hablan de "choque de fanatismos" o "choque de emociones" o, como lo hizo Edward Said, de "choque de ignorancias" para diferenciar el estado del conflicto. Lo cierto es que el mundo contemporáneo, contrario al optimismo de la Organización de Naciones Unidas (ONU), sigue en guerra permanente: sobre todo y en particular predomina una verdadera guerra entre concepciones culturales, lo que ratifica procesos anteriores.

En América Latina, los documentos *Santa Fe I* (1980) y *Santa Fe II* (1985) estaban destinados a justificar un programa de guerra cultural como el que se libraba dentro de la Guerra Fría en los escenarios culturales internacionales y se articuló una estrategia de propaganda para combatir el marxismo en todas las áreas: "Solamente Estados Unidos puede, como socio, proteger a las naciones independientes de América Latina de la conquista comunista, y ayudar a conservar la cultura hispanoamericana frente a la esterilización del materialismo marxista internacional. Estados Unidos debe tomar la iniciativa ya que no sólo están en peligro las relaciones entre Estados Unidos y América Latina, sino que está en juego la propia supervivencia de esta república".

El documento IV, editado por James P. Lucier en 2000, reclamaba la falta de mayor liderazgo en América Latina y señaló: "La historia nos dice con toda claridad que, cuando una gran potencia fracasa en valorar su interés nacional y permite que su cultura central se desgaste y sea absorbida por un sistema de valores hostil, su caída es previsible (…) lo más importante es la destrucción cultural, según la prescribe Antonio Gramsci. Al cambiar la cultura, el cambio político y económico está virtualmente asegurado".

El abandono de la doctrina Monroe (1823) de no intervención fue modificado por la vieja creencia de Estados Unidos en el Destino Manifiesto,[65] un espíritu religioso de obligaciones políticas y económicas que tuvo su mejor expositor en las palabras de Theodore Roosevelt en 1904: "La injusticia crónica o la importancia que resultan de un relajamiento general de las reglas de una sociedad civilizada pueden exigir que, en consecuencia, en América o fuera de ella, la intervención de una nación civilizada y, en el hemisferio occidental, la adhesión de los Estados Unidos a la doctrina de Monroe puede obligar a los Estados Unidos, aunque en contra de sus deseos, en casos flagrantes de injusticia o de impotencia, a ejercer un poder de policía internacional". Desde entonces se ha insistido en el control de las sociedades latinoamericanas para poder avanzar en cualquier proyecto de expansión, con los costos culturales que esto ha representado.

La idea de la guerra cultural se ha mantenido firme a fines del siglo XX e inicios del XXI. La mejor prueba es que en octubre de 1989, William S. Lind[66] y cuatro oficiales del ejército de Estados Unidos publicaron un ensayo titulado "The Changing Face of War: Into the Fourth Generation" en *Marine Corps Gazette*. Entre otras cosas, señalaban que los tres esquemas para hacer la guerra convencional habían llegado a su fin y proponían, con bastante sencillez, el diseño de una estrategia pertinente para el combate en guerras de cuarta generación. Según los autores, desde el Acuerdo de Westfalia de 1648, el Estado había monopolizado la conflagración, y esta circunstancia se habría mantenido hasta las décadas recientes, debido a la aparición del terrorismo, que supondría grupos no estatales capaces de emprender conflictos asimétricos de larga duración.

Lo cierto, lo que interesa destacar aquí, es que más allá de los detalles de su análisis del mundo moderno militar, se atrevieron a contradecir a sus superiores de entonces, devotos creyentes formados en la Guerra Fría bipolar, al señalar que iban a sobrevenir ofensivas con tácticas inéditas (incluso advirtieron que el territorio de Estados Unidos sería atacado) y consideraron que el ejército debía asumir planes para esas luchas futuras que implicarían dramáticos choques culturales. Las guerras de cuarta generación no serían ideológicas sino culturales —predecían— y las operaciones más importantes serían psicológicas. La propaganda en los medios de comunicación y en los sectores culturales con acceso a la opinión pública sería el perfecto complemento de misiles, tanques y aviones: una guerra con el objetivo de "ganar las mentes y corazones" de los pueblos atacados para impedir su apoyo a la causa de los grupos insurgentes.

¿Por qué una guerra cultural si las nuevas tecnologías permiten vencer al enemigo con rapidez y eficiencia? Aquí reside el gran enigma: Lind creía, como toda una élite estadounidense todavía cree, que la tecnología facilita la derrota, pero que el imponderable cultural es un núcleo inabordable desde una perspectiva clásica. Ninguna ocupación se sostiene sin interacción con el pueblo invadido, y el punto es cómo debilitar sus creencias hasta el extremo de condicionarlas.

Este escritor, en su defensa de la universalidad de una religión (el judeo-cristianismo) y de una civilización (Occidente), determinó que la diversidad era un peligro. El costo de imponer ese criterio en un mundo globalizado le hizo pensar que era necesario combatir polos culturales adversarios del significado de la hegemonía de Estados Unidos. La base de su pensamiento consistió en restituir el vínculo inseparable entre universalismo e imperialismo; dotó al ámbito militar de una conciencia ambigua sobre la importancia de garantizar la supremacía en función de entender que enfrentan a adversarios culturales y religiosos que cuestionan su concepción del mundo más que ninguna otra cosa. En otras palabras, Lind supuso que las futuras guerras se perderían si no se contaba con el elemento de la identidad: un nexo poderoso basado en la memoria, es decir, en la continuidad de una tradición. Su idea era sencilla: identificar a pueblos adversos con modelos próximos a Occidente.

Lind y sus colegas, por su parte, han desestimado la tragedia de Irak porque su propósito consiste en promover la hegemonía de un modelo cultural que se suma a los modelos políticos y económicos del libre mercado. Han persuadido a los movimientos neoconservadores[67] y en especial a la administración de George W. Bush de que la agenda de la CIA y el Pentágono debe insistir en la imposición de valores en culturas con núcleos rígidos y resistentes a la aceptación del proyecto de supremacía o Estados Unidos perderá su condición de líder global. Esto es lo que les importa: el resto es colateral.

Irving Kristol ha explicado claramente que las "coaliciones del multiculturalismo son una ideología cuyo programa educacional está subordinado a uno político que es, por encima de todo, antiamericano y anti-occidental".[68] Con Kristol, emergió un sector poderoso consecuente con las tesis del investigador Leo Strauss para rediseñar la política exterior de Estados Unidos dentro de un esquema perverso concebible como guerra cultural: un ataque extremo a todos los valores de la diversidad cultural en el siglo XXI. Guerra cultural en lo interno del país (antievolucionismo, conservadurismo y posiciones en contra del aborto o matrimonios homosexuales, negación de valores de países considerados inferiores) y guerra cultural externa (antisocialismo, universalización de los mercados, combate de cualquier oposición a la occidentalización cristiana, repudio a un impulso global de los derechos humanos): siempre estuvieron visibles estos conflictos, pero ahora se hacen más evidentes.

En esta nueva lucha cultural global, América Latina se encuentra en desventaja y probablemente pierda cientos de patrimonios intangibles.

TERCERA PARTE

Transculturación y etnocidio en América Latina

Primero se eliminaron innumerables seres humanos,
después se trató (…) de negar los hechos, de obstaculizar la reconstrucción
de los acontecimientos, de prohibir el recuento de víctimas,
de impedir el recuerdo.

PAOLO ROSSI, *El pasado, la memoria, el olvido*, 2003

CAPÍTULO I

LA FATALIDAD DE LA MEMORIA

Se debe actuar de modo que la memoria colectiva
sirva a la liberación, y no a la servidumbre de los hombres.

JACQUES LE GOFF, *El orden de la memoria*

PREFACIO

Memoria, identidad y cultura: se trata de tres términos que, según lo expuesto en este libro, han sidos alterados en América Latina. Se sabe que no hay cultura donde no hay memoria; se reconoce que no hay identidad donde no hay memoria. A la vez, se admite que no hay memoria sin identidad. La memoria es, entonces, el eje ontológico de la personalidad individual o colectiva; la memoria traduce los estados sociales de la cultura grupal, nacional o internacional. Frente a la ampliación de las fronteras de las desigualdades, el riesgo de clonación de modelos hegemónicos, la atomización en red, el cosmopolitismo masivo, la desterritorialización programada, la colonización mediática, la homogeneización sustitutiva, el expolio y destrucción de los símbolos de comunidades enteras, frente a la epidemia de la identidad corporativa, la memoria es un sistema inmunológico eficaz. El predominio de identidades reactivas y evasivas, por tanto, se explica por este periodo de desterritorialización; se forman identidades de resistencia, sostenidas sobre la base de la heterogeneidad y la hibridización de las marcas sociales.

Hoy, para que el lector comprenda los propósitos que tuvo el saqueo cultural latinoamericano, es necesario estudiar con detalle los fenómenos de la memoria y la identidad. Es obvio que quien borra la memoria de su adversario sometido en una conquista pretende injertar su propia memoria para reconfigurar una identidad sumisa.

MEMORIA Y SER

Ante todo, conviene entender que el ser reclama memoria. Se es porque hay recuerdo. La memoria consagra y salva, es facultad y ámbito, mito y razón. No hay tiempo sin memoria: el mundo aspira a ser un recuerdo. La memoria pone en evidencia el mundo; es el mundo. Actualización, valor, saber y práctica de una expresión que se restituye sólo en la identidad, es decir, en el signo complejo de diferenciación y costumbre. Algunos poetas como el mexicano Eduardo Langagne han dicho que es también la "ceniza del olvido, sobre la superficie áspera del miedo". Es reafirmación y tradición. Eterno retorno, escatología de conmemoraciones, grito y palabra ante el abismo de la historia. Estabilidad, exasperación, lengua, voz, imagen, volumen del destino. Gloria, iniciación y fuego, transparencia, poder, huella y cordón umbilical de la cultura.

Donde hay pueblo, hay memoria: la memoria es la medida de todo lo que nos hace humanos. No hay humanidad sin memoria.

La memoria es certeza, anticipación, orden y ley. Nuestra palabra castellana "memoria", procede del latín *memor-oris,* que viene a traducirse como "el que recuerda". Y recuerdo viene de *re-cordis* que significa "volver al corazón." Así que la palabra memoria, etimológicamente, es un regreso al corazón. Ha dicho Shakespeare en su Soneto 122: "Usar objetos para recordarte/sería abrir las puertas al olvido".

Pero también la memoria es la purificación de la muerte, nacionalidad y frontera. Es la que ilumina hasta encender en llamas el camino de la convicción. Dios es memoria, pero la memoria es una diosa. Epifanía de la interioridad, anhelo y causa, templo sagrado y misterio. La memoria múltiple: como instrumento y significación, es asimetría filial, resurrección, herencia, plexo y conexión. Rito y relato.

Ante todo, la memoria es arte y madre y madrastra de las artes, esencia, patrimonio y encuentro, víctima y lamento. Como lugar y gramática de la amnistía, proporciona el testimonio de los que tienen sed de justicia. La memoria era un demonio entre los sumerios, pero los hititas creían que era el resplandor del tiempo, mientras que los tibetanos creyeron que la memoria era un espejismo.

Y me pregunto: ¿acaso todo comienza y termina en la memoria? ¿Es inevitable que estas concepciones impongan el sentido más trascendente y singular de nuestros principios de vivencia y convivencia? El asunto es que la memoria ha llegado a yuxtaponerse sobre todos los elementos que la condicionan y no hay modo de saber cómo se define si no es a partir de sus metáforas más radicales: Dios como memoria, el mundo como memoria, el hombre como memoria, el libro como memoria. Emmanuel Lévinas, preciso, apuntó en *Totalidad e infinito* que "la memoria realiza la imposibilidad: la memoria, a posteriori, asume el pasado pasivo y su dominio".[1]

El ser de la memoria es también memoria del ser. Una ontología identitaria signa el fenómeno y supone coexistencia en el tiempo. Sólo la memoria nos devuelve al devenir del tiempo del mundo. No todo lo que perdura es memoria; es memoria lo que se convoca en la presencia total de lo existente.

LAS DIOSAS DE LA MEMORIA

Los griegos, en particular, desarrollaron toda una mitología transversal de la memoria. Según Pausanias, las primeras musas del Helicón fueron tres: Meleté, Mneme y Aoidé. Dado que las musas serían las gestoras simbólicas del arte, el caso de Mneme, que representaría la memoria, sería fundamental porque no hay arte sin memoria. Según otra versión, acaso más popular, fue Mnemósine, la diosa de la memoria, y no era considerada una musa sino la madre de las musas. Sería la hija de Gea y Urano, hermana de Cronos y Océanos, y durante nueve noches consecutivas se habría unido en la Pieria a un Zeus disfrazado de pastor para concebir después de un año a las musas, que son las representantes de todas las artes, maestras de la profecía y la inspiración poética. Mnemósine posee el conocimiento de los orígenes y de las raíces, poder que traspasa los límites escatológicos.

En Lebadea, ciudad de Beocia, existía una fuente con su nombre, de donde tenían que beber los asistentes al oráculo de Trofonio para tener acceso a la revelación. En las regiones infernales, en el oscuro reino de Hades, existía también una fuente de Mnemósine, a la que se le oponía la de Leteo, el río del olvido, del que bebían los difuntos para olvidar su vida terrena. Para los griegos, los muertos eran los que habían perdido la memoria. La idea de una memoria primordial consiste en sostener que el alma tiene una memoria que permite recordar lo que se ha sido en otras vidas.

Una anécdota nos ha permitido saber que Simónides de Ceos, dotado de una memoria extraordinaria, inventó la mnemotécnica, es decir, el arte de la memoria. Al parecer, el poeta compuso un poema en honor de un noble de Tesalia llamado Scopas, pero cometió el error de mencionar extensamente el mito de Cástor y Pólux. Scopas, visiblemente herido en su orgullo porque todo el poema no había dedicado a él, se negó a pagar lo acordado y argumentó que lo restante debía cobrarlo el poeta a los dioses mencionados. Pasado un rato, Simónides abandonó el lugar para atender el llamado de dos jóvenes que, según un sirviente, lo esperaban afuera. Ocurrió que al salir, se desplomó toda la casa y murieron todos los que estaban adentro. Fue tal el desastre que nadie supo quién era quién entre los restos y fue necesario que Simónides reconociera a los muertos sólo porque fue capaz de recordar dónde estaba exactamente cada uno antes de morir.

En Grecia existió un funcionario llamado *mnemón*, que se ocupaba de recordar decisiones tomadas por la justicia; este tipo de magistrado era fundamental en el periodo oral para rememorar sentencias olvidadas.

Es curioso, pero la concepción de la verdad entre los griegos tiene mucha relación con la memoria. La hermosa palabra que tenían para verdad era *alétheia*, traducida por cualquier diccionario como "descubrimiento". Procedía del adjetivo *alethés* y éste, a la vez, derivaba de *léthos* o *láthos,* cuyo significado era "olvido", "oculto", "escondido". De ahí que la partícula privativa "a" al principio de la palabra nos diga que la traducción literal de *alétheia* era "sin olvido", "no oculto", "no escondido". Así, la verdad es lo que se hace manifiesto y que no debe caer en el olvido. La verdad es la memoria.

En *El Talmud* (*Tratado Niddah,* 30b) se señala que el feto conoce ya la *Tora* y que logra alcanzar a distinguir todas las cosas. Al nacer, un ángel terrible le toca la boca, no sabemos si con la mano o con sus labios, y el recién nacido olvida todo y debe consolarse con aprender de nuevo.

Esto fue comprendido por Platón, en el siglo V a.C., quien llegó a formular que aprender equivale a recordar. En su doctrina de la reencarnación de las almas, concibe un tipo de memoria que se perdería al nacer y que se recuperaría con solo recordar las verdades eternas que son las Ideas. Platón creyó que la "anámnesis" filosófica es un método para que reaparezca el conocimiento esencial de las estructuras de la realidad. Bajo el signo de este sistema filosófico, Platón restó importancia a la escritura y en el *Fedro* (274 e-275 b) expuso un mito egipcio para explicar que la escritura provocaría en la humanidad un abandono de la memoria.

Aristóteles, en cambio, advirtió en *Sobre la memoria y la reminiscencia* que el hombre aprehende las cosas por los sentidos, no por recuerdo, pero que la memoria transforma esta percepción en experiencia. Aristóteles no creía en el innatismo de las ideas. De lo individual no hay definición, sino opinión; la impronta de lo individual, en conjunto, lo universal, constituiría el saber. Basados en la experiencia, estarían todos los modos que tiene el hombre de saber: arte, prudencia, ciencia, inteligencia y sabiduría. El arte, dentro de este esquema, es un hacer, una producción, pero no es un hacer desde la nada sino desde la naturaleza. Para Aristóteles, la memoria es una afección o modificación de la facultad sensitiva común. Ésta, al ser capaz de discriminar el tiempo, puede distinguir con claridad entre las imágenes nuevas de la sensación o el pensamiento y las ya impresas en anteriores experiencias, y que persisten en nosotros. Más aún: aun cuando no siempre lo haga, es también capaz de referirse estas imágenes impresas a la serie de experiencias que las produjeron.[2]

De Roma hemos heredado tres textos fundamentales para entender el problema de la memoria, relacionados con la retórica. El primero, anónimo, fue escrito hacia el 86 a.C. y lleva por título *Ad Herennium*. Conviene decir que este singular escrito ya clasificaba la memoria en dos tipos: natural y artificial.[3] Esta última, que sería el resultado de reglas, estaría basada en lugares e imágenes de palabras o cosas, y lo que llama la atención es que propone, siguiendo en todo el método desarrollado por Simónides de Ceos en Grecia, la colocación de las imágenes en lugares ordenados, separados incluso por intervalos y por indicaciones especiales.

Cicerón en *De oratore* creía que la memoria era una de las cinco partes de la retórica. Es interesante observar que Cicerón mantuvo su apego a los principios ya declarados en *Ad Herennium*: "La memoria de cosas, lo específicamente propio del orador —ésta la podemos imprimir en nuestra mente mediante la hábil colocación de sendas máscaras que representan las cosas, de manera que podamos captar estas ideas por medio de imágenes y su orden por medio de lugares".[4]

Quintiliano, que enseñó retórica después del siglo I, había pensado en una suerte de topografía de la memoria: "Para aprender de memoria algunos buscan lugares muy espaciosos, adornados de mucha variedad y tal vez una casa grande y dividida en muchas habitaciones retiradas. Se imprime cuidadosamente en el alma todo cuanto hay en ella digno de notarse para que el pensamiento pueda sin detención ni tardanza recorrer todas sus partes. Y ésta es la dificultad, que la memoria no se quede parada en el encuentro de las ideas".[5]

Es interesante observar que san Agustín y los pensadores de la Edad Media hasta la época actual asignaron los mismos valores tradicionales a la memoria, y en casos muy particulares lo que construyeron fueron sistemas mnemotécnicos, es decir, sistemas para recordar mejor las cosas. El pensador Giordano Bruno, que fue quemado en la hoguera, diseñó un arte que permitía, según él así lo manifiesta en *Ars memoriae*, que un hombre pudiera saberlo todo. G. Leibniz concibió una enciclopedia que incluyera íntegramente la memoria humana para luego traducir en caracteres los conocimientos y reducirlos a fórmulas que permitieran aplicar el cálculo a los problemas.

Sólo fue en el siglo XX que la memoria apareció de nuevo reivindicada en la obra del pensador francés Henri Bergson,[6] quien rescató la idea de dividir la memoria en dos partes: la psicofisiológica y la memoria pura, que sería la esencia de la conciencia, la que produce la identidad del sujeto al representar los datos que le dan continuidad a la persona. Para Bergson, el hombre es hombre porque tiene memoria, esto es, tiene tradición y tiene historia. Martin Heidegger, como ya dije, elaboró su propuesta filosófica a partir de la memoria del ser: según él la historia de la filosofía es el olvido de la pregunta por el ser de las cosas, y presenta su tesis de modo que se retorne al principio para recordar realmente la pregunta por el ser. Hoy en día, esta concepción es la que predomina en general y la memoria ha recuperado un lugar imponente en la discusión sobre lo humano.

EL OLVIDO DEL OLVIDO

En la pregunta por la memoria, subyace además una confrontación con el olvido, término que procedería del latín *oblivio*. El verbo *oblivisci* era gramaticalmente deponente, lo cual hace que su significado haya sido activo y pasivo a la vez. Posteriormente, la forma verbal *oblitare* se tradujo como "olvido".[7]

Martin Heidegger señaló: "Así como la espera de algo sólo es posible sobre la base del estar a la espera, así también el recuerdo sólo es posible sobre la base del olvido, y no al revés; porque, en la modalidad del olvido, el haber-sido abre primariamente el horizonte dentro del cual el *Dasein*, perdido en la *exterioridad* de lo que lo ocupa, puede recordar".[8] A partir de la compleja propuesta de Heidegger, la filosofía ha sido recuperada como una actividad intelectual cuya función consiste, precisamente y a diferencia de las ciencias, en propiciar la problematicidad de su propia función, en hacer de la búsqueda una orientación que permite plantear el cómo de las dificultades centrales que supone la existencia del hombre, entre las cuales sobresale, por encima de todas, la pregunta por el Ser. En *Ser y tiempo* (1927), se aclaraba que esta interrogante ha sido objeto de una omisión por parte de Occidente. Y lo grave es que no sólo, decía, hemos olvidado lo que es el Ser, sino que ya ni siquiera tenemos recuerdo de ese olvido.

La memoria, aparece, por una parte, vinculada a la inmortalidad y, por otra, al paraíso perdido. Dijo Cicerón: "quienes viven en la memoria y la inmortalidad".[9] El olvido, en cambio, es el eslabón de la muerte, la puerta del abismo y, sobre todo, del presente. En el *Deuteronomio* (VIII, 11, 14, 19) queda claro que olvidar a Dios es un acto que puede conllevar la destrucción. Donde hay memoria, hay vida. Donde hay olvido, hay disolución. En un texto como el *Díghanikaya* (I, 19-22) se asegura que los mismos dioses pueden caer del Cielo si "les falla la memoria y su memoria se confunde", mientras que los dioses que no olvidan suelen ser inmutables.

El olvido es una manera de romper el lazo de la identidad. El personaje Ulises en la *Odisea* de Homero es víctima en tres ocasiones de ofrecimientos para que olvide su retorno a Ítaca, que es su objetivo en la vida. En el canto IX se describe a los lotófagos, que comen loto, un fruto "dulce como la miel" que tiene la propiedad de inducir el olvido y despertar un ánimo feliz. A Ulises le dan a probar loto, pero lo desprecia y se salva. En el canto X, la maga Circe da a Ulises y a sus marineros un vino que resulta ser una droga que les hace olvidar a quienes la toman qué es lo que quieren y se transforman en seres dóciles. El otro caso está documentado en el episodio en el que la ninfa Calipso dice que el amor causa el olvido y se lo ofrece, con astucia, a Ulises.

Los egipcios y griegos vindicaron la planta "nepente" que mezclada con vino podía hacer olvidar cualquier dolor o malestar. Y el vino, un regalo de Dioniso, fue considerado el mejor bebedizo para producir el olvido de la penas. De lo que se trata es de convertir al olvido en un paliativo de la desesperanza.

Igual puede decirse que ocurre con muchos pueblos, que juzgan que el olvido —la amnistía— suministra una garantía de felicidad y de equilibro social, político y económico, y se construye el orden y la justicia con base en la desmemoria, lo que por supuesto siempre trae consigo enormes asimetrías. La asimilación memoria = tradición y olvido = paz siempre ha sido constante en los pueblos. Por eso escribió Plinio: "nada es más débil en el hombre que la memoria".[10]

Algunos autores han creído que el olvido es determinante en la constitución de la identidad. Théodule Ribot escribió en 1881 que "una condición de la memoria es el olvido. Sin el olvido total de un número prodigioso de estados de conciencia y el olvido momentáneo de otro gran número, no podemos recordar. El olvido, salvo en ciertos casos, no es, pues, una enfermedad de la memoria, sino una condición de su salud y de su vida".[11]

El historiador Ernest Renan, en una conferencia de 1882, comentaba: "El olvido y, yo diría incluso, el error histórico son un factor esencial de la creación de una nación, y es así como el progreso de los estudios históricos es a menudo un peligro para la nacionalidad. La investigación histórica, en efecto, vuelve a poner bajo la luz los hechos de violencia que han pasado en el origen de todas las formaciones políticas, hasta de aquellas cuyas consecuencias han sido más benéficas".[12]

En la interpretación del olvido como fuente de seguridad, el filósofo Jacques Derrida comentó que "el olvido no es, en el caso de la nación, el simple borrarse psicológico, un desgaste o un obstáculo insignificante que hacen más difícil el acceso al pasado, como si el archivo se hubiese destruido por accidente. No, si hay olvido es porque no se soporta algo que estuvo en el origen de la nación, una violencia sin duda, un acontecimiento traumático, una especie de maldición inconfesable".[13]

Esta visión del olvido de un trauma como signo de convicción social podría complementarse con los argumentos de Jean-Louis Déotte, quien creía que los grandes crímenes contra la humanidad dejaban un recuerdo tan devastador que era más bien una suerte de no-recuerdo, un olvido inevitable que "no ha podido ser inscrito, que está enfermo de inscripción",[14] una sombra vivencial aplastante. En las sociedades saqueadas y destruidas, como en América Latina, hay un olvido oficial donde se impulsa el olvido como rasgo de armonía social.

Sigmund Freud pensó que así como existía la memoria, existía el inconsciente, donde se almacenan los olvidos de la gente. El olvido activo es una teoría central del psicoanálisis: el eje del bloqueo o represión de los recuerdos. En *Psicopatología de la vida cotidiana* (1901) vinculó el término alemán *das Vergessen* ("olvido") con *Fehlleistung* (acto fallido), al descubrir que existía una correlación con el conjunto de síntomas en que algo reprimido reaparece como algo que en otro caso aparecería como un error. El prefijo vers- aplicado a estos actos fue el motivo de su teoría: *das Verschreiben* ("el error de escritura"), *das Vergreifen* ("el error de la acción"), *das Versprechen* ("el lapso lingüístico"), *das Verlesen* ("el error de lectura") y *das Verlieren* ("el despistar"). El olvido freudiano está en el orden de la represión indefinida: el malestar que provoca el olvido puede definir su motivo. De ahí que asociara ciertas histerias con amnesias inducidas. En *El malestar en la cultura,* de 1930, Freud escribió: "Desde que hemos superado el error de creer que el olvido, habitual en nosotros, implica una destrucción de la huella mnémica, vale decir su aniquilamiento, nos inclinamos a suponer lo opuesto, a saber, que en la vida anímica no puede sepultarse nada de lo que una vez se formó, que todo se conserva de algún modo y puede ser traído a la luz de nuevo en circunstancias apropiadas, por ejemplo en virtud de una regresión de suficiente alcance".[15]

Un caso extraño en la historia de la psicología es el del síndrome de Kim Peek, cuyo nombre procede de un joven autista estadounidense, nacido en Salt Lake City en 1951, que podía recordar 98% de los libros que leía y logró aprenderse de memoria ocho mil libros, pero en cambio olvidaba todo lo demás. No podía abrocharse la camisa y era absolutamente dependiente de quienes lo cuidaban. Con una capacidad de retención de datos insólita, no obstante, desarrolló un olvido por la abstracción. En las historias asombrosas de la ciencia, Salomón Shereshevsky fue descrito como un mnemonista profesional por el neuropsicólogo A.R. Luria. Este hombre tuvo que seguir una larga terapia para aprender a olvidar.

¿Qué causa el olvido en los hombres? La apología o negación de esta ausencia ha sido constante. Nietzsche sostenía que "para que algo permanezca en la memoria se lo graba a fuego; sólo lo que no cesa de doler permanece en la memoria".[16] Los neurólogos atribuyen la pérdida a la dislocación de las huellas mnésicas, a fallas en los sistemas de recuperación del cerebro, al desuso que atrofiaría los códigos de acceso a un recuerdo, y se mantiene vigente la teoría de que la información nueva desvía el interés de cualquier dato sin indicadores de interés o provecho.[17] Según los hallazgos de Sven-Ake Christianson y Elisabeth Engelberg, las experiencias traumáticas son causa de olvido porque la memoria reconoce todos los estímulos que amenazan la supervivencia y los evita. El olvido sería un mecanismo para reaccionar ante cualquier recuerdo desagradable.[18] No debe ignorarse que el proceso de olvido en el hombre es tan rápido que, según una investigación actual, 80% de la información registrada se olvida en menos de veinticuatro horas.

En el caso de un daño en el cerebro, podría sufrirse un fenómeno conocido como amnesia, que puede ser un olvido temporal o permanente. Los amnésicos generalmente tienen patologías diencefálicas, como el síndrome de Wernicke-Korsakoff, o han sido afectados en las áreas medias temporales, como en las ablaciones quirúrgicas. El amnésico no recuerda, aunque es posible que su información sólo esté bloqueada. Una investigación del Instituto de Neurología del University College London, realizada en 2006, concluía que los pacientes con amnesia del hipocampo no tenían capacidad para imaginar nuevas experiencias.[19] Otro caso frecuente con la memoria es el proceso de falsificación de los recuerdos. Suele suceder que el recuerdo de lo pasado suele ser ajustado con nuevos datos o reediciones que rellena con fantasías lo que haya podido olvidarse. En el psicoanálisis, por ejemplo, se advierte que olvido y memoria son los dos ejes en la construcción de la identidad.

PATRIMONIO Y MEMORIA

Uno de los elementos más obviados en la memoria colectiva y, por tanto, en la definición de la identidad, es el "patrimonio cultural". Se piensa que ya hay suficiente preocupación con el genocidio y el asesinato como para prestar demasiada atención al tema de la criminalización de la destrucción del patrimonio. No obstante, se trata de una inquietud primordial porque este daño afecta directamente a la identidad de un grupo o nación y su protección hace factible una más pronta recuperación en una guerra o posguerra.

La relación entre el patrimonio y la memoria puede entender de varias maneras.

En el sentido etimológico, la palabra castellana "patrimonio", etimológicamente, procedería del latín y mucho antes del griego antiguo: *pater* (padre) y *moneo* (recuerdo), lo que vendría a ser, si se acepta, "recuerdo de los padres", esto es, memoria de aquello que alude al padre. En el derecho romano, y no debemos olvidar que la palabra derecho (*ius*) derivaba de una raíz sánscrita que aludiría al verbo "ligar" o "unir", el *patrimonium* abarcaba el conjunto de poderes y deberes heredables por el *paterfamilias,* que era la cabeza legal del núcleo familiar. Sólo podían disponer del patrimonio los que no estaban sometidos a alguna autoridad. Con los años, la noción adoptó una clasificación en tiempos de Justiniano: *res in patrimonium* eran las cosas propias de una persona y *res extra patrimonium* eran las cosas patrimoniales que figuran fuera de los bienes personales.

La Iglesia cristiana fundó sus posesiones en el *patrimonium sancti petri,* es decir, en el santo patrimonio de Pedro. Hacia el siglo XIV esta palabra quedaría establecida; hoy sigue predominando su concepción como herencia o legado transmisible a nivel personal o colectivo que podría ser material o espiritual y que constituiría una parte ontológica inseparable que convoca y a la vez evoca una condición insoslayable. Hay una asociación de matriz entre el patrimonio y la noción de lo temporal en el sentido de una tradición de lo antiguo, lo sagrado y lo colectivo.

Cada grupo o nación ha intentando legitimar sus símbolos como forma de expresión reconocible, y los nombres recibidos por esos emblemas han sido numerosos. En el palacio de Nabucodonosor, por ejemplo, estaba el gabinete de "maravillas" procedentes de pueblos conquistados. En Pérgamo, los reyes atálidas se esmeraron en reunir colecciones artísticas sublimes. En el mundo antiguo, siete monumentos fueron declarados "maravillas":[20]

Cuadro 8
Maravillas del mundo antiguo

1. La Gran Pirámide de Giza.
2. Los Jardines Colgantes de Babilonia.
3. El Templo de Artemisa en Éfeso.
4. La Estatua de Zeus en Olimpia.
5. El Mausoleo de Halicarnaso.
6. El Coloso de Rodas.
7. El Faro de Alejandría.

La *Historia natural* de Plinio describió colecciones de prodigios creados por el hombre que deleitaron por igual a griegos y romanos, pero la fascinación se mantuvo en el tiempo y se convirtió en una constante que insistió en otorgar privilegios de denominación a ciertas obras que convocaban a grupos o a naciones. Pausanias, en su *Descripción de Grecia,* fue uno de los primeros autores en rescatar la noción de los "templos" nacionales y asociarlos con sus mitos e historias locales en Ática, Megara, Corinto, la Argólida, Egina, Lacedemonia, Mesenia, Élide y Olimpia, Acaya, Arcadia, Beocia, Fócide y Lócride. En algunos casos, se habló de "tesoros" (del latín *thesaurum*) como "tesoro histórico" o "tesoro cultural" para referirse a objetos irremplazables; se habló de "monumentos" (del latín *monumentum* y a la vez del griego *mnomeion,* que se traducía como "recordatorio") como una obra que debe hacer memoria de un acontecimiento considerado de gran relevancia; se habló de "joyas" que aludirían a las atracciones culturales y hasta de "riqueza" para advertir sobre el valor histórico. Todavía muchos pueblos se refieren a sus máximas expresiones culturales con estos apelativos.

A partir de la Segunda Guerra Mundial, un periodo de gran destrucción en el campo cultural, hubo un consenso para popularizar el término "bienes culturales", que recoge la noción de "bien" en el derecho civil. Para los romanos, el patrimonio consistía en *tangi possunt,* que son las cosas corporales, y *tangi no possunt* o cosas no corporales, y los bienes eran los activos y las deudas los pasivos. Se heredaba, de esta manera, un bien, pero también cualquier obligación pendiente. En el caso del "bien cultural", el instrumento jurídico que fijó su actual importancia fue elaborado entre el 21 de abril y el 15 de mayo de 1954 y se tituló *Convención para la protección de los bienes culturales en caso de conflicto armado.* Para la fecha de la publicación de este libro, no hay una distancia de cien años que nos permita valorar o enjuiciar con detalle este alcance jurídico en la humanidad.

La categoría de "bien cultural", que supone dar a un objeto el sentido de obra de arte digna de conservación y protección sin importar el régimen de propiedad pública o privada, fue claramente establecida en el artículo 1 de la convención al señalar que son:

a) Los bienes, muebles o inmuebles, que tengan una gran importancia para el patrimonio cultural de los pueblos, tales como los monumentos de arquitectura, de arte o de historia, religiosos o seculares, los campos arqueológicos, los grupos de construcciones que por su conjunto ofrezcan un gran interés histórico o artístico, las obras de arte, manuscritos, libros y otros objetos de interés histórico, artístico o arqueológico, así como las colecciones científicas y las colecciones importantes de libros, de archivos o de reproducciones de los bienes antes definidos;

b) Los edificios cuyo destino principal y efectivo sea conservar o exponer los bienes culturales muebles definidos en el apartado a) tales como los museos, las grandes bibliotecas, los depósitos de archivos, así como los refugios destinados a proteger en caso de conflicto armado los bienes culturales muebles definidos en el apartado a);

c) Los centros que comprendan un número considerable de bienes culturales definidos en los apartados a) y b), que se denominarán "centros monumentales".

La Convención de 1970, por su parte, fue bastante sensible al describir con detalle los bienes culturales que son objeto de robo y tráfico:

a) Las colecciones y ejemplares raros de zoología, botánica, mineralogía, anatomía, y los objetos de interés paleontológico;

b) Los bienes relacionados con la historia, con inclusión de la historia de las ciencias y de las técnicas, la historia militar y la historia social, así como con la vida de los dirigentes, pensadores, sabios y artistas nacionales y con los acontecimientos de importancia nacional;

c) El producto de las excavaciones (tanto autorizadas como clandestinas) o de los descubrimientos arqueológicos;

d) Los elementos procedentes de la desmembración de monumentos artísticos o históricos y de lugares de interés arqueológico;

e) Antigüedades que tengan más de cien años, tales como inscripciones, monedas y sellos grabados;

f) El material etnológico;

g) Los bienes de interés artístico tales como:

I. Cuadros, pinturas y dibujos hechos enteramente a mano sobre cualquier soporte y en cualquier material (con exclusión de los dibujos industriales y de los artículos manufacturados decorados a mano);

II. Producciones originales de arte estatuario y de escultura en cualquier material;

III. Grabados, estampas y litografías originales;

IV. Conjuntos y montajes artísticos originales en cualquier materia.

h) Manuscritos raros e incunables, libros, documentos y publicaciones antiguos de interés especial (histórico, artístico, científico, literario, etc.) sueltos o en colecciones;

i) Sellos de correo, sellos fiscales y análogos, sueltos o en colecciones;

j) Archivos, incluidos los fonográficos, fotográficos y cinematográficos;

k) Objetos de mobiliario que tengan más de cien años e instrumentos de música antiguos.

En el fondo, se reconoció que el patrimonio y sobre todo los bienes culturales son ante todo instituciones de la memoria colectiva. Una biblioteca es un depósito del saber, como puede serlo el cerebro de alguien. Un museo es lo mismo. Su destrucción o robo es por eso un verdadero atentado contra la dignidad que ofrece la identidad. El 16 de junio de 1976, se firmó la *Convención sobre defensa del patrimonio arqueológico, histórico y artístico de las naciones americanas,* con el propósito de reafirmar el compromiso de impedir que se borrara la memoria de los latinoamericanos, pero fue una utopía.

Se ha criticado con insistencia el carácter monumentalista del patrimonio, que ha sido atenuado por la existencia de nuevas propuestas, como la de "patrimonio cultural" y "patrimonio natural". La primera fue redactada en la Conferencia General de la Organización de las Naciones Unidas para la Educación, la Ciencia y la Cultura, en su 17ª reunión celebrada en París del 17 de octubre al 21 de noviembre de 1972. En pocas palabras, ofreció esta definición en su artículo primero:

A los efectos de la presente Convención se considerará "patrimonio cultural":

a) los monumentos: obras arquitectónicas, de escultura o de pinturas monumentales, elementos o estructuras de carácter arqueológico, inscripciones, cavernas y grupos de elementos, que tengan un valor universal excepcional desde el punto de vista de la historia, del arte o de la ciencia,

b) los conjuntos: grupos de construcciones, aisladas o reunidas, cuya arquitectura, unidad e integración en el paisaje les dé un valor universal excepcional desde el punto de vista de la historia, del arte o de la ciencia,

c) los lugares: obras del hombre u obras conjuntas del hombre y la naturaleza así como las zonas incluidos los lugares arqueológicos que tengan un valor universal excepcional desde el punto de vista histórico, estético, etnológico o antropológico.

Y sobre el patrimonio natural especificó en su artículo segundo:

a) los monumentos naturales constituidos por formaciones físicas y biológicas o por grupos de esas formaciones que tengan un valor universal excepcional desde el punto de vista estético o científico,

b) las formaciones geológicas y fisiográficas y las zonas estrictamente delimitadas que constituyan el hábitat de especies animal y vegetal amenazadas, que tengan un valor universal excepcional desde el punto de vista estético o científico,

c) los lugares naturales o las zonas naturales estrictamente delimitadas, que tengan un valor universal excepcional desde el punto de vista de la ciencia, de la conservación o de la belleza natural.

Hasta 2007, se incluyeron seiscientos cuarenta y cuatro patrimonios culturales mundiales, ciento sesenta y dos naturales y veinticuatro mixtos que conforman los ciento treinta y nueve Estados miembros de la UNESCO.

Dado que se han extendido los centros de estudio sobre el tema, hay discrepancias frecuentes sobre esta noción internacional, pero para efectos de este ensayo se ha llegado a la conclusión de que el patrimonio cultural, que es indisolublemente histórico, es todo aquello de condición material o inmaterial que tenga un valor de identidad para la cultura de las comunidades locales o internacionales y que sea considerado como un paradigma de estímulo social para el desarrollo espiritual. Hay que recordar que el patrimonio cultural existe en la medida en que lo cultural constituye el patrimonio más representativo de cada pueblo. En sí mismo, el patrimonio tiene capacidad para impulsar un sentimiento de afirmación y pertenencia, puede afianzar o estimular la conciencia de identidad de los pueblos en su territorio y permite resguardar acciones culturales propicias a la integración.

Puede ser patrimonio, como sucede en Venezuela, la casa donde vivió un deportista de larga trayectoria que fue un modelo colectivo; o puede ser patrimonio un asentamiento como Machu Picchu, declarado en 2007 entre las nuevas maravillas del mundo. Durante la Conferencia Mundial sobre Política Cultural celebrada en México en 1982, se puso de manifiesto que el patrimonio cultural se extiende "a las obras de sus artistas y arquitectos, de sus músicos, de sus escritores, de sus sabios y también a las creaciones anónimas surgidas del alma popular y al conjunto de valores que dan un sentido a la vida; comprende las obras materiales e inmateriales que manifiestan la creatividad de ese pueblo, lenguas, ritos, creencias, lugares y monumentos históricos, literatura, obras de arte, archivos y bibliotecas". La tendencia predominante ahora es descertificar las restricciones y utilizar un concepto más amplio, más plural, menos elitesco, más antropológico, más comunitario y más tolerante con los cambios en el mundo.

En 1992, dentro de la reorientación, se adoptó el término "paisajes culturales" para destacar los paisajes creados, formados y preservados por los lazos entre el hombre y su entorno. Una muestra de esto podría ser el parque Uluru- Kata Tjuta en Australia central.

En 1995, se reunieron en Roma decenas de expertos que redactaron la Convención de UNIDROT, dedicada a proporcionar un marco legal al retorno internacional de bienes culturales robados o exportados, que ya habían sido especificados en 1970 en el documento *Convención sobre las medidas que deben adoptarse para prohibir e impedir la importación, la exportación y la transferencia de propiedad ilícitas de bienes culturales*. Las dos convenciones fueron fundamentales porque suministraron una poderosa herramienta para intentar disminuir el saqueo de bienes culturales que tanto daño ha causado a la memoria colectiva de pueblos enteros. Un antecedente de esta iniciativa fue el Pacto Roerich, donde Estados Unidos se comprometió falsamente con algunos países latinoamericanos a no permitir el saqueo.

MEMORIA INDIVIDUAL Y SOCIAL

Desde la esfera estrictamente científica, la memoria casi siempre ha sido considerada como una facultad que permite almacenar y recordar datos. Según la definición de Jacques Le Goff, es "la capacidad de conservar determinadas informaciones, y remite ante todo a un complejo de funciones psíquicas, con el auxilio de las cuales el hombre está en condiciones de actualizar impresiones o informaciones pasadas que él se imagina como pasadas".[21] No parece existir un modo de restringir la memoria; llamamos memoria a todos los sistemas cerebrales, conductuales y cognitivos que interactúan en los procesos de gestión de información de las personas. En todo caso, el cerebro es el eje alrededor del cual funciona ese sistema.

A saber, el cerebro cuenta con ciento cincuenta mil millones de neuronas concentradas en apenas trescientos centímetros cúbicos. La transmisión de la información se lleva a cabo mediante unas conexiones conocidas como sinapsis y, al parecer, es posible que un hombre almacene catorce billones de bits (la abreviatura para *binary digits*), una cifra asombrosa. La memoria sería implícita, cuando hay recuerdos obtenidos por la imitación como el andar o el hablar, o explícita, cuando los recuerdos proceden del aprendizaje de una disciplina o técnica. La función de la memoria consistiría en proporcionar la información necesaria en cualquier situación posible, esto es, activar una base de datos conductual básica o especializada que contenga el repertorio de respuestas a los problemas que plantea la supervivencia, entre los que sobresale un esquema jerárquico de identidad.

Se reconocen distintos niveles de organización en la memoria condicionados por la evolución humana. La memoria episódica, de naturaleza autonoética y explícita, recopilaría las experiencias personales, y se considera que tendría relación con el córtex prefrontal izquierdo o derecho, el lóbulo temporal medio y el diéncefalo. La memoria procedimental sería anoética, capaz de referir subsistemas como la habilidad motora o cognitiva, los hábitos, el condicionamiento simple y el aprendizaje no asociativo, y los experimentos han revelado que podría operar en el córtex en los ganglios basales, en el córtex prefrontal, en el núcleo caudado, en el cerebelo y en la amígdala para las respuestas emocionales. La memoria semántica, noética, se concentraría en los hechos y los conocimientos, y estaría ligada al córtex prefrontal izquierdo, al lóbulo temporal medio y al diéncefalo. La memoria operativa, con incidencia en la audición y visión, funcionaría en los lóbulos frontales, el córtex parietal, área de Broca, áreas motoras y premotoras del hemisferio izquierdo y el córtex parieto-occipital derecho.[22] Asimismo existiría una memoria a largo y a corto plazo y se sospecha que todos los datos llegan finalmente al sistema límbico, donde la amígdala contribuye a la transmisión y el hipocampo conforma la valoración emocional, por lo que ha sido llamado el sistema operativo de la memoria. Asimismo, el lóbulo prefrontal sería decisivo, dado que sería el activador de los recuerdos.

Es obvio que la memoria sería la que proporciona una personalidad particular porque concede la estabilidad de los datos que se poseen. Sin memoria, sería imposible razonar, saber quién es uno o qué es lo que se hace. Tampoco se retendrían palabras. Para Thomas de Quincey, el cerebro del hombre es un palimpsesto, donde una escritura se superpone sobre otra, de modo tal que sólo la memoria exhuma cada impresión momentánea, sin importar el carácter efímero de lo recordado.[23] Es importante advertir que el psicólogo inglés Frederic Bartlett descubrió que la memoria es esencialmente reconstructiva.[24] Sin marcos específicos, valora contenidos generales que pueden armarse como patrones de reconocimiento. No es una función unilateral sino híbrida. Hoy se reconoce que la memoria es evocativa, pero sobre todo determinante en la configuración de la identidad personal.

Desde otra perspectiva, este modelo neurológico y psicológico descrito corresponde a lo que hoy se conoce como "modelo archivo" de la memoria, y ha recibido decenas de críticas porque los sociólogos, antropólogos y etnólogos han señalado que la identidad individual no puede soslayar la influencia que tiene el contexto social en la construcción de la experiencia.

Maurice Halbwachs, por decir, sostenía que la memoria individual se produce socialmente dado que los individuos reconstruyen sus recuerdos al colectar recuerdos de otros. Así se configura lo que podríamos llamar la memoria social.[25] En el entramado de la socialización, se fijan cuáles son las experiencias que deben ser recordadas y cuáles no. La identidad como hecho social formaría una autoconciencia de pertenencia a un sistema que excluye o incluye.

Hay una vertiente sociológica moderna que separa esta memoria social del concepto de *historia,* siendo ambos formas para comprender el pasado, en el presente. La historia se asocia frecuentemente con el Estado y con las crónicas oficiales de la academia. La memoria, en cambio, es más individual, o más propia de un grupo. La historia ha sido acusada de poner en duda la memoria, de suprimirla en ocasiones y de suprimirla. La memoria, en este caso, fortalece un aspecto determinante de nuestro tiempo: el testimonio.

En las sociedades primitivas encontramos una memoria étnica, una etnomemoria, como la denominó André Leroi-Gourhan,[26] que fomentaba el miedo al olvido y el descubrimiento de la memoria. Ante todo, el principal punto de referencia era un conjunto de mitos fundacionales y experiencias dotadas de una poderosa carga de supervivencia. Con miras a dar continuidad a los mitos, se elaboraron rituales que fijaban los cánones de organización con miras a la reactualización permanente de las creencias principales del grupo. En esencia, predomina la conmemoración y la rememoración de acontecimientos en el inicio del mundo. El mito, en ese sentido, era sagrado mientras se repitiera con fidelidad porque cualquier improvisación o error resultaba fatal. Según Mircea Eliade, en el ritual "la memoria personal no entra en juego: lo que cuenta es rememorar el acontecimiento mítico, el único digno de interés, porque es el único creador".[27]

Entre los yaruro, tribu presente en Venezuela, todo "recuerdo" es equivalente a "vida". La palabra para recuerdo es *horenta* y su significado esencial es "estar en casa" (ho: "casa", -re (-rëpe) sufijo que se aglutina para significar "en" o "hacia" y -ta: sufijo que se añade a un nombre para significar un estado). Puede traducirse como "Que vuelva o que esté en su casa". Esto es lo que se espera del *pumethó* (esencia vital) al final del *Tôhé,* en otras palabras que la esencia vital esté normalmente en su *ikhará* (cuerpo). En realidad todo viaje del *pumethó* por las tierras míticas durante el sueño, la enfermedad o el canto evoca la muerte, aquella que se produciría si el *pumethó* se quedara para siempre en la dimensión mítica y no regresara. Pero ¿qué es lo que se recuerda? Sobre todo, como sugieren las palabras de los chamanes, la comunicación entre los hombres y el mundo mítico. Esta constatación permite incidir de nuevo en la interrelación entre la dimensión humana y la dimensión cosmológica. Una interacción esencial para la construcción de la praxis social y que conforma lo que podemos denominar la conciencia histórica o la experiencia de la historia.

Es un hecho que la memoria y la identidad son ahora de mayor relevancia por razones que conviene mencionar. La primera es de índole económica, debido a que en este nivel el ciudadano sufre una alienación violenta que se traduce en la búsqueda de polos identificatorios que salvaguarden sus valores. La segunda es la aparición de culturas hegemónicas, cuyo poder de seducción y a la vez de imposición contribuye a la revitalización de las identidades y la cultura autóctonas. Es el caso del mundo árabe, donde la presión de Estados Unidos y un pequeño grupo de naciones por occidentalizarlos ha tenido como respuesta un resurgimiento del Islam, que es el que brinda el marco de la identidad y constituye la coraza religiosa de protección. Según Bordieu y Loïc Wacquant, "por primera vez en la historia, un solo país se encuentra en disposición de imponer su punto de vista sobre el mundo al mundo entero".[28]

En otro sentido, la memoria social tiene numerosas tecnologías de imposición que favorecen el proceso del recuerdo y son las variadas prácticas culturales y políticas que hacen posible la resignificación del pasado y del presente. Estas prácticas se llevan a cabo a través de tecnologías tales como objetos, imágenes, y representaciones como narrativas orales y escritas, lugares físicos, ceremonias y también en la arquitectura.

Cuadro 9
Formatos de la memoria

Registro dominante	Soporte alianzas	Actores	Efectos	Institución
Sonosfera	Murmullo, canto rítmico, voz. Cuerpo + sonido	Horda, tribu	"psiquis colectiva exterior" -efecto invernadero emocional	Difuminada en el cuerpo del grupo- Tierra como memoria recorrida
Litosfera	Piedra Hueso + piedra	Tribu, etnia	Memoria antepasados	Tumbas- Rituales funerarios
Iconosfera	Piedra, pigmentos	Etnia	Memoria simbólica- Arte	Artesano- artista
Logosfera	Voz+razón	Filosofía, *polis*	Linealidad Temporal, Psiquis interior, Individualizada	Filósofo- intelectual
Grafosfera	Escritura, Pergamino, papiro, papel, Imprenta, Ciudad moderna	Texto Nación- Comunidades saber expertas	Registro homogéneo- Alfabetización cultura, Historia. Hipermnesia- irrelevancia	Escribas, bibliotecas archivos- Museos, Patrimonio
Mediasfera	Medios masivos electrónicos de comunicación e información- Metrópolis Pantalla interface, Tramas. Estéticas, Simultaneidad	Hipertexto Público- Multitud- Inteligencia colectiva	Democratización, Desterritorialización, Vector, velocidad *Patchwork: Network,* Urbanidades estéticas	Invención colectiva
Cosmopedia	Kinomapas	Cartografías sensibles		

Fuente: Debray, Régis, *Introducción a la mediología*, Barcelona, Paidós, 2001.

La aparición de la escritura, por decir, supuso una transformación completa en la memoria de muchos pueblos. Regis Debray, que clasificaba la historia en una primera fase de logosfera y una última fase de videosfera, creía que la grafosfera correspondía a uno de los núcleos de la ontología humana.[29]

De todas las actividades que distinguen la cultura, la escritura es una de las más importantes porque es una herramienta inigualable de organización social y de reafirmación. Como lo confirma la propia raíz etimológica indoeuropea *skribh,* la escritura es "corte, separación, distinción". En general, todas las especies poseen sistemas de comunicación, vocales, químicos, gestuales u olfativos; el hombre, en cambio, ha logrado representar con el lenguaje sus procesos mentales más complejos y, de alguna manera, convertir los sonidos y gestos en diversos signos visibles abstractos y convencionales que garantizan la preservación de sus tradiciones.

De la escritura se llegó pronto a la necesidad de un soporte que fue el libro. Borges ha dicho: "De los diversos instrumentos del hombre, el más asombroso es, sin duda, el libro. Los demás son extensiones de su cuerpo. El microscopio, el telescopio, son extensiones de su vista; el teléfono es extensión de su voz; luego tenemos el arado y la espada, extensiones de su brazo. Pero el libro es otra cosa: el libro es una extensión de la memoria y de la imaginación".[30]

El libro es el que le da volumen a la memoria humana. El libro, pese a su connotación portátil, objetiva la memoria: es una unidad racional que representa por medios audiovisuales, impresos o electrónicos una voluntad mnemónica y lingüística. En el paso revolucionario de la oralidad a la escritura, y sobre todo en ese proceso significativo donde triunfa el libro como objeto de culto, lo que realmente se impone es un modelo más seguro de permanencia que codifica la sensibilidad y la traduce en estados uniformes y legítimos. El libro resulta, así, una propuesta que pretende configurar todo como razón y no como caos. La idea de que el libro es algo más que una estructura física que soporta la memoria colectiva o individual ha prodigado algunas metáforas poderosas, cuyo orden puede resultar inaudito. Procedo a mencionarlas: a) El libro como talismán. San Juan Crisóstomo ha contado, por ejemplo, que en el siglo IV, en Antioquía, la gente se colocaba en el cuello un códice para evitar ser víctima de los poderes del mal. b) El libro de la vida: es la creencia en un libro divino donde están escritos todos los nombres de los que habrán de salvarse en el juicio final, como lo testimoniaba San Juan. c) El libro como naturaleza. Plotino hablaba de las estrellas como si fueran letras eternamente escritas en el cielo. d) El libro del mundo, que hace del universo un cosmos bibliográfico. e) El mundo existe sólo para ser un libro, según la creencia del poeta Stéphane Mallarmé. f) El libro como hombre, como lo proponía Walt Whitman, en su poema "Adiós". g) El libro como sueño compartido. Cada una de estas metáforas, gestadas por generaciones de hombres que han entendido que sólo a través de la palabra se ha logrado tener un alma que persiste, asume una visión donde el hombre y el libro no pueden separarse.

La escritura demandó también el nacimiento de nuevas instituciones que fueron los archivos y bibliotecas. La ventaja de estos centros es evidente: la memoria individual que suponía el sabio de la tribu o el clan pasó a ser una memoria colectiva, es decir, un lugar y no un hombre. La memoria colectiva ocupaba un lugar sagrado, porque estaba generalmente el templo, que era la casa de los dioses.

El libro viene a ser para muchas sociedades, además de un monumento mnemónico, una manifestación divina de un espíritu superior, como lo pone en evidencia que los hebreos crearon en las sinagogas una habitación llamada Geniza, a partir de una palabra cuya raíz es "ocultar", para almacenar los manuscritos o ejemplares con versículos o textos sagrados. Horrorizados por la posibilidad de su destrucción, llegaron a concebir un espacio fantástico en la historia del mundo para enterrar los libros, y uno de estos lugares importantes fue la Geniza de El Cairo, que contenía miles de escritos en el alfabeto hebreo. En 56 túneles de las montañas Chiltan en la comunidad de Quetta, en Paquistán, un grupo de sirvientes se desvive hoy por custodiar un cementerio con 70 000 bolsas que resguardan ejemplares dañados del Corán. Estos depósitos son llamados Jabal-E-Noor-Ul-Quran.

CAPÍTULO II

La identidad cultural

No hay identidad en sí, ni siquiera únicamente para sí.
La identidad es siempre una relación con el otro.

DENYS CUCHE, *La noción de cultura en las ciencias sociales*

LOS FILÓSOFOS Y LA IDENTIDAD

Quienes se interesan por la memoria no pueden perder de vista el tema de la identidad, acaso por la razón no siempre clara de que lo real se asimila siempre con lo idéntico y además por el vértigo de la multiplicidad que sólo puede ser explicada a partir de la unidad. Desde la antigüedad, se ha manifestado que la unidad es objeto de saber y concepto; la pluralidad es objeto de opinión o sensación.

En la historia de la filosofía, la identidad ha sido abordada con atención creciente. En el primer paso, se propuso el principio ontológico, que consiste en afirmar que toda cosa es igual a ella misma (A = A), lo que en latín se anunciaba como *ens est ens.* El segundo paso fue el principio lógico, en el que se estableció una tautología en proposiciones como "si *x,* entonces *x*". En un tercer paso, el principio psicológico de identidad supuso la imposibilidad de pensar que un ente no es idéntico a sí mismo.

El debate filosófico fue intenso desde el siglo VI a.C., fecha en la que se divulgó el tratado *Sobre la naturaleza,* de Parménides, quien manifestaba que es lo mismo pensar y ser; no creía que pudiera ser lo que no puede ser pensado ni pudiera ser pensado lo que no es. Este curioso razonamiento (una suerte de guillotina ontológica) representó un cambio

295

fascinante: había comenzado la tradición de dotar a la realidad de identidad o unidad. Heráclito de Éfeso, en su escrito *Sobre la naturaleza* (título coincidente con otros muchos textos del siglo VI a.C.), propugnó una identidad con la totalidad: "de cada cosa la unidad, y unidad son todas las cosas".[31] Además, postuló que lo único estable es el cambio: "todo fluye". Aristóteles aprovechó en su obra *Analíticos primeros* (45a 24) la existencia de la palabra griega *tautón* ("lo mismo") para realizar una sustantivación morfológica que dio nacimiento al término *tautóteta,* que se traduciría como "identidad". Entre los diversos significados de lo que es idéntico, Aristóteles reconoció tres posibilidades en los *Tópicos* (103a 7-35): identidad por el número, por la especie o por el género. En *Metafísica* (1018a 7-10) expuso que "es claro que la identidad es cierta unidad, o bien del ser de varios o bien cuando se toman como varios, por ejemplo cuando se dice que una cosa es idéntica a sí misma, pues entonces se toma una cosa como dos".

En el bajo latín, la presión académica de la escuela aristotélica formó el término identidad a partir de *ídem* ("mismo"), un pronombre demostrativo, y *ens* (ser), con lo que *identitas* vino a traducirse como "el mismo ser". Según Ernout-Meillet, en su *Dictionnaire Etymologique de la langue latine*, la base de *ídem* provino de *is,* el cual se combinó con el enfático *dem,* y de este modo en su raíz se tradujo como "este mismo". Al igual que "entidad" se configuró desde *ens,* "identidad" es el resultado de una necesidad de origen filosófico, y todavía refleja las ambigüedades que palpitan entre la lógica y las pasiones.

La transición de la identidad debe una revalidación a Tomás de Aquino, quien afirmó *identitas est unitas* ("la identidad es la unidad") en sus *Lecciones de metafísica* (XI, núm. 912). Con René Descartes se inaugura un periodo de subjetividad que explora la idea medieval de que el alma era el principio de la identidad y su pensamiento se resume en una frase inolvidable que reproduce su convicción más íntima en su *Discurso del método*: "Pienso, luego existo". Esta idea de ser *res cogitans* (una cosa que piensa) supuso un escándalo al postular el dualismo alma y cuerpo.

No obstante, la más importante reflexión sobre el tema se debe, sin duda, a John Locke, cuyo influyente *Ensayo sobre el entendimiento humano* de 1690 esbozó la teoría de la identidad como unidad de conciencia y sostuvo que la identidad personal era un axioma para fundar el derecho y la justicia. Asimismo dijo que

[...] cuando vemos una cosa en un lugar determinado, durante un instante de tiempo, tenemos la certeza, sea la cosa que fuere, de que es la misma cosa que vemos, y no otra, que al mismo tiempo exista en otro lugar, por más semejante e indistinguible que pueda ser en todos los demás aspectos. En esto precisamente consiste la identidad (...) Porque, como jamás encontramos, ni podemos concebir como posible, que dos cosas que sean de la misma especie existan en el mismo lugar y al mismo tiempo, concluimos, de manera acertada, que cualquier cosa que exista en un lugar cualquiera y en un tiempo cualquiera excluye todo lo que sea de su misma especie (...) De donde se infiere que una cosa no puede tener dos puntos de partida de existencia, ni dos cosas solas un solo punto de partida, ya que resulta imposible que dos cosas de la misma especie sean o existan en el mismo instante y en el mismo lugar, o que una cosa y la misma sea o exista en lugares diferentes. Por lo tanto, lo que tiene un mismo comienzo en relación a un tiempo y lugar determinados, es una misma cosa; y lo que tuvo un principio diferente en lugar y tiempo, no es una misma cosa, sino diversa.[32]

David Hume pensaba que la identidad era una propuesta metafísica indemostrable. En su *Tratado de la naturaleza humana* de 1739 se dedicó a atacar esa "idea precisa que tenemos de un objeto que permanece invariable y continuo a lo largo de una supuesta variación de tiempo".[33] En síntesis, Hume reclamó que la memoria justificaba la noción de causalidad, la convicción de que las causas y efectos eran la base de la identidad personal; también advirtió que la memoria se limitaba a descubrir esa identidad mediante la relación de percepciones pasadas y presentes. El filósofo escocés creía que el olvido de la mayoría de los hechos vividos por una persona impedía afirmar que el "yo" se mantenía idéntico. La crítica de Immanuel Kant a Hume supuso, por lo pronto, que sólo la conciencia de un "yo" invariable y constante podía dar cuenta de la posibilidad de un "yo" con variaciones e inconstancias.[34] De alguna forma, queda claro que sin memoria tampoco sería factible concebir una descripción de la identidad como la de Hume: ¿cómo saber que la identidad es una falacia sin dar identidad al flujo de representaciones de la consciencia? ¿cómo sospechar que no hay identidad sin la existencia de un "yo" que lo piense?

En 1914, José Ortega y Gasset publicó *Meditaciones del Quijote*, obra primordial en la apertura del concepto de identidad con su declaración tácita:"yo soy yo y mi circunstancia". En esta visión la identidad es la tensión entre el "yo" de cada cual y lo otro, que viene a ser la periferia: lejos de la tesis de Descartes de que se piensa y luego se existe, Ortega invirtió esa relación al destacar que se existe y por eso se piensa. Xavier Zubiri, uno de los grandes filósofos del siglo XX, separó la noción de identidad de la de "mismidad", lo que significa que se puede ser siempre el mismo, pero nunca lo mismo.[35]

Afiliado a una tradición clásica, Martin Heidegger publicó en 1927 su obra *Ser y tiempo*, en la que defendió la idea del olvido del ser en la filosofía occidental y se refirió al "abismo ontológico de la identidad del yo que se mantiene en medio de la multiplicidad de las vivencias".[36] Para Emmanuel Lévinas, no hay identidad sin la exterioridad que supone, como lo dijo en *Totalidad e infinito* de 1961, la condición del Otro; sin el reconocimiento del Otro es imposible una verdadera identidad y esto exige un compromiso interior de amplias miras: "la identidad del individuo no consiste en ser parecido a sí mismo y en dejarse identificar desde fuera por el índice que lo señala sino en ser el mismo —ser en sí mismo—, en identificarse desde el interior".[37]

IDENTIDAD PSICOLÓGICA Y SOCIAL

En el psicoanálisis, la identidad ha sido uno de los aspectos más controversiales. Sigmund Freud creía que el "yo" era una instancia que confería unidad al aparato psíquico, entre lo consciente y lo inconsciente; a su vez utilizó el término "ello" para referirse a la sede de las pulsiones o instintos de muerte y las sexuales, origen de toda actividad humana. La identidad psicoanalítica freudiana sería, por una parte, el resultado del desenlace de la identificación temprana con la madre y el deseo de suprimir al padre como obstáculo en esa relación; por otra parte, en el sentido cultural sería ante todo represión, pues Freud en *El malestar en la cultura* de 1930 dejó en evidencia que los marcos de identidad cultural frustran los deseos de los instintos.[38] El éxito o fracaso de ese intento constituiría la base de la personalidad individual o colectiva.

Erik Erikson, profesor de desarrollo humano en Harvard, pensaba que identidad era "un sentirse vivo y activo, ser uno mismo, la tensión activa y confiada y vigorizante de sostener lo que me es propio; es una afirmación que manifiesta una unidad de identidad personal y cultural".[39] Este psicólogo especulaba que la identidad podía estudiarse estructuralmente, como reorganización de identificaciones con hechos pasados; también dijo que podía analizarse socialmente, como asimilación e integración de expectativas sociales; y el último aspecto era la identidad como fenómeno, lo que ocurre con el sentido de unidad e individualidad.

Los grados de la identidad, que aquí se han repasado someramente, son ascendentes y recíprocos: de lo individual a lo social y viceversa. Karl Marx, uno de los diez hombres más influyentes de la historia, escribió en las *Tesis sobre Feuerbach* que "la esencia humana no es algo abstracto inherente a cada individuo. Es, en realidad, el conjunto de las relaciones sociales".[40] En cierto modo, la conciencia de clase descrita por el marxismo actuaría como eslabón de identidad social para combatir la identidad constituida por la producción y justificada inconscientemente por medio de la ideología. En la superestructura (*Superestruktur*) de la sociedad, los pilares ideológicos están conformados por la ciencia, el arte, la política e incluso la cultura. Para Marx, "el total de lo que se llama historia del mundo no es más que la creación del hombre por el trabajo humano y el surgimiento de la naturaleza para el hombre, este tiene, pues, la prueba evidente e irrefutable de su autocreación, de sus propios orígenes".[41] Los sujetos y sus relaciones, en el capitalismo, se transforman en objetos intercambiables y desechables.

En el marxismo, la *Verdinglichung* o reificación correspondería justo a la alienación causada por la transformación del valor de seres que pierden su comportamiento humano para convertirse en cosas: un ejemplo sería el del valor del trabajo transformado en una mercancía. La Escuela de Frankfurt, en particular Theodor Adorno, impulsó la profundización en este punto. Sobre ideología, Louis Althusser hizo una lista de las instituciones dedicadas a propagar la ideología en una sociedad:

Designamos con el nombre de aparatos ideológicos de Estado cierto número de realidades que se presentan al observador inmediato bajo la forma de instituciones distintas y especializadas. Proponemos una lista empírica de ellas, que exigirá naturalmente que sea examinada en detalle, puesta a prueba, rectificada y reordenada. Con todas las reservas que implica esta exigencia podemos por el momento considerar como Aparatos ideológicos de Estado las instituciones siguientes (el orden en el cual los enumeramos no tiene significación especial): AIE religiosos (el sistema de las distintas iglesias); AIE escolar (el sistema de las distintas "Escuelas", públicas y privadas), AIE familiar. AIE jurídico ("Derecho" pertenece la vez al aparato (represivo) del Estado y al sistema de los AIE. AIE político (el sistema político del cual forman parte los distintos partidos). AIE sindical, AIE de información (prensa, radio, TV, etc.,), AIE cultural (literatura, artes, deportes, etc).[42]

Como puede verse, la cultura no es inocente.

El psicólogo George H. Mead sostenía que una sociedad era un sistema de individuos con actividades diferenciadas, se refirió al *self* o identidad como aquello que no es preexistente a lo social sino contingente y simultáneo. Una de sus ideas consistía en señalar que "el organismo individual adopta las actitudes organizadas de los otros, provocadas por la actitud de él, en la forma de los gestos de las mismas, y al reaccionar a esa reacción provoca otras actitudes organizadas en los otros de la comunidad a la cual pertenece el individuo".[43]

En un contexto social, la identidad consiste en los rasgos que hacen que las personas pertenecientes a un grupo humano puedan ser asemejadas, pero también es el conjunto de valores o de representaciones simbólicas que permiten que un individuo o grupo se sienta identificado con un proyecto colectivo. Los recuerdos compartidos suelen ser aglutinantes y son la base de las memorias que permiten hablar de una historia común. Algunos creen que la identidad sería un sentido innato provisto por el fenotipo; nadie podría no tener una identidad, así como nadie carece de ADN.

La identidad, por tanto, se construye sobre estratos simultáneos y nunca estáticos de sentido de pertenencia, abstracción categorial (espacial-territorial, conductual, temporal, reconocimiento cognitivo simbólico común) y dinamismo jerárquico. La integración de estos componentes, que no suele ser rápida en el acontecer histórico, constituye la base estable de comportamientos de reacción, reflexión o acción que producen significados, formatos y pautas de gestión social. Según Stuart Hall, "deberíamos pensar la identidad como una 'producción', la cual nunca se completa, está en constante proceso y se constituye dentro y, no por fuera de la representación (...); ella es siempre, como la subjetividad misma, un proceso, La identidad está en continuo proceso de formación (...) la identidad significa, o connota, el proceso de identificación".[44]

La identidad social se construiría en oposición o filiación directa de un grupo entre sí o con otro, y por tanto sería una condición relacional como la que comentó Fredrik Barth destinada al intercambio e interpretación de la distinción cultural.[45] De cierta forma, una identidad sería realmente heteroidentidad, pues en la práctica los valores se asumirían por compromiso propio negativo o positivo o por atribución de otros. La identidad es asimismo un acto sustitutivo en el que la vinculación materna es reemplazada por categorías proteccionistas: clan o grupo, Estado, Iglesia, Nación.

El Estado, entre muchos, se reserva ahora el monopolio de otorgar y gestionar la identidad; la libertad individual ya no dispone de elementos de modificación y los documentos que legitiman su existencia son cada vez más rígidos y controlables. En hebreo, la palabra identidad es *zehut* y puede aplicarse a la condición de la memoria de *iheudit* (judío) o la información del carnet de identidad (*Teudat zehut*). En España, el "documento personal" se transformó en DNI (Documento Nacional de Identidad). El sentimiento de identidad, por lo demás, se ha tornado conformista con los valores de aceptación: pocos cuestionan el poder del Estado para dar una identidad númerica y social a cada individuo.

Dado que lo real es ante todo representación, Pierre Bordieu pensaba que el poder confería a los grupos el monopolio de las categorías de identidad:

La investigación de los criterios "objetivos" de la identidad regional o étnica no debe hacer olvidar, que en la práctica social estos criterios (por ejemplo la lengua, el dialecto o el acento) son el objeto de representaciones mentales, es decir de actos de percepción y de apreciación, de conocimiento y de reconocimiento, donde los agentes envisten sus intereses y sus presupuestos, y de representaciones objetales, en cosas (emblemas, banderas, insignias, etc.) o actos, estrategias interesadas de manipulación simbólica, que pretenden determinar la representación (mental), que los otros pueden hacerse de estas propiedades y de sus portadores. Dicho de otra manera, los rasgos que reseñan los etnólogos o los sociólogos objetivistas, desde que son percibidos y apreciados como lo son en la práctica, funcionan como signos, emblemas o estigmas. Porque así es y porque no hay sujeto social que lo pueda ignorar prácticamente, las propiedades (objetivamente) simbólicas, aun tratándose de las más negativas, pueden ser utilizadas estratégicamente en función de intereses materiales pero también simbólicos de su portador.[46]

Una buena manera de saber lo que se es procede de saber lo que no se es, y se es lo que la memoria determina. La identidad, por tanto, es incluyente, pero también excluyente. Algunos antropólogos creen que una marca humana universal consiste en que todos los seres humanos dividen el mundo en "nosotros" y "ellos". El historiador E. Hobsbawm alertaba que "los sentimientos que hacen que grupos de 'nosotros' nos demos a nosotros mismos una identidad étnica-lingüística frente a los extranjeros y amenazadores 'ellos' no puede negarse".[47] Ese "nosotros" es, por supuesto, excluyente. Para los griegos, todos los que no fuesen griegos eran "bárbaros". Una tribu de Venezuela divide el mundo en *yanomamis* (seres humanos), que es como se denomina el grupo, y *nabe* (enemigo o extranjero) para el resto. Los musulmanes dividen el mundo en *Dar al-Islam,* que significa "morada del Islam", y *Dar al-harb,* que es "morada de la guerra".

Es interesante observar que la identidad cultural depende de la continuidad del entorno y su aislamiento quiebra estos eslabones de tal manera que la identidad sufre un shock emocional de ruptura y desmán brutal. Cuanto mayor es el aislamiento de la identidad de sus nexos es mayor la posibilidad de penetración, y por ello casi siempre se insiste en la privación de estímulos mnemónicos que sacudan el anhelo de resistencia. Un pueblo sin memoria, en cierto sentido, es como un hombre amnésico: no sabe lo que es ni lo que hace y es presa fortuita de quien lo rodee. Puede ser manipulado.

Otro dato interesante es que la identidad de los grupos es multidimensional: no unidimensional. Me refiero con esto a que alguien nacido en Caracas puede definirse como caraqueño, venezolano, evangélico, cristiano, y latinoamericano. El primer extremo es el municipio o la ciudad, y el último es la civilización, que vendría a ser el plano de identificación más amplio. Ahora bien, la pregunta por la identidad es menos problemática cuando se refiere a la pregunta por la identificación religiosa y la identificación ideológica, pero es compleja cuando se refiere a la identificación estrictamente cultural.

IDENTIDAD LATINOAMERICANA

¿Qué es lo verdaderamente latinoamericano? Esta pregunta confundía ya a Simón Bolívar, y su testimonio de dudas lo expresó en la llamada *Carta de Jamaica* de 1815:

> Nosotros somos un pequeño género humano; poseemos un mundo aparte, cercado por dilatados mares; nuevos en casi todas las artes y ciencias, aunque en cierto modo viejos en los usos de la sociedad civil. Yo considero el estado actual de América, como cuando desplomado el imperio romano cada desmembración formó un sistema político, conforme a sus intereses y situación, o siguiendo la ambición particular de algunos jefes, familias o corporaciones, con esta notable diferencia, que aquellos miembros dispersos volvían a restablecer sus antiguas naciones con las alteraciones que exigían las cosas o los sucesos; mas nosotros, que apenas conservamos vestigios de lo que en otro tiempo fue, y que por otra parte no somos indios, ni europeos, sino una especie mezcla entre los legítimos propietarios del país y los usurpadores españoles; en suma, siendo nosotros americanos por nacimiento, y nuestros derechos los de Europa, tenemos que disputar a éstos a los del país, y que mantenernos en él contra la invasión de los invasores; así nos hallemos en el caso más extraordinario y complicado.[48]

La sensación inexpugnable y reafirmante de fracaso ante el enigma de la identidad cultural de América Latina fue considerado a partir de categorías como raza y nación en el siglo XIX, por decir, y conviene señalar que desde entonces no ha habido método, teoría, hipótesis o conjetura que no se haya presentado como solución al problema. No se ha insistido lo suficiente en que el problema mismo es toda la solución que nos corresponde. La nostalgia exacerbada por la identidad es un fenómeno humano bastante extraño; no es un instinto, pero es un mecanismo que hace de la cultura un instrumento problemático de autopreservación. Sin la singularidad inquisitiva que otorga la identidad, no hay lealtad ni compromiso cultural.

Los pueblos de América Latina, sin excepción, han reafirmado una identidad emergente subsidiaria, pero para comprender el poder que ha tenido la rememoración como marco de acción colectiva, no se ha considerado realmente que, sin memoria, la identidad es una ilusión. Somos lo que somos por lo que recordamos que somos, pero recordamos también por lo que somos. Híbridos, mestizos, heterogéneos: estas propuestas conciernen primero no a los fenómenos inmediatos, sino al registro total de la memoria.

Pregunto de nuevo: ¿Cuál es la identidad de América Latina? Y respondo: Lo que dice su memoria, no lo que prueban sus olvidos.

Hay una memoria genética que fundamenta los orígenes biológicos y seis memorias culturales sustantivas que operan para conjugar esta multiidentidad: 1) Una memoria conflictiva común gestada en la relación de conquista, expolio, esclavitud y genocidio antiguo y contemporáneo. 2) Una memoria indígena geomítica y ecológica. 3) Una memoria africana de transfiguración rítmica. 4) Una memoria hegemónica occidental: sistema religioso, sistema económico, sistema filosófico-ético, con tendencia ecocida. 5) Una memoria periférica de salvación y resistencia, que justifica cíclicamente la rebelión permanente y la revolución. 6) Una memoria negada del olvido, en la que se reprime la existencia de dolor por un pasado traumático. La multiidentidad latinoamericana ha consistido, como lo supo comprender Rodolfo Kusch al apreciar la cultura quechua,[49] en una memoria de "estar o no estar" más que de "ser o no ser": una dialéctica en la que la identidad actual se adquirió por memoricidio e implantación.

En el caso latinoamericano, se trata de una identidad fractal: un algoritmo social que se autorrefiere, pero con dimensiones que repiten la estructura inicial de violencia. Como ha escrito Raúl Dorra: "La América ibérica aprendió a preocuparse por su identidad y siguiendo la vía de esa preocupación aprendió el temor a la dependencia cultural. Por lo tanto, responder al problema —o al reto— de la identidad significó sustraerse y defenderse de quien le había enseñando a formulárselo. Situada en la periferia de la cultura occidental, es decir en los márgenes de Europa, la América ibérica encontró que su búsqueda de identidad no había de ser expansiva sino defensiva, no había de seguir un itinerario de semejanzas sino de diferencias. Debía mostrar en qué no era europea y formarse a partir de dicha negación, debía moverse entre la prohibición y el rechazo".[50]

La identidad latinoamericana es más sencilla de reconocer que de definir porque América Latina nunca se ha definido como centro sino como periferia. Sus principios constitutivos deben considerar con prudencia las identidades primarias totales y excluyentes, con el déficit de tolerancia que ha distinguido la acción pública, formuladas por políticos e intelectuales que manifiestan con más fervor los valores con los que le gustaría identificarse que lo que es realmente el problema tratado. Se trata de partir de una identidad polifónica, no basada tanto en la nostalgia o en el narcisismo de la confrontación, sino en las prioridades de los modelos de gestión de la memoria común.

En la multiidentidad, las experiencias históricas compartidas constituyeron el patrimonio ineludible de relación: etapa aborigen, junto a los procesos de conquista, esclavitud, colonización, emancipación, dictadura, imperialismo, revolución, democratización. En cada transición, no ha sido el ensimismamiento sino la interacción o predominio de las memorias culturales lo que ha proporcionado la configuración de la región. No es la unidad absoluta sino la extensión dimensional de la diversidad de memorias la que respalda este modelo de identificación latinoamericano. La memoria mutilada actúa en la identidad latinoamericana como el síntoma que puede evidenciarse en las personas que sufren la amputación de un brazo o una pierna y durante años llegan a sentir frío o calor, incluso dolor, en el miembro perdido.

La discusión sobre América Latina no puede desconocer, por lo demás, que no es un debate estéril, pues en todas partes del mundo se discute sobre este asunto, especialmente en Europa. Un síntoma del cambio se refleja en la anécdota de Borges, quien visitó Venecia para conversar sobre la identidad cultural europea y expresó: "Yo soy el único europeo aquí, porque pienso en Europa como una unidad. Cada uno de ustedes se siente francés, italiano, alemán; no europeo".

El discurso de Vaclav Havel del 8 de marzo de 1994 aclaró que "la tarea más importante a la que se enfrenta hoy la Unión Europea es alcanzar una reflexión nueva y auténticamente clara sobre lo cabría llamar la identidad europea". La respuesta a esta alocución vino en 1995 con la *Carta sobre la Identidad Europea*, en la que se estableció el principio de vínculo en repudio a la Europa del fascismo: "De las raíces de la Antigüedad y del Cristianismo, Europa ha perfeccionado los valores tradicionales a lo largo de la Historia con el Renacimiento, el Humanismo y la Ilustración, de forma constructiva. Esto ha llevado a un orden democrático de validez general de los derechos fundamentales y humanos y del estado constitucional".

Algunos pensadores europeos, como Peter Sloterdijk, han propuesto diferenciar entre identidades sedentarias e identidades nómadas: hay un esfuerzo que apunta en la dirección de desterritorializar los procesos de identificación para impulsar una identidad constitucional (Jurgen Habermas es uno de los principales gestores), institucional o vertebrada en valores universales (justicia, dignidad, libertad) más que en referencias étnicas procedentes de las eras neolíticas. Las nuevas etnias y tribus, vislumbradas por algunos pensadores en el siglo XXI, son comunidades urbanas complejas. En esta propuesta, se plantea una filosofía que reivindique "la antigua sabiduría del emigrante: *ubi bene ibi patria* (…) Y es que la patria como espacio de la buena vida es cada vez menos fácil de encontrar ahí donde, por un accidente de nacimiento, cada quien está. Sin importar donde se esté, la patria debe ser reinventada permanentemente mediante el arte de saber vivir y las alianzas inteligentes".[51] De cierta manera, vale la pena confesar que este augurio finge no ser lo que es: un manifiesto dionisiaco de remordimientos por no volver a la Europa de inicios y mediados del siglo XX, pero también una declaración jurada de temor a explorar la memoria colectiva europea por miedo a que congele su propio dinamismo presente. El pánico de que retroceda la integración comercial ha debilitado el valor de las elucubraciones de los intelectuales europeos actuales.

LOS VÍNCULOS DE LA CULTURA

La noción de identidad es inseparable de la enunciación de cultura. Acaso por esa misma razón convendría tener claro que la cultura es el equivalente de un carnet colectivo de identidad que coacciona: lo social es inconcebible sin cultura. En la etimología de la palabra "cultura" hay una pista para rastrear el término: sabemos que procede directamente de "culto", que sería el verbo *colo* en latín, con la salvedad de que la raíz indoeuropea es *kwel-*, que significaría "revolver", "hacer girar" "dar la vuelta", "estar o establecerse allí". Algunas palabras, y valga el comentario curioso, estarían relacionadas como "colonia" o "ciclo". El momento que pudo haber contribuido a fortalecer esa asociación cultivo-cultura puede leerse en las *Disputas tusculanas* (II, 13) de Cicerón: "así como no todos los campos que se cultivan son frugíferos, y por eso es falso aquello de Accio:

Aunque sean dados granos buenos a tierra mala,
Sin embargo ellos mismos por natura brillan;

Así, no todos los ánimos cultivados dan frutos. Además, para moverme en el mismo símil, así como un campo, por fértil que sea, sin cultivo no puede ser fructuoso, así el ánimo sin doctrina (*sine cultura fructuosus esse non potest, sic sine doctrina animus*)".[52] Hacia 1515, la palabra cultura ya estaba presente en la lengua castellana.

En una reflexión sutil, Walter Benjamin señaló que "hay que estudiar cómo nació el concepto de cultura, qué sentido ha tenido en distintas épocas, y a qué necesidades obedecía cuando se acuñó. Podría dar la impresión, en esta ocasión, de que este concepto, en la medida en que designa el conjunto de bienes culturales, es de origen reciente, y que, con anterioridad, por ejemplo, lo desconocía el clero que en la Alta Edad Media emprendió una guerra de aniquilación contra las producciones de la antigüedad".[53]

Para etnólogos como Edward Burnett Tylor, la cultura era la dimensión social del hombre.[54] Freud resumía su concepto de cultura en esta fórmula: "Bástenos, pues, con repetir que la palabra *cultura* designa toda la suma de operaciones y normas que distancian nuestra vida de la de nuestros antepasados animales, y que sirven a dos fines: la protección del ser humano frente a la naturaleza y la regulación de los vínculos recíprocos entre los hombres".[55] Para antropólogos como Claude Lévi-Strauss, la cultura era el conjunto de sistemas simbólicos.[56] Otros autores sólo admiten que "cultura es la urdimbre de significaciones atendiendo a las cuales los seres humanos interpretan su experiencia y orientan su acción.[57]

En una feliz incursión, Alfred Louis Kroeber y Clyde Kluckhohn interpretaron ciento sesenta y una definiciones de cultura (descriptivas, históricas, normativas, psicológicas, estructurales, genéricas) sólo para concluir que era "un conjunto de atributos y productos de las sociedades humanas y, en consecuencia, de la Humanidad, que son extrasomáticos y transmisibles por mecanismos distintos de la herencia biológica".[58] El genetista Luigi Luca Cavalli-Sforza decía que "la cultura es el conjunto de lo que se aprende de los demás" y comentaba que "la vía cultural es la única que permite la acumulación del aprendizaje en las generaciones".[59]

Algunos han creído que el hombre es un animal dotado biológicamente para crear cultura. Los científicos Charles Lumsden y E.O Wilson acuñaron el término *Culturgen*,[60] al igual que en 1909 Wilhelm Ludvig Johannsen usó el neologismo "gen", para explorar la vinculación entre la evolución biológica y la evolución cultural. Ambos pensaron que dado que el gen es la unidad mínima de herencia de los seres vivos, el culturgen podría ser la unidad básica de herencia cultural transmisible. Su observación de entonces consistía en analizar la historia cultural a partir de su relación con el genoma, que lograría replicarse por el ADN, y la posibilidad de que los avances culturales no fuesen otra cosa que el resultado de la acumulación de información y adaptación a nuevos problemas de la supervivencia humana.

En *The Selfish Gen* (1976), el etólogo neoevolucionista Richard Dawkins prefirió utilizar el vocablo "memes" (derivado del griego *mimeme*), que ha sido favorecido por ciertos círculos especializados, y manifestó que el meme era propiamente un replicador de información: "Los genes se propagan en un acervo génico al saltar de un cuerpo a otro mediante los espermatozoides o los óvulos (…) los memes se propagan en el acervo de memes al saltar de un cerebro a otro mediante un proceso que, considerado en su sentido más amplio, puede llamarse de imitación".[61] La cultura estaría conformada por la capacidad de fecundidad, longevidad y fidelidad del conjunto de memes que constituyan un acervo de planteamientos a los enigmas que supone la vida.

En todo caso, el debate cultural apenas comienza. Hoy se estudia la transmisión, emisión y recepción de información y cómo esa información se configura en la memoria e identidad referencial, bien como imagen o dato. Antonio R. Damasio ha insistido en que "el conocimiento objetivo que se requiere para el razonamiento y la toma de decisiones llega a la mente en forma de imágenes".[62] Lejos de la descripción antropológica más conocida, los neurólogos clasifican las imágenes en directas e indirectas, perceptuales (si son producto de la percepción) o rememoradas (si son el resultado del proceso de memoria). La tendencia más general consiste en reconocer que el hombre es un animal, cuya dotación biológica determina y a la vez es determinada por la cultura. La capacidad del lenguaje, por ejemplo, es innata, pero la lengua debe aprenderse. Si esa capacidad tuviese una influencia absoluta, sería probable que todos hablasen una misma lengua, pero la interacción colectiva ha derivado en la diversidad de lenguas, lo que es una señal clara de que la cultura no puede explicarse sin la biología, pero no sólo por la biología.

Entre los rasgos culturales, se perfilan dos nociones: una tradición colectiva de representaciones adquiridas que otorgan especificidad, integración y orientación social; o se concibe una adscripción de coordenadas universales. Isócrates expuso esa voluntad de identidad en su *Panegírico* (50): "El nombre de griegos no significa ya unidad de sangre (génos), sino de calidad intelectual, de suerte que hoy se llaman griegos más bien los que participan de nuestra paideia que los provenientes de un común origen". La *paideia* era una palabra (cuyo origen era *paidos* o "niño") que aludía a la educación en general.

Así como la vida puede reducirse químicamente a hidrógeno, oxígeno y carbono, que componen 98% de los átomos de todo lo viviente; así como el código genético es el lenguaje de los seres vivos; así como la naturaleza humana no es una "tabla rasa"; así también la cultura es una marca como la huella de los dedos de las manos, que conforma claves de identidad. Un conjunto de combinaciones que sufren cambios. Si alguien pudiera registrar el genoma de los hombres de hoy debería saber que en diez generaciones tendrá muchos componentes semejantes, pero también grandes transformaciones. Lo mismo debe decirse de la identidad cultural: siempre una y siempre diversa, estratificada.

¿Cuál es el indicador cultural de la identidad? Todo aquello que el hombre ha creado lo identifica y le da pleno sentido. En primer lugar el origen: la migración ha condicionado en casi todos los pueblos la necesidad de reconocimiento. En segundo lugar, el mito y la religión: la creencia y la fe le dan valor a la supervivencia. En tercer lugar, la lengua: sin comunicación la cultura está disminuida. En cuarto lugar, la historia, los valores, costumbres e instituciones. En quinto lugar, tecnologías. A su vez la identidad cultural es una construcción simbólica y afectiva que clasifica: pueden ser tribus, etnias, comunidades religiosas, naciones e incluso civilizaciones. El núcleo familiar suele preparar o trastornar la asimilación social.

En todos estos aspectos, conviene advertirlo ya, la memoria compartida hace posible la semejanza. Entre los factores que asimilan o diferencian: actitudes, alimentos, arte, celebraciones, ceremonias, ciencia, concepciones del mundo, conductas, conocimiento, convicciones, costumbres, emociones, epistemología, estilo, ética, expectativas, filosofía, hábitos, héroes, herramientas, ideologías, lenguaje, leyes, literatura, metáforas, mitos, orígenes, presunciones, procesos cognitivos, propósitos, regulaciones, relaciones, religión, rituales, sentimientos, significados, símbolos, sistemas de comunicación, valores y ruinas.

La identidad cultural es la respuesta a una necesidad humana de autoafirmación y reivindicación constante. Es un intento de afirmar la precariedad que supone la multiplicidad como autoestima. El "yo soy otro" de Rimbaud tiene más contundencia en la frase "yo soy nosotros". No hay identidad cultural monopolar sino multipolar: la identidad implica un proyecto pedagógico y no un dogma, un repertorio de tradiciones transmisibles con elementos cognitivos, valorativos y conductuales que hacen posible la adaptación a un medio. El hombre es hombre por su horizonte cultural.

CAPÍTULO III

Transculturación, etnocidio y memoricidio

Las sanciones contra la memoria son estrategias
deliberadamente diseñadas para ayudar a cambiar el retrato
del pasado, sea para borrarlo o redefinirlo, o ambos.

HARRIET I. FLOWER, *The Art of Forgetting*

DAMNATIO MEMORIAE

Leído lo anterior, se asume que cualquier decisión sobre lo que se debe recordar, es una forma cautiva de saber lo que se debe olvidar. Cada sociedad construye, desde el trauma o el entusiasmo, una imagen parcial de su pasado y bloquea de modo voluntario o involuntario sus recuerdos.

A lo largo de la historia, no obstante, se conocen además numerosas estrategias para manipular, recrear o modificar la memoria colectiva e implantar una nueva, como hizo Europa en América Latina: entre las más utilizadas está la *damnatio memoriae* o "condena de la memoria".

La *damnatio memoriae,* un término latino que se aproxima bastante al que usaban los romanos, ha sido ante todo una sanción ejercida contra el recuerdo de un individuo o acción social. Es una suerte de olvido decretado y una censura aplicada por el autoritarismo para proteger una hegemonía política. De alguna manera, su efecto más inmediato consiste en neutralizar la vitalidad de un nombre o acontecimiento mediante la exclusión oral o escrita de toda referencia que pueda despertar interés.

Las sanciones contra la memoria son antiguas. En Éxodo (17, 15)

311

Yavé comenta a Moisés: "Escribe esto en un libro para que sirva de recuerdo, y haz saber a Josué que yo borraré por completo la memoria de Amalec de debajo de los cielos". En los Salmos (34, 17) se dice: "Yavé está contra los que hacen el mal para borrar de la tierra su memoria". En Salmos (110, 15) se repite: "¡Sea ante Yahveh recordada la culpa de sus padres, el pecado de su madre no se borre; estén ante Yahveh constantemente, y él cercene de la tierra su memoria!". Es el olvido como castigo.

En Egipto, el reformador Akhnaton, como buen monoteísta, quiso crear una religión dedicada a Atón y para consolidarla ordenó que se destruyeran todos los textos que aludieran a los otros dioses. Y el resto es conocido: en venganza, sus sucesores borraron incluso su rostro de las piedras, su nombre, y restituyeron de memoria el contenido de muchos de los papiros antiguos.

El 213 a.C., año en el cual un grupo de hombres intentaba reunir todos los libros en Alejandría, el emperador Shi Huandi aprobó entonces que se destruyera todo vestigio del pasado para que la historia comenzara con él y sus seguidores quemaron todos los libros, excepto los que versaban sobre agricultura, medicina o profecía.[63] Entusiasmado por sus acciones contra la casta de los letrados, creó una biblioteca imperial dedicada a vindicar los escritos de los legistas, defensores de su régimen y de la tesis de la ley como principio del Estado, y ordenó confiscar el resto de los textos chinos.[64] De hogar en hogar, los funcionarios se apoderaron de los libros y los hicieron arder en una pira, para sorpresa y alegría de quienes no los habían leído. Más de cuatrocientos letrados reacios fueron enterrados vivos[65] y sus familias sufrieron incontables humillaciones.

En Grecia existió la figura de la "amnistía", en la cual dos partes aceptaban que se borrase la memoria de un incidente que podría perjudicar las relaciones políticas o económicas. La expresión *ou mnesikakein* (prohibido recordar desgracias pasadas) servía para no reiterar la mención de un error; en ocasiones se autorizaba la eliminación parcial de la memoria, como sucedió en el decreto de 403 a.C.,[66] que ordenó que se borraran las inscripciones públicas y estableció sanciones para todos los que salvasen el registro o se atreviesen a recordar con malicia lo ocurrido.

A Demetrio de Falero, el hombre a quien se atribuye la fundación de la Biblioteca de Alejandría, le erigieron 300 estatuas en Atenas. El año 307 a.C. su gobierno finalizó y las estatuas fueron derribadas, se convirtieron en urinarios y su nombre fue borrado de todos los registros. Mientras Falero pasaba sus días de exilio en Alejandría, en su ciudad natal era un delito mencionar su nombre. En el 200 a.C., los atenienses ordenaron la eliminación del nombre de Filipo de Macedonia y todos sus ancestros de los epígrafes. Hacia el 356 a.C., el año del nacimiento de Alejandro Magno, un desconocido llamado Eróstrato, dicen los cronistas, incendió el templo de Diana de Éfeso para pasar a las páginas de la historia, y su nombre fue vetado en todas las crónicas.

En Roma se institucionalizó la *damnatio memoriae*[67] o *abolitio memoriae* ("condena de la memoria" y "abolición de la memoria") de todos aquellos considerados infames, y entre otras cosas, se borraba el nombre del afectado por la medida de todas las inscripciones, libros y monumentos para que fuera olvidado por las nuevas generaciones. El poeta Cornelio Galo, creador de la elegía amorosa romana *Praefectus Aegypti*, cayó en desgracia y, perseguido, se suicidó el 26 a.C. De inmediato, su memoria fue proscrita: tanto fue el odio que apenas quedan algunos versos de su obra. Entre las pocas mujeres cuya memoria decidió extinguirse por decreto estuvo Valeria Messalina. Los arqueólogos han estudiados exvotos en los que su nombre ha sido tachado, y decenas de monumentos en su honor desaparecieron.

Ha contado Suetonio en *Vidas de los Césares* que cuando el emperador Domiciano fue víctima de un atentado el 96, se intentó abolir toda memoria de su persona,[68] y en algunos casos toda una inscripción desapareció para negar su existencia. Hubo persecución de la memoria contra emperadores como Nerón (68), que fue declarado "enemigo público" por el Senado romano y las placas de los edificios erigidos en su gestión fueron mutiladas. También se declaró digna de olvido la memoria de Julián (193), Máximo (238) y Cómodo.

Hubo casos como del senador Virius Nicomachus Flavianus, quien cometió suicidio el 394 y su nombre fue borrado de todas las inscripciones, pero en 431 fue perdonado y en una estatua suya se colocó una carta del emperador que salvaba su memoria del olvido público.[69]

El paradigma romano fue una constante. Se conocen muchos detalles históricos sobre los alcances de estas medidas: en 897 la Iglesia católica dispuso que se anularan todos los decretos y se destruyera todo sobre la gestión del papa Formoso; en los siglos XVII y XVIII hubo un consenso en las instituciones de América Latina para aniquilar todo recuerdo que pudiera despertar la atención del mundo sobre los indios y los negros. En 1782, la orden de Carlos III solicitaba borrar la memoria inca. Se cuenta que Francisco de Carvajal prohibió que se recordaran sus hechos de violencia "porque entendió que eran más dignos de la ley de olvido que no de memoria ni perpetuidad".[70]

La Revolución francesa fue pródiga en eliminar símbolos del régimen monárquico; Lenin emitió un decreto el 14 de agosto de 1918 para pedir que se desmantelaran los monumentos zaristas; Josef Stalin ordenó borrar todo recuerdo de Trotsky de la Unión Soviética; cada imperio y régimen dictatorial por costumbre ha intentado anular cualquier vestigio de memoria que pueda incitar a la resistencia; Pol Pot dirigió en la década de los setenta en el siglo XX una campaña para eliminar en Camboya toda prueba del pasado; los talibanes pretendieron en 2001 negar el budismo devastando todas las imágenes de este movimiento espiritual, que encontraron en Afganistán.

MEMORICIDIO Y HEGEMONÍA

He ofrecido en este libro algunos ejemplos de saqueo y destrucción cultural en la historia de la humanidad. Como puede notarse, lo primero que se ataca en una guerra es la memoria colectiva. Etimológicamente, la palabra "guerra" procede del germánico *werr-* y sobre todo del alto alemán antiguo *werra* ("confusión, discordia, contienda") y el término indoeuropeo *wers* aludía a un verbo que podría traducirse como "confundir". Con esto se hace obvio que la guerra no es sólo un asunto de combate sino de un arte de confundir al enemigo: Sun Tzu y Karl Clausewitz han proporcionado las bases de este objetivo. La guerra ha sido vista como una relación de violencia entre dos colectividades que utilizan instrumentos armados y estrategias psicológicas para conseguir una derrota moral en el plazo más corto posible.

Toda guerra está incompleta si no causa desconcierto por medio del ataque a los símbolos de identidad, que son fundamentales para la resistencia. Quien duda de sus propios valores, quien vacila porque su memoria está alterada, es una presa fácil en un conflicto. La sustitución cultural, valga el comentario, suele combinarse con una ideología[71] o conjuntos de valores y creencias destinadas a impedir que se perciba la verdadera condición de sometimiento en un grupo o nación.[72] Es una fascinación histérica por la justificación.

Desde siempre ha estado claro que la hegemonía, entendida como la supremacía de un estado o grupo sobre otro, requiere aniquilar los motivos principales de la resistencia del adversario con propaganda o con destrucción indirecta (sugiriendo la división interna violenta) o directa (ataque psicológico o cultural). Para los griegos, "hegemonía" era una suerte de "dirección, jefatura, liderazgo" que propiciaba el *hegemón* ("director, caudillo, jefe"). La ciudad de Atenas, por decir, en 478 a.C. consiguió con la Confederación de Delos la "hegemonía" sobre el resto del mundo heleno. Aristóteles en su *Política* fue tajante al decir: "El ejercicio de la guerra no debe perseguirse con el fin de esclavizar a los que no lo merecen, sino, en primer lugar, para no ser esclavizados por otros; en segundo lugar, para procurar la hegemonía por el bien de los gobernados, no por deseo de dominar a todos; y en tercer lugar, para enseñorearse de los que merecen la esclavitud".[73]

El uso particular de hegemonía se generalizó en Occidente a través de la lectura de los textos del sofista Isócrates. En su *Discurso sobre la paz*, (142) condenó la dominación marítima de Atenas y la expansión de poder, y propugnó el término *hegemonía* para referirse al régimen que sometía voluntariamente a sus adversarios.

En el mundo de hoy, el término "hegemonía" está bastante contagiado del sentido que le dio el gran pensador de izquierda Antonio Gramsci (1891-1937),[74] quien abordó la definición desde una nueva perspectiva al afirmar en sus *Cuadernos de la cárcel*[75] que es una dirección intelectual, política y moral por medio de la cual una clase dominante puede articular sus intereses, a través del consenso o la coerción, para convertirse en rectora de una voluntad colectiva. No se trata de una hegemonía dispuesta en forma permanente: exige una lucha constante.

Hay, por tanto, una hegemonía cultural, ejercida cuando se impone o se negocia una concepción del mundo en la que un bloque de fuerzas restringe el acceso a los símbolos culturales del sometido y amplía el espectro de acceso a sus propios símbolos. Sin memoricidio, por tanto, violento o realizado por una transición progresiva, la hegemonía es imposible. Gramsci pensó que la cultura dominante retomaba los conceptos de la cultura subalterna para "reelaborarlos, conectarlos de otro modo, hasta hacerlos asumir un significado distinto y aún opuesto, pero permaneciendo en general, en el terreno indicado por la cultura hegemónica. No una producción autónoma, una creación de temas nuevos y de nuevas formas de cultura, sino una reelaboración heterogénea, acrítica, inconsciente de los temas y materiales ofrecidos por la clase dominante".[76]

Uno de los aspectos más categóricos es que lo hegemónico demanda la reconfiguración de la identidad del adversario. Y un modo eficaz de iniciar esta transformación cultural consiste en acelerar la *damnatio memoriae*, para borrar los recuerdos compartidos y crear una cultura en la que el estrato anterior quede sujeto a un estrato que funcione como marco de pensamiento y acción cultural.

ACULTURACIÓN O TRANSCULTURACIÓN

¿Qué fue lo que realmente ocurrió en América Latina? ¿Cómo pudieron naciones como España, Portugal, Francia, Italia, Alemania, Holanda, Inglaterra y Estados Unidos cometer una masacre semejante contra los latinoamericanos y una destrucción cultural de tan inconcebibles proporciones? ¿Pueblos enteros arrasados y sometidos a la asimilación de valores ajenos, aldeas quemadas o bombardeadas, 90% de indígenas muertos por asesinato o epidemias importadas, seis millones de africanos muertos tras ser convertidos en esclavos, millones de kilómetros cuadrados apropiados, contaminación y ecocidio, mil idiomas extintos, decenas de religiones extirpadas, miles de tradiciones musicales desaparecidas, millones de obras de arte fundidas como metales preciosos o traficados para constituir la base de colecciones artísticas individuales o institucionales, apoyo a dictaduras crueles que persiguieron a sus adversarios sólo por pensar diferente, bibliotecas enteras o museos convertidos en cenizas, todo este saldo de aniquilación en nombre de las ventajas de la universalidad de Occidente? En los anales más oscuros de la historia, y como un obstáculo a toda promesa de cooperación, estará por siempre el exterminio que Cristóbal Colón comenzó en sus viajes de exploración y que no ha concluido en el siglo XXI, pues las empresas transnacionales mantienen una verdadera guerra cultural contra todas las comunidades que se oponen a sus proyectos de explotación económica.

Contra América Latina se perpetró un "memoricidio", sin lugar a dudas, pero hubo una vinculación innegable con otros procesos como los de transculturación, genocidio y etnocidio, categorías descriptivas a las que hubo que designar con voces novedosas acuñadas por los antropólogos y etnólogos en el siglo XX porque no se disponía de una manera más expedita para explicar la práctica de la interminable destrucción de la memoria tangible o intangible colectiva. Estos conceptos sobre destrucción masiva también han sido aplicados a situaciones similares en África y Asia, donde el colonialismo arruinó conocimientos milenarios.

Antes de imponerse la palabra "transculturación", con aplicación pertinente a lo ocurrido en los pueblos latinoamericanos, convendría decir que predominó la intención de legitimar el vocablo "aculturación". Fue creado en 1881 por el antropólogo estadounidense John Wesley Powell, quien pretendía justificar la aniquilación de los aborígenes al decir: "El gran regalo a las tribus salvajes de este país [...] ha sido la presencia de la civilización, la que, bajo las leyes de la aculturación, han mejorado considerablemente sus culturas, se han sustituido por nuevas y civilizadas, sus viejas y salvajes artes, sus viejas costumbres; en resumen, se han transformado los salvajes a la vida civilizada".[77] En 1898, W. J. McGee publicó un texto sobre *Aculturación pirática*.[78] en el cual describió el desarrollo social marcado por la aculturación amistosa y pirática. Este autor creía que esta última era mecánica e imitativa y propia de culturas salvajes y bárbaras.

Hacia 1936, la American Anthropological Association nombró una comisión integrada por Robert Redfield, Ralph Linton y Melville Herkovits para redefinir la palabra aculturación y concluyeron que se trataba de "aquellos fenómenos que resultan cuando grupos de individuos de culturas diferentes entran en contacto, continuo y de primera mano, con cambios subsecuentes en los patrones culturales originales de uno o de ambos grupos".[79] Apenas dos años más tarde, Melville J. Herskovitz publicó *Aculturación. El estudio del contacto cultural*,[80] donde comentó, primero, que la aculturación debía diferenciarse de la noción de cambio cultural, dado que era sólo un aspecto de esta noción; la distinguió de la difusión, que era realmente un factor; y, finalmente, prefirió no asociarla a la asimilación, porque no siempre era una fase cumplida en la aculturación. En segundo lugar, sugirió a los antropólogos no dedicar tanto tiempo a las culturas puras sino a los contactos entre culturas. A partir de la década de los cuarenta y sesenta, el aculturalismo de factura estadounidense dominó el campo de la antropología y se extendió por el mundo: hubo casos como el del Instituto Indigenista de Guatemala que tenía en su consejo directivo a un miembro del Instituto Carnegie de Washington que tomaba decisiones sobre sus colegas.

La aculturación triunfó durante décadas al postular que era un intercambio cultural asimétrico: un grupo con tecnologías primitivas sufría una influencia transformadora por parte de un grupo con tecnologías más avanzadas y el traspaso cultural podía suceder de forma pasiva. No era imprescindible la violencia de la cultura dominante para que la cultura dominada gestase un sistema cultural nuevo capaz de adaptarse a cambios definitivos de naturaleza social. La asimilación o integración voluntaria —no a título individual sino colectivo— fue vista dentro del marco de una oposición con dos polos: una sociedad primitiva inmóvil que asumía una interacción en la que nacía un sincretismo creativo o destructivo.

La defensa de la palabra aculturación llevó muy temprano a Gonzalo Aguirre Beltrán a decir que "la voz se encuentra formada por la partícula formativa, la preposición latina ad- que por asimilación pasa a ac- en todos los casos en que entra en composición con voces que comienzan con la consonante c- y la forma nominal *culturatio,* de cultura. De haber existido el vocablo en latín habría dicho *acculturatio,* como en inglés dice *acculturation.* El genio de la ortografía inglesa accede la persistencia de la doble consonante, no así la del castellano que la reduce a una. Acoger, acomodar, acordar, acumular derivan de voces latinas —*accolligere, accommodare, accordare, accumulare*— que como aculturación, sufrieron los procesos de asimilación y reducción".[81]

Conrad Phillip Kottak, en su libro *Antropología. Una exploración de la diversidad humana* (1994), llegó a la conclusión de que aculturación era "el intercambio de rasgos culturales resultante de que los grupos estén en continuo contacto directo; los patrones culturales originales de cada uno o de ambos grupos pueden verse alterados, pero los grupos se mantienen diferentes".[82]

De cualquier forma, la aceptación de la locución nunca fue unánime, y el notable escritor cubano Fernando Ortiz creyó necesario en 1940 introducir la voz "transculturación" en un libro que dedicó a indagar en los efectos que causaron en Cuba la explotación del tabaco y el azúcar:

Por aculturación se quiere significar el proceso de tránsito de una cultura a otra y sus repercusiones sociales de todo género. Pero transculturación es vocablo más apropiado. Entendemos que el vocablo transculturación expresa mejor las diferentes fases del proceso transitivo de una cultura a otra, porque este no consiste en adquirir una distinta cultura, que es lo que en rigor indica la voz inglesa acculturation, sino que el proceso implica también necesariamente la pérdida o desarraigo de una cultura precedente, lo que pudiera decirse una desculturación, y, además significa la consiguiente creación de nuevos fenómenos culturales que pudieran denominarse de neoculturación.[83]

Bronislaw Malinowski, prologuista de Ortiz, acogió el neologismo y favoreció la difusión de esta idea. En la historia de la aceptación terminológica, el venezolano Mariano Picón Salas estuvo igualmente entre los primeros en su magna obra *De la conquista a la independencia*, publicada en 1944. En el capítulo cuarto estudió "las primeras formas de transculturación" en la transformación de las identidades iniciales y el transplante de la cultura europea. Pero no fue el único: Ángel Rama en un famoso artículo de 1974 destacó que la transculturación narrativa de América Latina pasaba por etapas de pérdidas, selecciones, redescubrimientos e incorporaciones dentro de tipo dinámico.[84] En 1989, el Departamento de Antropología de la Universidad Autónoma Metropolitana-Iztapalapa de México, en su versión al castellano de la *Guía para la clasificación de los datos culturales* de 1950, excluyó "aculturación" por "transculturación" para clasificar "número, carácter e intensidad de los contactos con otras culturas; factores que afectan la receptividad cultural; ejemplos de préstamos culturales; modificación de los elementos introducidos para su adaptación; medios, organismos y agentes del cambio cultural, etc".

Desde su génesis, la transculturación fascinó a numerosos investigadores que manifestaron su interés en estudiar el caso de las sociedades asimiladas por la violencia de contacto, en las que un conflicto de baja o alta intensidad reproducía las condiciones de desarraigo con una identidad anterior. La transculturación, como se ha definido, supone una relación directa y continua. El *Herder Lexikon (Ethnologie)*, publicado en 1981, aceptó transculturación el sentido del conjunto de "fases del paso de una forma de vida a otra nueva en el transcurso de la cultura".

ETNOCIDIO Y MEMORICIDIO

En el vocabulario de la etnología, desde mediados del siglo XX, se utiliza "etnocidio" como sinónimo de destrucción étnica. Hacia 1944, el abogado judío y polaco Raphäel Lemkin en su obra *El dominio del eje en la Europa ocupada,* acuñó un neologismo al que puso por nombre "genocidio". Dado que vivió la tragedia del asesinato de su familia a manos de los nazis, comprendió que debía brindar una definición bastante exacta del problema al que quería referirse:

> Los nuevos conceptos requieren nuevos términos. Por "genocidio" significamos la destrucción de una nación o de un grupo étnico. Esta nueva palabra, acuñada por el autor para denotar una vieja práctica en su desarrollo moderno, deriva de la antigua palabras griega "genos" (raza, tribu) y de la voz latina "cide" (matanza), correspondiendo así en su formación a palabras tales como tiranicidio, homicidio, infanticidio, etc. Hablando en términos generales, el genocidio no significa necesariamente la destrucción inmediata de una nación, excepto cuando se efectúa por los asesinatos en masa de todos los miembros de una nación. Mas bien se propone como un plan coordinado de diversas acciones que tienen como objetivo la destrucción de las bases esenciales de la vida de grupos nacionales, con la objetivo de aniquilar los grupos en sí mismos. Los objetivos de tal plan serían desintegración de las instituciones políticas y sociales, de la cultura, del lenguaje, de los sentimientos nacionales, de la religión, y de la existencia económica de grupos nacionales, y de la destrucción de la seguridad personal, de la libertad, de la salud, de la dignidad, e incluso de las vidas de los individuos que pertenecen a tales grupos. El genocidio se dirige contra el grupo nacional como entidad, y las acciones implicadas se dirigen contra individuos, no en su capacidad individual, sino como miembros del grupo nacional.[85]

En una modesta nota a pie de página de este mismo párrafo, Lemkin mencionó la palabra "etnocidio" (formada de *ethnos,* que se traduciría como nación, y *cidio,* que sería asesinato) como sinónimo de genocidio. En la década de los setenta, el investigador Robert Jaulin consagró la nueva palabra porque sintetizaba las consecuencias del genocidio aplicado al campo de las culturas de las etnias.[86] En su teoría, sostenía que se desciviliza al agredido bajo la premisa de que es un bárbaro primitivo que debe ser sometido a los valores de una civilización considerada superior (como la occidental).[87]

El etnocidio constatado por Jaulin entre la tribu bari era un proceso violento de erradicación del sistema cultural de los indígenas que, amparado por el racismo, inoculaba virus para crear epidemias que reduzcan la capacidad de resistencia del afectado, con el propósito de someterlo a un periodo de docilidad en el que se explotaban sus recursos naturales o humanos. Casi todos los etnocidios de la historia se cometieron contra comunidades a las que se pretendía expoliar cruelmente.

El antropólogo Pierre Clastres apreció la importancia de contar con un término capaz de referir la eliminación de una cultura:

[…] hace algunos años el término etnocidio no existía (...) en el espíritu de sus inventores la palabra estaba destinada, sin duda, a traducir una realidad no expresada por ningún otro término. Si se ha sentido la necesidad de crear una nueva palabra era porque había que pensar algo nuevo, o bien algo viejo pero sobre lo que todavía no se había reflexionado. En otros términos, se estimaba inadecuado o impropio para cumplir esta exigencia nueva otra palabra, genocidio, cuyo uso estaba muy difundido desde mucho tiempo atrás. Creado en 1946 durante el proceso de Nüremberg, el concepto jurídico de genocidio es la toma de conciencia en el plano legal de un tipo de criminalidad desconocida hasta el momento. Más exactamente, remite a la primera manifestación, debidamente registrada por la ley, de esta criminalidad: el exterminio sistemático de los judíos europeos por los nazis alemanes. El delito jurídicamente definido como genocidio hunde sus raíces, por lo tanto, en el racismo; es su producto lógico y en última instancia, necesario: un racismo que se desarrolla libremente, como fue el caso de la Alemania nazi, no puede conducir sino al genocidio (...) A partir de 1492, se puso en marcha una máquina de destrucción de los indios (...) Por lo tanto, es a partir de su experiencia americana que los etnólogos, y muy particularmente Robert Jaulin, se vieron llevados a formular el concepto de etnocidio. En principio, esta idea se refiere a la realidad indígena de América del Sur. Allí se dispone de un terreno favorable —si se nos permite la expresión— para buscar la diferencia entre genocidio y etnocidio, ya que las últimas poblaciones indígenas del continente son víctimas simultáneamente de estos dos tipos de criminalidad. Si el término *genoci-*

dio remite a la idea de "raza" y a la voluntad de exterminar una minoría racial, el de etnocidio se refiere no ya a la destrucción física de los hombres (en este caso permaneceríamos dentro de la situación genocida) sino a la de su cultura. El etnocidio es, pues, la destrucción sistemática de los modos de vida y de pensamiento de gentes diferentes a quienes llevan a cabo la destrucción. En suma, el genocidio asesina los cuerpos de los pueblos, el etnocidio los mata en su espíritu. Tanto en uno como en otro caso se trata sin duda de la muerte, pero de una muerte diferente: la supresión física es inmediata, la opresión cultural difiere largo tiempo sus efectos según la capacidad de resistencia de la minoría oprimida (...) El etnocidio comparte con el genocidio una visión idéntica del Otro: el Otro es lo diferente, ciertamente, pero sobre todo la diferencia perniciosa. Estas dos actitudes se separan en la clase de tratamiento que reservan a la diferencia. El espíritu, si puede decirse genocida, quiere pura y simplemente negarla. Se extermina a los Otros porque son absolutamente malos. El etnocidio, por el contrario, admite la relatividad del mal en la diferencia: los Otros son malos pero puede mejorárselos, obligándolos a transformarse hasta que, si es posible, sean idénticos al modelo que se les propone, que se les impone (...) Esta vocación de medir las diferencias con la vara de su propia cultura se denomina etnocentrismo.[88]

Formalmente, el etnocidio está basado en el etnocentrismo, una tendencia histórica mundial que divide el mundo en "nosotros" y "ellos": se deshumaniza al sometido porque es la mejor manera de establecer la convicción de su inferioridad y simultáneamente la de la superioridad del etnocida. Hay factores como la xenofobia y el racismo que son pautas de conducta comunes en el etnocidio, pero no se trata de síntomas de un error aislado.

El etnocidio es una práctica no fortuita en la que la ideología y las creencias demarcan los territorios culturales; en la visión religiosa extrema hay un instrumento de intimidación y conversión que supone el mal en el dominado. El indio no era sólo un salvaje para los conquistadores europeos; lo definían como un ser malvado y equivocado. El sectarismo y el autoritarismo se producen en niveles de desmesura incontrolable en el etnocidio; se asume una verdad sagrada que niega por completo todo valor epistemológico a los pensamientos del atacado. De ahí que el conflicto sea tan radical: el etnocida es dogmático y piensa que su crueldad es didáctica. Quema símbolos porque pretende borrar toda memoria externa a su grupo que ponga en evidencia la excelencia cultural del adversario. El único modelo que el etnocida tolera es el que justifica sus propios valores; el prejuicio es la norma contra cualquier principio de autonomía.

El etnocidio como delito de *lesa humanidad* fue ampliado por la Declaración de San José, patrocinada por la UNESCO y firmada el 11 de diciembre de 1981. Entre otras cosas, se condenó la pérdida de identidad de las poblaciones indias de América Latina, los obstáculos para la transmisión de su lengua y cultura, y se relacionó el etnocidio con el genocidio cultural. El 29 de junio de 2006, se aprobó en la Comisión de Derechos Humanos de Naciones una Declaración sobre los Derechos de los Pueblos Indígenas, pero los representantes de algunos países no aceptaron el término etnocidio y optaron por "destrucción cultural".

El 27 de septiembre de 2006, Momcilo Krajinik fue el primer condenado en la historia de los crímenes culturales contra los bosnios. El jurado consideró que había evidencia en su contra por asesinato, deportación y exterminio, y además por destrucción de al menos doscientos bienes culturales o religiosos (mezquitas, bibliotecas, archivos, iglesias).

Convendría no confundir el etnocidio con la transculturación. El etnocidio es un acto de eliminación que puede ser acompañado de un genocidio parcial o total en busca de pureza ideológica; es, por supuesto, una manera de impedir que se mantenga una tradición de lenguaje, arte y religión; es, como lo ha demostrado la historia, una propuesta patológica que puede dañar por simple exclusión.

Lo cierto es que el etnocidio precede o es simultáneo a la transculturación, un proceso más creativo y producto de una intención de dirimir el conflicto entre un grupo dominante y otro dominado por medio de la subordinación o integración del último a nuevos esquemas de identidad. En el contacto, las dos sociedades se transforman desde una primera fase de conquista, una segunda fase de reconocimiento, apropiación e interacción, una tercera fase de ajuste con o sin rebeliones y una cuarta fase en la que se crea la autoestima social. Del etnocidio sólo quedan ruinas y resentimientos prolongados; de la transculturación puede emerger la transferencia de tecnologías, costumbres, valoraciones, concepciones, signos y discursos, lo que se conoce como convergencia, heterogeneidad e hibridización en todos los ámbitos culturales.

El grave problema con la transculturación es que ha sido generalmente una vía para que la hegemonía occidental articule una salida a la crisis cultural del contacto con la sociedad dominada, impulsando una estrategia de incorporación en la que sobresale únicamente el discurso favorable a la occidentalización de las formas culturales. La diversidad se dispone como un recurso artificial de tolerancia con todo lo que contribuya a ampliar los límites de la cultura occidental. De ahí la importancia que suele tener, tanto en la transculturación como en el etnocidio, la gestión del memoricidio, en la que se ataca la memoria colectiva del grupo al que quiere someterse, especialmente los bienes culturales que conforman su patrimonio, porque se intenta ganar la mente de quienes se somete.

CONCLUSIÓN

De este modo, con el final de esta sección se cierra el círculo abierto y vuelvo a los lugares originarios de este libro: la memoria, la cultura, la identidad. El nexo de las tres partes de la obra ha estado dirigido a probar lo siguiente:

1. El saqueo cultural de América Latina ha sido un etnocidio y memoricidio premeditado para mutilar la memoria histórica y atacar la base fundamental de la identidad de sus pueblos. Se ha perdido 60% del patrimonio tangible e intangible de la región.

2. La transculturación o sustitución de la memoria de los pueblos sometidos por la tradición occidental colonial completó una operación de alienación exitosa cuyas consecuencias todavía sufren los latinoamericanos. Como ha dicho Darcy Ribeiro, esta alienación cultural "consiste, en esencia, en la internalización espontánea o inducida en un pueblo de la conciencia y de la ideología de otro, correspondiente a una realidad que le es extraña y a intereses opuestos a los suyos. Vale decir, a la adopción de esquemas conceptuales que escamotean la percepción de la realidad social en beneficio de los que de ella se favorecen".[89]

3. Seis lenguas europeas reemplazaron más de mil idiomas indígenas y el método de extinción aplicado implicó el mayor genocidio de la historia del hombre. Entre setenta y cien millones de víctimas

estiman los informes más recientes la gran masacre de América Latina.

4. Todas las potencias europeas y en particular la estadounidense, participaron en el pillaje e intentaron anular los valores de identidad de las culturas locales para inducir la sumisión, colaboración y participación subordinada en la transferencia de recursos naturales.

5. La Iglesia católica emprendió desde el siglo XV hasta nuestros días una cruzada de evangelización como excusa para aniquilar miles de obras de arte religiosas en nombre del cristianismo.

6. La naturalización del poder cultural colonial formó a las elites políticas latinoamericanas, sobre las que se ejerció una presión enorme para que garantizaran que cualquier acción de resistencia popular en sus países no alterara las condiciones existentes de control ideológico.

7. En América Latina, la alienación inducida segmentó la visión social hasta llevar a algunos pensadores a sospechar que el problema de la identidad en esta región no existía, y que era más bien el anhelo intelectual de una clase que interpretaba sus propios intereses y los aplicaba a un contexto más amplio. Sin embargo, este mismo hecho forma parte de la identidad de los latinoamericanos: la negación radical ha sido por momentos su modo de expresar el desconcierto que se produce ante una memoria histórica amputada por siglos.

8. Desde el siglo XX, la depredación cultural aumentó. Mientras mayor el robo de materias primas en América Latina, mayor ha sido el saqueo y la destrucción del patrimonio simbólico.

Cuando visité las ruinas de Tenochtitlan o el Cusco, no imaginé que el recorrido desde México hasta Argentina me permitiría conocer un desastre de tal magnitud, en el que se olvidaría incluso que se había olvidado y los intelectuales fueron en su mayoría cómplices de las amnistías constantes inventadas por grupos privilegiados que convirtieron en un tabú la mención de sus crímenes. Este libro, en ese sentido, nació como un aporte contra la legitimación de tanta infamia.

Para entender qué es América Latina, creo que no es la resignación que impulsa la explicación del mestizaje, sino el compromiso de justicia con las víctimas de los abusos, torturas y ataques culturales, lo que puede otorgar valor a cualquier proyecto de definición en los distintos ámbitos de lo social. Hoy resulta inconcebible subestimar las consecuencias de una tragedia cultural semejante sobre la identidad de nuestros pueblos y en los difíciles años venideros sólo la convicción de resistencia que crea este doloroso recuerdo puede permitir dejar atrás siglos de exclusión, conformismo servil e incertidumbre.

Notas

INTRODUCCIÓN

¹ *Op. cit.* en el texto, Lima, Imprenta y Librería San Martí y Ca., 1920.

² Algunos indígenas llamaban Abya-Ayala a la región. El continente fue denominado América; hay quien habla de Iberoamérica o Lusoamérica incluso de Hispanoamérica. Cfr. Marras, Sergio. *América Latina, marca registrada.* Barcelona, Editorial Andrés Bello, Grupo Zeta, U. de G., 1992, pág.1: "América Latina" es un concepto francés del siglo XIX, que nació con la idea de unificar a las naciones católicas y latinas de América para formar un contrapeso a los nórdicos de origen anglosajón y protestante que ponían obstáculos a la influencia de Francia en el continente americano. El primero en utilizarlo fue Michel Chevalier (1806-1879), escritor sobre temas de política económica, que buscaba legitimar el expansionismo de Napoleón III y detener a su vez el de Estados Unidos sobre el continente. Por ello, de Francia nos llegó "junto con el intento imperial de Maximiliano (1862-1865), la primera idea de unificar las naciones católicas y latinas de América, bajo un propósito político: servir de contrapeso a los nórdicos de origen anglosajón y protestante que obstaculizaban la influencia de Francia de Napoleón III en este continente. De esta aventura francesa en México, surge la invención de América Latina". Se sabe que el socialista chileno Francisco Bilbao usó el término en una conferencia que dio en 1856 y que el mismo año el escritor colombiano José María Torres Caicedo, hizo alusión al nombre en su poema "Las dos Américas": "La raza de la América Latina,/Al frente tiene la sajona raza,/Enemiga mortal que ya amenaza/Su libertad destruir y su pendón".

[3] La lista de países estaría comprendida de esta manera: Anguila, Antigua y Barbuda, Antillas Holandesas, Argentina, Aruba, Bahamas, Barbados, Belice, Bermudas, Bolivia, Bonaire, Brasil, Chile, Colombia, Costa Rica, Cuba, Curação, Dominica, Ecuador, El Salvador, Granada, Guadalupe, Guatemala, Guayana Francesa, Guyana, Haití, Honduras, Islas Caimán, Islas Malvinas, Islas Turcas y Caicos, Islas Vírgenes, Islas Vírgenes Británicas, Jamaica, Martinica, México, Montserrat, Nicaragua, Panamá, Paraguas, Perú, Puerto Rico, República Dominicana, Saint Kitts y Nevis, San Vicente y Las Granadinas, Santa Lucía, Surinam, Trinidad y Tobago, Uruguay y Venezuela.

[4] Cristóbal Colón, *Textos y documentos completos*, edición de Consuelo Varela; nuevas cartas, edición de Juan Gil, Alianza Editorial, 1992.

[5] Las Casas, Bartolomé de. *Historia de las Indias*, tomo II, p. 508.

[6] Cfr. Hamilton, Earl J. *El tesoro americano y la revolución de los precios en España, 1501-1650*. Traducción castellana de Ángel Abad. Barcelona. Ariel, 1983. En la moneda española de maravedíes el resultado sería:

Años	Oro y plata (en maravedíes)
1601-1605	10 981 524 600
1606-1610	14 132 343 150
1611-1615	11 037 654 220
1616-1620	13 550 688 000
1621-1625	12 154 805 325
1626-1630	11 229 536 925
1631-1635	7 699 884 430
1636-1640	7 341 570 900
1641-1645	6 193 711 121
1646-1650	5 296 746 150
Totales	99 618 464 825

[7] Fontana, Josep. "La crisis colonial en la crisis del antiguo régimen español", en: Bonilla, Heraclio (edit.), *El sistema colonial en la América española*, Barcelona, Crítica, 1991, p. 309.

[8] Fuente: Normano, J.F. *Evolução econômica do Brasil,* vol. 152, São Paulo, 1975.

Producción de oro en Brasil
(1691-1850)

Periodo	Número de años	Total Kg	Media anual Kg
1691-1700	10	15 000	1 500
1701-1720	20	55 000	2 750
1721-1740	20	177 000	8 850
1741-1760	20	292 000	14 600
1761-1780	20	207 000	10 350
1781-1800	20	109 000	5 450
1801-1810	10	37 500	3 750
1811-1820	10	17 600	1 760
1821-1830	10	22 000	2 200
1831-1840	10	30 000	3 000
1841-1850	10	24 000	2 400

[9] Beaud, Mich. *Historia del capitalismo. De 1500 a nuestros días*. Barcelona, Ariel, 1984, p. 31.

[10] *Ibid.*, p. 62.

[11] Galeano, Eduardo. *Las venas abiertas de América Latina*. México, 1976, p. 90: "Las tierras fueron devastadas por esta planta egoísta que invadió el Nuevo Mundo arrasando los bosques, malgastando la fertilidad natural y extinguiendo el humus acumulado por los suelos".

[12] Schatan, Jacobo. *Deuda externa y neoliberalismo: el saqueo de América Latina*. Santiago de Chile, Fundación CENDA. Centro de Estudios Nacionales de Desarrollo Alternativo, 1999.

[13] En 1909, un dictador llamado Juan Vicente Gómez favoreció a la compañía de hidrocarburos The Venezuela Development Company, pero fueron los ingleses los primeros en entender la importancia petrolera de Venezuela, aprovechada para satisfacer en una fecha tan temprana como 1944 60% de la demanda energética de Inglaterra. Para 1945, tras el golpe de Estado del 18 de octubre, la industria petrolera venezolana estaba en manos de treinta y tres compañías de Estados Unidos, Gran Bretaña y Holanda, que controlaban diez millones quinientas mil hectáreas. Sin duda alguna, los altos ingresos a las rentas públicas nacionales transformaron la vida venezolana, al crear clases dirigentes más corruptas, grupos empresariales que respondían a los intereses foráneos y una administra-

ción ineficaz que no pudo impedir que el pueblo no recibiera ningún beneficio social y para la década de los noventa comenzaran los procesos de rebelión y fisura. Cfr. Valero, Jorge. *La diplomacia internacional y el golpe de 1945*. Caracas, Monte Ávila, 2001.

[14] Stavenhagen, Rodolfo. *Informe anual al Consejo de Derechos Humanos de las Naciones Unidas,* 2007. Disponible en <http://www.ohchr.org/ spanish/issues/indigenous/rapporteur/>.

[15] Existe una guerra de números entre especialistas: las escuelas maximalistas y minimalistas imponen estadísticas singulares. De acuerdo con el lingüista español Ángel Rosenblat (*La población de América en 1492: Viejos y nuevos cálculos,* 1967), en México existieron cuatro millones y medio de habitantes. Esta tesis, reducida por años de crítica e investigación, ha sido desestimada por su falta de fuentes en los primeros periodos estudiados. Una cifra más respetada, que oscila entre dieciocho y treinta millones, se encuentra en el texto: Cook, Sherburne F. y Borah, Woodrow. "The Historical Demography of Aboriginal and Colonial America: An Attempt at Perspective", en William M. Denevan (ed.), *The Native Population of the Americas in 1492*, Madison, University of Wisconsin Press, 13-34, 1976. Woodrow Borah justificó la cantidad de cien millones de habitantes en América a la llegada de Colón en su ensayo "America as a model: the demographic impact of European expansion upon the Non-European world", incluido en *Actas y memorias, Congreso Internacional de Americanistas,* vol. 3, pp. 379-387. México, 1964.

[16] Fernández de Oviedo, *Historia general y natural de las Indias*, lib. 13, cap. IX.

[17] Cfr. Landa, Diego de. *Relación de las cosas de Yucatán*, 32: "El capitán Alonso López de Ávila prendió una moza india y bien dispuesta y gentil mujer, andando en la guerra de Bacalar. Esta prometió a su marido, temiendo que en la guerra no lo matasen, no conocer otro hombre sino él, y así no bastó persuasion con ella para que no se quitase la vida por no quedar en peligro de ser ensuciada por otro varón, por lo cual la hicieron aperrear".

[18] Cfr. Friede, Juan. *Los andaki. Historia de la aculturación de una tribu selvática*. México, Fondo de Cultura Económica, 1974, p. 123.

[19] Bartolomé de Las Casas, *Brevísima relación de la destrucción de las Indias*, (Introducción y notas de André Saint-Lu), Madrid, Cátedra, 1987, p. 124.

[20] Bolívar, Simón. *Obras completas*, t. 1, México, Editorial Cumbre, pp. 156-157.

[21] Cfr. *The Holocaust in Historical Context*. Nueva York, Oxford University Press, 2 vols., 1994-2003.

[22] *La conquista del otro*, Siglo XXI, 2001, p. 144.

[23] Bennassar, Bartolomé. *Recherches sur les grandes épidémies dans le Nord de l'Espagne a la fin du XVIe siécle*, París, 1969.

[24] Dobyns, H. F. *Their Number Become Thined: Native American Population Dynamics in Eastern North America*, University of Tennessee Press, 1983.

[25] Mann, Charles. *1491*, Madrid, Taurus, 2006.

[26] Klein, Herbert S., *La esclavitud africana en América Latina y el Caribe*, Madrid, Alianza Editorial, 1986.

[27] Colón tuvo la idea de que parte del oro sacado de las Indias sirviera para conquistar Jerusalén. Cfr. Las Casas, Bartolomé. *Historia de las Indias*, I, 2.

[28] Durán tuvo obsesiones extrañas: le molestaban, por ejemplo, los baños de los indios, y destruyó algunos. Cfr. *op. cit.*, I, 19.

[29] *Capitulaciones. Diario de a bordo y primeras cartas sobre el descubrimiento*, Madrid, De Facsímil, 1991.

[30] Sherzer, Joel. "A Richness of Voices", en: Alvin M. Josephy, Jr., (ed.), *America in 1492: The World of the Indian Peoples before the Arrival of Columbus*. Nueva York: Knopf, 1991, pp. 251-275; 445-449.

[31] *Historia general de las cosas de la Nueva España*, I, México, 1956, p. 29.

[32] Sepúlveda, Juan Ginés de. *Tratado sobre las justas causas de la guerra contra los indios* (ed. Bilingüe latín-español), México, Fondo de Cultura Económica, 1986, p. 153.

[33] Maldonado Simán, Beatriz. "La guerra justa de Francisco de Vitoria", en: *Anuario Mexicano de Derecho Internacional*, vol. 6, 2006, pp. 679-701.

[34] *Carta Anua de 1632-1634*, ms. en la Biblioteca Universitaria de Granada, Caja A 40: f. 273.

[35] Selser, Gregorio. *Diplomacia, garrote y dólares en América Latina*. Buenos Aires, 1962.

[36] Cfr. Vittinghoff, Friedrich: *Der Staatsfeind in der römischen Kaiserzeit. Untersuchungen zur "damnatio memoriae"*. Berlín, 1936; Charles W. Hedrick Jr., *History and Silence: The Purge and Rehabilitation of Memory in Late Antiquity*. Austin, University of Texas Press, 2000.

PRIMERA PARTE
EL SAQUEO CULTURAL DE AMÉRICA LATINA

CAPÍTULO I. EL PRIMER ETNOCIDIO

[1] Paz, Octavio. *In/mediaciones*. Seix Barral, Barcelona, 1981, pp. 51-52.

[2] *Historia de la invención de las Yndias*; Historia de la conquista de la Nueva España/Fernán Pérez de Oliva; edición, introducción y notas de Pedro Ruiz Pérez, Universidad de Córdoba, 1993.

[3] Chaunu, Pierre. *Conquête et exploitation des Nouveaux mondes, XVIe siècle*, París, PUF, 1977.

[4] Colón, Cristóbal, *op. cit.*

[5] Díaz del Castillo, Bernal. *Historia verdadera de la conquista de la Nueva España*, México, Porrúa, 1955, p. 260.

[6] *Ibid.*

[7] Pedro Mártir de Anglería, *Décadas del Nuevo Mundo*, Estudio y Apéndice por el Dr. Edmundo O'Gorman; traducción del latín de Agustín Millares Carlo. México, José Porrúa e Hijos, 2 volúmenes, 1964.

[8] *Ibid.*, 1, p. 121.

[9] Pané, Fray Ramón. *Relación acerca de las antigüedades de los indios*, México, Siglo XXI, 1974, p. 41.

[10] Cfr. López de Gómara, Francisco. *Historia de las Indias y conquista de México*, Zaragoza, Agustín Millán, 1552, fol. XI.

[11] Idoloclastia se refiere a la eliminación de los ídolos. Es un término como la iconoclastia, con larga tradición histórica.

[12] Cortés, Hernán. *Cartas y documentos*. Introducción de Mario Hernández Sánchez-Barba, México, Porrúa, 1963, p. 337.

[13] Díaz del Castillo, I, p. 100.

[14] II, 27.

[15] Andrés de Tapia, en J. Díaz, A. de Tapia, B. Vázquez, F. de Aguilar. Edición de Germán Vázquez Chamorro (2002), *La conquista de Tenochtitlan*, Madrid, DASTIN S.L., col. 111.

[16] Tapia, II, p. 586.

[17] *La conquista de México*, Barcelona, Planeta, p. 677.

[18] León Portilla, Miguel. *Visión de los vencidos*. México, pp. 184-185.

[19] *Códice Florentino*, Nuevo México, 1950-1957, lib. III, p. 65.

[20] *Manuscrito de cantares mexicanos*. México, 1904.

[21] *Historia de las Indias de Nueva España*, t. II, p. 257.

[22] *Los antiguos mexicanos*, México, Fondo de Cultura Económica, 1998, pp. 62-63.

[23] *Op. cit.*, t. I, p. 143.

[24] Otros autores piensan que podría haber nacido en 1469. Cfr. Greenleaf, Richard E. *Zumárraga y la inquisición mexicana*. México, FCE, p. 46.

[25] *Relación de Tezcoco* (1582), en: Joaquín García Icazbalceta: *Nueva colección de documentos para la historia de México*, t. III, México, 1891.

[26] Fray Servando Teresa de Mier. *Apología* (1817) o *Memorias*, 2 vols., t. I, edición de Antonio Castro Leal. Colección de Escritores Mexicanos, 37, México, Porrúa, 1942, p. 52.

[27] *Dioses, tumbas y sabios*, Barcelona, 1985 p. 356.

[28] *Monarquía indiana*, 7 vols., México, UNAM, 1975-1983.

[29] Cfr. *La primera biblioteca pública del Continente americano* (Divulgación histórica 8, IV, 15 de junio de 1943, México) de Alberto Mma. Carreño.

[30] Englehardt, Zephyrin. *The Doctrina Breve in Facsímile*. Nueva York, The United States Catholic Historical Society, 1938.

[31] *Ms. Anónimo de Tlatelolco (1528)*. Edición facsimilar de E. Mengin, Copenhague, 1945, fol. 38.

[32] Motolinía, fray Toribio. *Historia de los indios de la Nueva España*, (Estudio crítico, apéndices, notas e índice de Edmundo O'Gorman), México, Porrúa, 1990.

[33] Cfr. Thompson, J. Eric S. *Historia y religión de los mayas*. México, Siglo XXI, 1980.

[34] *Relación de las cosas de Yucatán* (1566), cap. XV.

[35] *Op. cit.*, cap. XLI.

[36] Ed. P. Francisco Mateos, en *Obras* del P. José de Acosta, BAE, 73 [Madrid: Atlas, 1954], p. 188.

[37] *Op. cit.*, I, prólogo.

[38] *Literatura maya*. Compilación y prólogo Mercedes de la Garza. Caracas, Biblioteca Ayacucho, 1992, pp. 13 y 229.

[39] *Historia de la provincia de San Vicente de Chiapa y Guatemala*, 1929, vol. I, pp. 5 y 13.

[40] *Op. cit.*, p. 229.

[41] Ms. F 17r, 1938, p. 37.

[42] Carande, Ramón. *Carlos V y sus banqueros*. Vol. III, Madrid: Sociedad de Estudios y Publicaciones, 1967, p. 167.

[43] Disselhoff, H.D. *El imperio de los incas.* Barcelona, Orbis, 1985, p. 132.

[44] *1491. Una nueva historia de las Américas antes de Colón.* Madrid, Taurus, 2006, p. 454.

[45] Cfr. Urton, Gary. *Signs of the Inka Khipu: Binary Coding in the Andean Knotted-String Records,* University of Texas Press, 2003.

[46] Casado Arboniés, Manuel- Castillo Gómez, Antonio- Numhauser, Paulina y Sola, Emilio (eds.), *Escrituras silenciadas en la época de Cervantes.* Alcalá de Henares, 2006.

[47] Alexander von Humboldt, *Ansichten des Natur, tomo tr.* Citado en Adolf Meyer-Abich y otros, *Alejandro de Humboldt* (1769-1969), Bad Godesberg, 1969.

[48] Herencia, Cristina. "Políticas históricas expresas de fabricación de identidad social en América Latina", en: *Identidades nacionales en América Latina,* UCV, 2001, p. 179.

[49] *Ibid.,* p. 184.

[50] Anglería, 1964, v. I, p. 381.

[51] Rodríguez Freyle, Juan. *Conquista y descubrimiento del Nuevo Reino de Granada.* Bogotá, 1935, véase cap. II.

[52] Ramos Pérez, Demetrio. *El mito de El Dorado,* Caracas, 1987.

[53] *Historia de la conquista y población de la provincia de Venezuela.* Edición de Tomás Eloy Martínez. Caracas, Biblioteca Ayacucho. 2004, p. 23.

[54] *Ibid.,* p. 210.

[55] Tedesco, Italo. *Literatura indígena de Venezuela.* Cincel Kapelusz, 1993, p. 10.

[56] *Ibid.,* p. 14.

[57] *Op. cit.,* p. 226.

[58] Sahagún, fray Bernardino de. *Historia general de las cosas de Nueva España, op. cit.,* t. I, p. 29.

[59] A. Tovar y M. de la Pinta, *Procesos inquisitoriales contra Francisco Sánchez de las Brozas,* Madrid, 1941.

[60] Turberville, Arthur Stanley. *La Inquisición española,* México, FCE, 1960, p. 115-116.

[61] Cervantes, Miguel de. *El ingenioso hidalgo don Quijote de la Mancha.* Caracas, Biblioteca El Nacional, 2000, p. 341

[62] Robert Ricard, *La conquista espiritual de México,* México, Fondo de Cultura Económica, 1986.

[63] Donald Robertson. *Mexican Manuscript Painting of the Early Colonial Period: the Metropolitan Schools.* New Haven, 1959.

[64] Greenleaf, Richard E., *op. cit.*, pp. 66-70.

[65] Cfr. *La guerra de las imágenes*. México, Fondo de Cultura Económica, 2003, p. 69.

[66] *Procesos de indios idólatras y hechiceros*. México, Archivo General de la Nación, 1912, p. 181.

[67] Greenleaf, Richard E., *op. cit.*, p. 92.

[68] Archivo General de Indias, México, 357: cartas del obispo de Oaxaca, 1679-1692.

[69] Cfr. Duviols, Pierre. *Cultura andina y represión. Procesos y visitas de idolatrías y hechicerías. Cajatambo, siglo XVII*. Cusco, Centro de Estudios Rurales "Bartolomé de Las Casas", 1986.

[70] Hay un artículo sobre este tema escrito por Ermila Troconis de Veracoechea: "Los Libros y la Inquisición", en: *Revista Nacional de Cultura* 191 (1970), pp. 67-73.

[71] Pino Iturrieta, Elías. *La mentalidad venezolana de la emancipación (1810-1812)*, Caracas, Universidad Central de Venezuela, 1971.

[72] Robertson, William Spence. *La vida de Miranda*. Caracas, Banco Industrial de Venezuela, 1982.

[73] Felice Cardot, Carlos. "El impacto de la inquisición en Venezuela y en la Gran Colombia 1811-1830", en: *Boletín de Historia y Antigüedades*, Bogotá, 624-625, octubre-noviembre de 1966.

[74] Gimeno Gómez, A. "La aculturación y el problema del idioma en los siglos XVI y XVII", en: *Actas del XXXVI Congreso Internacional de Americanistas*, III, 1966, pp. 303-317.

[75] Rosenblat, Ángel. "La hispanización de América. El castellano y las lenguas indígenas desde 1492", en: *Arbor* 55, 1963, pp. 87-123.

[76] *Op. cit.*, lib. I, cap. II.

[77] Archivo Histórico Nacional (Madrid), Jesuitas, leg. 122, núm. 55, en *Documentos sobre política lingüística en Hispanoamérica (1492-1800)*, comp., est. prelim. y ed. Francisco de Solano, Madrid, CSIC, 1991, núm. 108, pp. 241. También: Concilios provinciales, México, Hogal, 1769, pp. 7, en *Documentos sobre política lingüística en Hispanoamérica (1492-1800)*, cit., núm. 129, p. 287.

[78] Archivo General de Indias (Sevilla), Indiferente 540, libro 17, fol. 131, en *Documentos sobre política lingüística en Hispanoamérica (1492-1800)*, cit., núm. 111, p. 261.

[79] En total, Portugal logró expandir su idioma a los doscientos treinta millones que hoy lo hablan no sólo en Brasil sino también en Angola,

Antillas Holandesas, Cabo Verde, Guayana Francesa, Guinea Bissau, Guinea Ecuatorial, Guyana, India, Macao, Mozambique, Namibia, Portugal, Santo Tomé y Príncipe, Sudáfrica, Surinam y Timor Oriental.

[80] *Recopilación de Leyes de Indias*, libro 2, título 2, ley 13.

[81] Baty, R.M. "Las órdenes mendicantes y la aculturación religiosa principios del México colonial", en: *América Indígena*, 28/1, 1968, pp. 23-50.

[82] *Op. cit.*, p. 124.

[83] *Ibid.*

[84] Mignolo, W.D. "Misunderstanding and Colonization: The Reconfiguration of Memory and Space", en: *The South Atlantic Quarterly*, 92, 2, 1993, pp. 209-260.

[85] Maeder, Ernesto J.A. *Misiones del Paraguay: conflicto y disolución de la sociedad guaraní* (1768-1850). Madrid, MAPFRE, 1992.

[86] Moreno, Gabriel René. *Catálogo del Archivo de Mojos y Chiquitos*. La Paz, La Juventud, 1973, p. 30.

[87] Fortoul, J.G. *Historia constitucional de Venezuela*, t. I, Caracas, 1953, p. 90.

[88] Fray Miguel de Olivares. *Noticia | del estado que han tenido, | y tienen estas Missiones | de Capuchinos | de la Prouincia de Caracas desde al año de 1658. | en que Su Magestad fue seruido embiar | à los Religiosos Capuchinos de la Provincia de Andalucia, en- | comendandoles la reduccion, y conversion de los Indios Genti- | les de ella, como consta de su Real Cedula, despachada este mis- | mo año al Marquès de Villaumbrosa, Presidente de la Casa de | la Contratacion à las Indias, y los Despachos que traxeron estos | Religiosos: (à que me remito) sacado todo de los Autos auten- | ticos, que en varios tiempos se han formado por los se- | ñores Obispos, y Governadores para efecto de dar | quenta à su Magestad.*

[89] *Viajes a las regiones equinocciales del Nuevo Continente*, tomo II, MEN, Buenos Aires, 1956, pp. 8-10.

[90] Friede, Juan, *op. cit.*, pp. 240-260.

CAPÍTULO II. LA GRAN CATÁSTROFE

[91] Salas, Julio César. *Tierra firme: etnología e historia*. Caracas, 1977, p. 214.

[92] Tamariz de Carmona, Antonio. *Relación y descripción del Templo Real de la ciudad de la Puebla de los Ángeles en la Nueva España y su Catedral*, p. 9.

[93] López Farjeat, Luis Xavier. *Dos aproximaciones estéticas a la identidad nacional. Una filosofía de la cultural desde el barroco y el surrealismo*. Universidad Autónoma de Nuevo León, 1998, p. 34.

[94] Balbuena, Bernardo de, *Grandeza mexicana*, 1604.

[95] Cfr. Estarellas, Juan. "The College of Tlatelolco and the Problem of Higher Education for Indians in 16th Century Mexico", en: *History of Education Quarterly*, vol. 2, núm. 4 (dec., 1962), pp. 234-243.

[96] Chacón Torres, Mario. *Arte virreinal en Potosí*. Sevilla, Escuela de Estudios Hispanoamericanos, 1973, p. 4.

[97] Lewis Hanke, *The Imperial City of Potosí. An Unwritten Chapter in the History of Spanish America*, La Haya, 1956.

[98] Bakewell, Peter. *Mineros de la montaña roja*, Madrid, Alianza, 1989. P. 149.

[99] *Op. cit.*, p. 51.

[100] Oviedo, *op. cit.*, lib. V, cap. I.

[101] Casas, Bartolomé de las. *Apologética historia sumaria*, México, UNAM, Instituto de Investigaciones Históricas, 1967, pp. 333-334.

[102] Fabié, Antonio María. *Vida y escritos de don Fray Bartolomé de Las Casas, obispo de Chiapa* (2 vols.). Madrid, Imprenta de Miguel Ginesta, 1879.

[103] Cfr. Bastide, Roger. *Las Américas negras. Las civilizaciones africanas en el Nuevo Mundo*, Madrid, Alianza Editorial (El Libro de Bolsillo), 1967; Franco, José Luciano. *La diáspora africana en el Nuevo Mundo*, La Habana, Editorial Ciencias Sociales, 1975; Ramos, Arthur. *Las culturas negras en el Nuevo Mundo*, México, Fondo de Cultura Económica, 1943.

[104] Picón Salas, Mariano. *De la conquista a la independencia*. México, Fondo de Cultura Económica. 1965, p. 137.

[105] Inca Garcilaso de la Vega. *Comentarios reales*, I. Prólogo, edición y cronología: Aurelio Miró Quesada. Caracas, Biblioteca Ayacucho, 1991.

[106] Sánchez de Aguilar, Pedro. *Informe contra idolorum cultores del obispado de Yucatán*, México, Ediciones Triay e hijos, 1937.

[107] *Op. cit.*

[108] Alexander von Humboldt, "Extracto sacado de las Notas de viaje del general O'Leary", en: Arístides Rojas, *Humboldtianas,* Caracas, 1924, pp. 212-213.

[109] "Una biblioteca pública en plena guerra a muerte", en: *Biblioteca Nacional*, 8, 1960, p. 3.

[110] O'Leary, Simón. *Memorias del general O'Leary/publicadas por su hijo Simón O'Leary*. Caracas, 1883, I, V.

[111] *Historia de San Martin y de la Emancipación Sudamericana*. Buenos Aires, Editorial Tor, vol. I, pp. 6-7.

[112] *El libro de los desastres*, México, Era, 2000, p. 67.

[113] *Op. cit.*, p. 87.

[114] *Códice Florentino*, libro XII, capítulo 1.

[115] Confieso mi apoyo a los argumentos de Eloi Chalbaud Cardona (*Historia de la Universidad de Los Andes*, tomo IX, MCMLXXXII, p. 346), quien niega que fueran treinta mil los libros. Héctor García Chuecos (*Estudios de historia colonial venezolana*, I, pp. 171-178) insiste en que Torrijos trajo treinta mil libros, además de un gabinete de Física en el que se contaban una máquina eléctrica, una neumática, globos celestes y terrestres.

[116] *Estadística y Descripción geográfica, política, agrícola e industrial de todos los lugares de que se compone la Provincia de Mérida de Venezuela*, 1832.

[117] Otra versión habla de veinte mil libros. Cfr. María Elisa Espinosa, "Reconstruir a partir de un libro", en: *El Universal*, 12 de junio de 2000, pp. 1-4.

[118] Cfr. Pereña, Luciano. *Genocidio en América*. Madrid, MAPFRE, 1992.

[119] *El Progreso*, 27/9/1844; *El Nacional*, 25/11/1876.

[120] Raymond J. Gordon, Jr. (ed.). *Ethnologue: Languages of the World*, SIL International, 2005.

[121] Macquown, Norman A. "The Indigenous Languages of Latin America", en: *American Anthropologist*, LVII (1955), pp. 501-570.

[122] Groupe de recherches sur l'Ameìrique latine Toulouse-Perpignan. *Indianidad, etnocidio, indigenismo en Ameìrica Latina*, Instituto Indigenista Interamericano: Centre d'etudes mexicaines et centrameìricaines, 1988.

[123] Albert, Bruce. "Indiens Yanomami et chercheurs d'or au Brésil: le massacre de Haximu", en: *JSAP*, 80, 1994, pp. 250-257.

[124] Stavenhagen, Rodolfo, *op. cit.*

[125] Tierney, Patrick. *El saqueo de El Dorado: cómo científicos y periodistas han devastado el Amazonas*. Arena Abierta. Barcelona: Grijalbo, 2002.

[126] *Ibid.*

[127] Otras estimaciones refieren once millones de esclavos. Cfr. Jo-

seph E. Inikori; "La trata negrera y las economías atlánticas de 1451 a 1870", en: *La trata negrera del siglo XV al XIX*, Barcelona, UNESCO 1978, 1981.

[128] S. Klein, Herbert. *La esclavitud africana en América Latina y el Caribe.* Versión española de Graciela Sánchez Albornoz, Madrid, Alianza Editorial, 1986.

[129] Ramos, Arthur. *Las culturas negras en el Nuevo Mundo.* México, Fondo de Cultura Económica, 1943.

CAPÍTULO III. LA REPRESIÓN CULTURAL EN EL SIGLO XX

[130] Varios. *Proyecto Interdiocesano de Recuperación de la Memoria Histórica* (REMHI): Guatemala: Nunca Más. ODHAG, 1998.

[131] Rodas, Haroldo. *El despojo cultural. La otra máscara de la conquista,* 1998, pp. 171-172.

[132] *Guatemala: memoria del silencio,* vol. III, Guatemala, 1999.

[133] Walter, Knut. *El régimen de Anastasio Somoza 1936-1956.* Instituto de Historia de Nicaragua y Centroamérica, 2004.

[134] Nogales Méndez, Rafael de. *El saqueo de Nicaragua.* Caracas, Ediciones Centauro, 1981, p. 77.

[135] Chomsky, Noam. *Hegemonía o supervivencia. El dominio mundial de EEUU.* Bogotá, Norma, 2004, pp. 156-157.

[136] Ferreira, Jorge y Delgado, Lucília A. N. (org.) *O Brasil Republicano, O Tempo da Ditadura.* RJ: *Civilização Brasileira,* 2004; Chaui, Marilena de Souza. *Conformismo e resistência - aspectos da cultura popular no Brasil.* Brasiliense, São Paulo: 1989; Fico, Carlos. *Como eles Agiam. Os Subterrâneos da Ditadura Militar: espionagem e polícia política.* Río de Janeiro, Record, 2001; Gaspari, Elio. *A Ditadura envergonhada.* São Paulo. Companhia das Letras, 2002.

[137] *Civilização Brasileira,* núms. 9/10, set./nov. 1966, pp. 291-7.

[138] Kushnir, Beatriz. *Cães de Guarda: Jornalistas e censores, do AI-5 à Constituição de 1988.* São Paulo, Boitempo Editorial, 2004.

[139] Gobierno de Brasil. *Primer Informe Relativo a la Implementación de la Convención contra la Tortura y otros Tratamientos o Penas Crueles, Inhumanos o Degradantes.* Comité contra la Tortura, 18 de agosto de 2000. CAT/ C/9/Add.16.

[140] Smith, Anne-Marie. *Um acordo forçado: o consentimento da imprensa à censura no Brasil*. Río de Janeiro: Editora FGV, 2000. pp. 71-135.

[141] Andreucci, Álvaro Gonçalves Antunes/Oliveira, Valéria Garcia de. *Cultura amordaçada- intelectuais e músicos sob a vigilância do Deops*. IMESP, 2002.

[142] Schmidt, Hans. *United States occupation of Haïti* (1915-1934). Rutgers University Press, 1995.

[143] Mendoza Navarro, Aída Luz. *Transparencia vs. Corrupción*. Perú, 2004.

[144] Oporto, Luis. *La destrucción de la memoria oficial en Bolivia*. Ensayo inédito presentado al Concurso Latinoamericano de Investigación en Bibliotecología, Documentación, Archivística y Museología "Fernando Báez", Buenos Aires, 2006.

[145] El escepticismo habitual sobre este tipo de soporte se desvaneció el 18 de septiembre de 2000. La CIA desclasificó un grupo de documentos que probaban que brindaron apoyo en los medios de comunicación internacionales para "crear una imagen positiva de la Junta". Entre 1974 y 1977, Manuel Contreras Sepúlveda, jefe de la DINA, recibió dinero y colaboración para combatir el marxismo en Chile.

[146] Es necesario consultar la extraordinaria tesis de licenciatura: Ballesteros, Karin. *Destrucción del libro en Chile durante la dictadura militar 1973-1990*. Chile, 2007.

[147] Información disponible en: <http://www.magicasruinas.com.ar/revistero/aquello/revaquello071.htm>.

[148] Ballesteros, *op. cit.*, p. 105.

[149] Cfr. "Caso Bareiro Saguier", en: *Hispamérica* 4-5 (1973), p. 74.

[150] *Los amos de la guerra*, Barcelona, Debate, 2005, p. 310.

[151] *Nunca más. Informe de la Comisión Nacional sobre la Desaparición de Personas*. Buenos Aires, EUDEBA, 1985.

[152] "El cierre de una editorial", en: *Suplemento Primer Plano*, p. 12, 21 de abril de 1996.

[153] Invernizzi, Hernán - Gociol, Judith. *Un golpe a los libros*. Buenos Aires, EUDEBA, 2003, p. 29.

[154] *Ibid.*, p. 89.

[155] *Ibid.*, p. 258.

[156] Invernizzi, Hernán. *Los libros son tuyos*. Buenos Aires, EUDEBA, 2005.

CAPÍTULO IV. EL GRAN SAQUEO DEL SIGLO XX E INICIOS DEL XXI

[157] Cfr. Mann, Charles, *op. cit.*, pp. 228-232.

[158] Oral testimony Before the U.S. Cultural Property Advisory Committee U.S. Department of State. Disponible en: http://www.saa. org/goverment/property.html.

[159] Contardo, Óscar. "Saqueo. Comercio ilegal: El oficio del huaquero", en: *Suplemento Artes y Letras, El Mercurio.* 2 de Mayo 2004.

[160] Fundación el Monte [*et al.*]. *Wari: arte precolombino peruano.* Sevilla, Centro Cultural El Monte/Lima, INC, Museo Nacional de Arqueología, Antropología e Historia de Perú, 2000.

[161] Mariana Mould de Pease, Jorge Miguel Rodríguez Rodríguez "La memoria perdida del Perú" en: AA.VV., *La tutela del patrimonio culturali in caso di conflitto, collana monografica* "Mediterraneum. Tutela e valorizzazione dei beni culturali ed ambientali", el cura de Fabio Maniscalco, Nápoles, 2002.

[162] *El saqueo del pasado. Historia del tráfico internacional ilegal de obras de arte.* México, FCE, 1990.

[163] *Dos estelas mayas sustraídas de Guatemala. Su presencia en Nueva York*, Guatemala, 1966.

[164] *Op. cit.*, p. 86.

[165] Berrin, Katheleen y Pasztory, Esther. *Teotihuacan: Art from the City of Gods.* Londres y Nueva York, Thames & Hudson, 1993.

[166] Estrada Jaso, Andrés. *Imágenes de caña de maíz. Estudio*, Catálogo y Bibliografía, S.L.P., Universidad Autónoma de San Luis de Potosí, 1996.

[167] Aguilar Sosa, Yanet. "Políticos y narcos en el robo de arte sacro", en: *El Universal*, sábado 28 de julio de 2007, México.

[168] McEwan, Colin, Barreto, Cristina y Neves, Eduardo (eds.). *Unknown Amazon.* Londres, British Museum Press, 2001.

[169] García, Fernando. *Delitos contra el patrimonio cultural en Chile.* Serie documentos. Santiago, Universidad Nacional Andrés Bello. 1995.

[170] *Ibid.*

[171] Contardo, Óscar, *op. cit.*

[172] *Op. cit.*

[173] Schavelzon, Daniel. *El expolio del arte en la Argentina; robo y tráfico ilegal de obras de arte*, Buenos Aires, Sudamérica, 1993.

[174] *La conservación del patrimonio cultural en América Latina*, Buenos Aires, Instituto de Arte Americano, 1990.

[175] Cfr. *El tesoro americano y la revolución de los precios en España, 1501-1650.* Traducción castellana de Ángel Abad. Barcelona. Ariel, 1983.

[176] Cfr. *Sevilla y América siglos XVI y XVII.* Traducción Rafael Sánchez Sevilla, Mantero, 1983.

SEGUNDA PARTE
EL SAQUEO CULTURAL EN LA HISTORIA:
GUERRA, COMERCIO E IMPERIO

CAPÍTULO I. GUERRA

[1] Cfr.R. Brian Ferguson (ed.), *Warfare, Culture, and Environment.* Nueva York, 1984. Ferguson definió la guerra de este modo: "Es una acción: *organized, purposeful group action, directed against another group that may or may not be organized for similar action, involving the actual or potential application of lethal force"*.

[2] Lara Peinado, Federico. *Himnos Sumerios*, Madrid. Tecnos, 1988, p. 167.

[3] Amir Medí Badi, *Les Grecs et les Barbares*, París, Payot, 1963, p. 106.

[4] Paulo Orosio, *Historiarum Adversus Paganos,* Libri Septem, VII.

[5] *Ensayos*, vol. I. Ediciones Barcelona, Orbis, 1984, p. 101.

[6] David Nicolle. *The Mongol Warlords: Genghis Khan, Kublai Khan, Hulagu, Tamerlane*, 1990.

[7] Cfr. J. B. Elshtain, *The Just War Theory*, Oxford/Cambridge Mass., 1992; M. Walzer, *Just and Unjust Wars: A Moral Argument with Historical Illustrations*, Nueva York, 1992.

[8] *Summa Teologica.* MCMLIX, t. VII, Biblioteca de Autores Cristianos, p. 1075.

[9] Reginald Merton, *Cardinal Ximenes and the Making of Spain* (1934). Vale la pena revisar Luis Suárez Fernández, "Francisco Jiménez de Cisneros", en: AAVV, *Diccionario de Historia de España*, Revista de Occidente, 1952, tomo I, pp. 655-656.

[10] La expulsión de moros y judíos obligó a los sefarditas, por ejemplo, a abandonar centenares de manuscritos. En marzo de 2003, manuscritos escritos en hebreo, entre ellos actas notariales, contratos de compra-

venta, certificados matrimoniales o versiones de la *Torá,* aparecieron ocultos en las cubiertas de unos libros en Gerona. Lo que salvó los textos fue la táctica de engordar las cubiertas de los libros rellenándolas con los manuscritos prohibidos.

[11] De Vitoria, Francisco, *Reelecciones del estado, de los indios y del derecho de la guerra,* México, Porrúa, 1985, pp. 60-65 y 65-66.

[12] *De iure belli ac pacis* (libro III, caps. VI y XII).

[13] Nahlik, S.E. "Protection internationale des biens culturels en cas de conflict armé". en: *RCADI,* vol. 120; 1967-I, pp.75-76.

[14] Antoine Quatremere de Quincy, *Cartas a Miranda,* Caracas, IPC, 1998, p. 119.

[15] *Instructions for the Government of Armies of the United States in the Field,* preparado por Francis Lieber y promulgada como la Orden General núm. 100 por el presidente Lincoln el 24 de abril de 1863.

[16] El texto aparece en *Völkischer Beobachter,* mayo 12 de 1933:

Das Zeitalter eines überspitzten jüdischen Intellektualismus ist zu Ende gegangen, und die deutsche Revolution hat dem deutschen Wesen wieder die Gasse freigemacht. Diese Revolution kam nicht von oben, sie ist von unten hervorgebrochen. Sie ist deshalb im besten Sinne des Wortes der Vollzug des Volkswillens(...)

In den letzten vierzehn Jahren, in denen ihr, Kommilitonen, in schweigender Schmach die Demütigungen der Novemberrepublik über euch ergehen lassen mußtet, füllten sich die Bibliotheken mit Schund und Schmutz jüdischer Asphaltliteraten.

Während die Wissenschaft sich allmählich vom Leben isolierte, hat das junge Deutschland längst schon einen neuen fertigen Rechts- und Normalzustand wieder hergestellt (...)

Revolutionen, die echt sind, machen nirgends Halt. Es darf kein Gebiet unberührt bleiben (...)

Deshalb tut ihr gut daran, in dieser mitternächtlichen Stunde den Ungeist der Vergangenheit den Flammen anzuvertrauen (...)

Das Alte liegt in den Flammen, das Neue wird aus der Flamme unseres eigenen Herzens wieder emporsteigen.

[17] 57OeStA/AdR/04 Bürckel-Materie, fol. 2 445/2, Carta de Alfred Rosenberg a Gauleiter Bürckel del 6 de marzo de 1939: "La disposición de una excelente biblioteca para la proyectada Hohe Schule es una de los más decisivas tareas que me he propuesto".

[18] Fontaine Verwey De la, "De Bibliotheca Rosenthaliana tijdens de besetting", en: *Studia Rosenthaliana* 14 (1980), pp. 121-127.

[19] Héctor Feliciano, *The Lost Museum: The Nazi Conspiracy to Steal the World's Greatest Works of Art*. Nueva York, Basic Books, 1997; Willem de Vries, *Einsatzstab Reichsleiter Rosenberg, Sonderstab Musik: The Confiscation of Music in the Occupied Countries of Western Europe during World War II*, Ann Arbor, The University of Michigan Press, 1997.

[20] Arkady Joukovsky, "The Symon Petliura Ukrainian Library in Paris", en: *Harvard Ukrainian Studies* 14(1-2), junio de 1990, pp. 218-35.

[21] Evelyn Adunka, *Der Raub der Bücher. Plünderung in der NS-Zeit und Restitution nach 1945.* Viena, Czernin Verlag, 2002.

[22] Otto Seifert, "Bücherverwertungsstelle Wien I, Dorotheergasse 12", en: *Jahrbuch Dokumentationsarchiv des Österreichischen Widerstandes*, 1998, pp. 88-94.

[23] Elizabeth Simpson (ed.), *The Spoils of War: World War II and Its Aftermath: The Loss, Reappearance, and Recovery of Cultural Property*, Nueva York, Harry Abrams, 1997.

[24] "Volksbibliotheke im Naztionalsozialismus", en: *Buch und Bibliothek* 39, pp. 345-348, 1987.

[25] Hay un recuento estadístico en Friedman, Philip. "The Fate of the Jewish Book During the Nazi Era", en: *Jewish Book Annual* 13 (1957-58), p. 4.

[26] *The Tragedy of Tibet*, 1989.

[27] Ting, Lee-hsia Hsu. *Government Control of the Press in Modern China 1900-1949*, Harvard University Press, 1974.

[28] Lee-hsia Hsu Ting, "Library Services in the People's Republic of China", en: *Library Quarterly* 53, 1983, p. 148.

[29] "The Hatred of Memory", *The New York Times*, 28 de mayo de 1994.

[30] Consejo de Europa, 1993, doc. 6 756, p.47.

[31] Naciones Unidas, Comisión de Expertos de la ex Yugoslavia, 1994, anexo VI, parágrafos 183-193, anexo XI, parágrafos 17,22 y 33.

[32] F. Francioni - F. Lenzerini, "The Destruction of the Buddhas of Bamiyan and International Law", en: *European Journal of International Law*, 2003, pp. 619-651.

[33] El recuento completo puede leerse en mi libro *La destrucción cultural de Irak. Un testimonio de posguerra* (Octaedro, 2004; Alfadil, 2005).

[34] *Diario de Irak*, Madrid, Aguilar, 2003, p. 12.

CAPÍTULO II. COMERCIO

³⁵ Se ha acusado a Vivant-Denon, director del Louvre, de haber acompañado a las tropas de Napoleón Bonaparte, con la intención de elegir personalmente aquellas obras del enemigo que le parecían merecedoras de pertenecer a su museo.

³⁶ En 1999 se realizó el seminario "Los mármoles del Partenón: su historia y su destino", patrocinado por la Sociedad para la protección del patrimonio griego y por la galería de arte Corcoran, y el conservador Ian Jenkins reconoció que "40% de los mármoles han sido afectados por la limpieza drástica de sus predecesores en el transcurso de los años 1930".

³⁷ Meyer, *op. cit.*, p. 30.

CAPÍTULO III. IMPERIO

³⁸ *Empires*, Cornell University, 1986, p. 19.

³⁹ *Empire. A Very Short Introduction.* Oxford, 2002, p. 30.

⁴⁰ Díaz-Guerrero, R. "Sociocultural premises, attitudes and cross-cultural research", en: *International Journal of Psychology* 2, 1967, p. 81.

⁴¹ Schiller, Herbert I. *Communications and Cultural Domination.* White Plains, NY: International Arts and Sciences Press, 1976, p. 32: *"The sum of the processes by which a society is brought into the modern world system and how its dominating stratum is attracted, pressured, forced and sometimes bribed into shaping social institutions to correspond to or even promote, the values and structures of the dominating center of the system".*

⁴² Cfr. Kipling, Rudyard. "The White Man's Burden.", en: *McClure's Magazine* 12 de febrero de 1899.

⁴³ *Culture and Imperialism.* Nueva York, Vintage, 1994, p. 9.

⁴⁴ Conrad, Joseph. *El corazón de las tinieblas.* Barcelona, Orbis, 1986, pp. 89-90.

⁴⁵ Bell, Daniel. *The Cultural Contradiction of Capitalism.* Londres, Heinemann Educational, 1979, p. 14.

⁴⁶ "The Globalization of Markets", en: *Harvard Business Review,* mayo/junio de 1983.

⁴⁷ El término *imperialismo,* hoy asociado al de *marxismo,* se ha utilizado para referirse a la imposición de un imperio. Se atribuye a John

Atkinson Hobson (1858-1940) haber creado una tradición con la publicación de su volumen *Imperialismo, un estudio*, aparecido en 1902; su aporte tiene el mérito de haber reinterpretado la idea de imperio en el marco del excedente de consumo y la existencia de grandes capitales para la inversión. Rudolf Hilferding, en *Das Finanzkapital* (1910), sostenía que los bancos se habían transformado en las instituciones monopolizadoras del capital para su época, y en el proceso de concentración de los capitales fue imprescindible que la expansión del capitalismo requiriera del apoyo militar y político del Estado para garantizar la penetración de mercados exteriores, sin los cuales las potencias económicas fracasarían en su intento de mantener altas tasas de beneficios. Karl Kautsky, en *Der Imperialismus* (1914), advirtió que las naciones industrializadas intentaban anexarse nuevos territorios agrarios como forma de evitar que la acumulación de capitales se redujese y provocase un colapso. Lenin, por ejemplo, en su obra *El imperialismo, fase superior del capitalismo* de 1916, fue heredero de estas ideas, aunque enemigo declarado del kautskismo. Para Lenin el imperio era económico y la naturaleza del imperialismo consistía en la propagación de un capitalismo bien desarrollado, monopólico, donde las grandes ganancias del capital justificaban el reparto territorial del mundo por medio de carteles internacionales.

[48] *La era del imperialismo*. México, Editorial Actual, 1969, p. 48.

[49] *Op. cit.*, Caracas, Monte Ávila Editores, 1982, p. 145.

[50] Negri, Toni. "El Imperio después del imperialismo", en: *Le Monde Diplomatique*, enero de 2001, p. 13.

[51] Robert Leiken-Barry Rubin. *Central American Crisis Reader*. Nueva York, Summit Books, 1987, p. 82.

[52] Irving Kristol, "The Emerging American Imperium", en: *Wall Street Journal*, 18 de agosto de 1997, p. A-14.

[53] Edición de Madrid, Junta del Centenario, 1946, II, pp. 3 y 7.

[54] Bello, Andrés. *Gramática de la lengua castellana*. Buenos Aires, Editorial Glem, 1946, p. VII.

[55] *Europa y América en el pensar mantuano*, Caracas, Monte Ávila, 1981, p. 133.

[56] Phillipson, Robert. *Linguistic Imperialism*, Oxford University Press, 1992.

[57] Galtung, J. "A Structural Theory of Imperialism", en: *Journal of Peace Research*, VIII, 2, pp. 81-117, 1971.

⁵⁸ Thomas Babington Macaulay, "Minute of 2 February 1835 on Indian Education", en: Macaulay, *Prose and Poetry*, selected by G. M. Young (Cambridge, Harvard University Press, 1957), pp. 721-24, 729.

⁵⁹ Rifkin, J. *La era del acceso. La revolución de la nueva economía.* Barcelona, Paidós, 2000, pp. 17-18.

⁶⁰ Schiller, Herbert. "Transnational Media and National Development", en: K. Nordenstreng y H.I. Schiller (eds.), *National Sovereignty and International Communication.* New Jersey, Ablex, 1979.

⁶¹ Mattelart, Armand. *Diversidad cultural y mundialización.* Barcelona, Paidós, 2006, p. 81.

⁶² Vaclav Havel, "The New Measure of Man", en: *New York Times*, 8 de julio de 1994, p. A27.

⁶³ Jacques Delors, "Questions Concerning European Security", *Conferencia, Instituto Internacional de Estudios Estratégicos*, Bruselas, 10 de septiembre de 1993, pp. 2.

⁶⁴ Huntington, Samuel P. *El choque de las civilizaciones y la reconfiguración del orden mundial.* Buenos Aires, Paidós, 2001.

⁶⁵ En 1845, John O'Sullivan, un periodista obsesivo, escribió: "La nación [estadounidense] ha recibido de la Providencia divina el manifiesto y misión de dominar y controlar todo el continente americano a fin de alimentar y desarrollar la libertad y la democracia. Para luego traer la luz del progreso al resto del mundo libre sobre la Tierra".

⁶⁶ Lind, un coronel retirado, es actualmente director del Centro de Cultura Conservadora de la Fundación Congreso Libre, y se dedica a impulsar la defensa de valores occidentales y judeo-cristianos. Es enemigo de la tesis de la diversidad cultural o multiculturalismo.

⁶⁷ Internamente hay una guerra cultural en el propio Estados Unidos. Irving Kristol, vocero neoconservador, ha comentado que la "contra-cultura" nacida en los sesenta constituye un peligro para la supervivencia de la nación y promueve fundaciones académicas que fomentan el ataque contra corrientes marxistas o alternativas de pensamiento. Léase su artículo "Countercultures. Past, present and future", con fecha de enero del primero de enero del 2000, y publicado en la página www.aei.org.

⁶⁸ *Neonconservatism: The Autobiography of an Idea*, 1995, p. 52.

TERCERA PARTE
TRANSCULTURACIÓN Y ETNOCIDIO
EN AMÉRICA LATINA

CAPÍTULO I. LA FATALIDAD DE LA MEMORIA

[1] *Op. cit.*, Salamanca, Sígueme, 1977.

[2] Aristóteles. *Parva naturalia.* Alianza Editorial, 1993, pp. 66-80.

[3] Yates, Frances A. *El arte de la memoria.* Taurus, 1974, pp. 17-18.

[4] *Ibid.*, p. 32.

[5] *Ibid.*, p. 37.

[6] Henri Bergson. *Materia y memoria. Ensayo sobre la relación del cuerpo con el espíritu.* Buenos Aires, Editorial Cactus, 2006.

[7] Cfr. Harald Weinrich. *Leteo.* Barcelona, Siruela, 1999.

[8] *Op. cit.*, traducción de Jorge Eduardo Rivera. Madrid, Trotta, 2003.

[9] *Balb.* 40.1-3.

[10] *Naturalis historiae,* libri XXXVII.

[11] Daniel Jorro, *Las enfermedades de la memoria.* Madrid, 1927, p. 59.

[12] *Discours et Conférences*, París, Calmann-Lévy Editeurs, 1922, pp. 277-310.

[13] *Kant, el judío, el alemán.* Trad. de Patricio Peñalver, Madrid, Trotta, 2004.

[14] *Catástrofe y olvido*, Santiago de Chile, Cuarto Propio, 1998, p. 241.

[15] Freud, Sigmund. *Obras completas.* Ordenamiento, comentarios y notas de James Strachey con la colaboración de Anna Freud, asistidos por Alix Strachey y Alan Tyson. Traducción directa del alemán de José L. Etcheverry tomo XXI, Buenos Aires, Amorrortu, 1992, pp. 69-70.

[16] Nietzsche, Friedrich. *La genealogía de la moral. Un escrito polémico*, Madrid, Alianza Editorial, 1972, p. 69.

[17] Cfr. Ruiz-Vargas, José María. *Memoria y olvido.* Madrid, Trotta, 2002, pp. 101-102.

[18] "Remembering and Forgetting Traumatic Experiences: a Matter of Survival", en: M.A. Conway (ed.). *Revovered Memories and False Memories.* Oxford University Press, 1997, pp. 230-250.

[19] Maguire, Eleanor y otros. "Patients with hippocampal amnesia

canoot imagine new experiences", en: *PNAS,* enero 30 (2007), vol. 104, núm. 5, pp. 1726-1731.

[20] La fuente es Antípatro de Sidón (*Antología Griega,* IX, 58): "He posado mis ojos sobre la muralla de la dulce Babilonia, que es una calzada para carruajes, y la estatua de Zeus de los alfeos, y los jardines colgantes, y el Coloso del Sol, y la enorme obra de las altas Pirámides, y la vasta tumba de Mausolo; pero cuando vi la casa de Artemisa, allí encaramada en las nubes, esos otros mármoles perdieron su brillo, y dije: aparte de desde el Olimpo, el Sol nunca pareció jamás tan grande".

[21] *El orden de la memoria*, Buenos Aires, Paidós, 1991, p. 131.

[22] Esta sinopsis apenas daría cuenta de lo que expone profundamente José María Ruiz-Vargas, *op. cit.,* pp. 298-299.

[23] De Quincey, Thomas. *Suspiria de profundis* (1845):

¿Qué es el cerebro humano, si no un palimpsesto natural y poderoso? Mi cerebro es un palimpsesto; tu cerebro, ¡oh lector! es un palimpsesto. Sobre tu cerebro han ido cayendo, con la suavidad de la luz, capas de ideas, imágenes y sentimientos (...) Sí, lector, incontables son las misteriosas escrituras de dolor o alegría que se inscribieron sucesivamente en el palimpsesto de tu cerebro y como las hojas del año en las selvas primitivas o las nieves eternas del Himalaya, o la luz que cae sobre la luz, los interminables estratos han ido cubriéndose unos a otros en el olvido. Pero al llegar la hora de la muerte, en la fiebre o en las búsquedas del opio, todos ellos pueden revivir intensamente. No están muertos, sino dormidos. En el ejemplo que he imaginado de un palimpsesto, la tragedia griega parece desplazada, pero no fue desplazada por la leyenda monástica, y la leyenda monástica parece desplazada, pero no fue desplazada por el poema caballeresco (...) Perece el poema que adoraba el joven; se pierde la leyenda que engañó al niño; pero las profundísimas tragedias de la infancia, en que las manos del niño se desprendieron para siempre del cuello de su madre, o sus labios perdieron para siempre los besos de la hermana, subsisten aún debajo de todo y subsisten hasta el fin.

[24] *Remembering: A Study in Experimental and Social Psychology*, Cambridge University Press, 1964.

[25] Halbwachs, Maurice. *La memoria colectiva.* Zaragoza, Prensas Universitarias de Zaragoza, 2004.

[26] Leroi-Gourhan, André. *El gesto y la palabra.* Caracas, Universidad Central de Caracas, 1971.

[27] Eliade, Mircea. *Lo sagrado y lo profano*. Barcelona, Labor, 1983, pp. 90-91.

[28] Bordieu, Pierre-Wacquant, Loïc. "La nouvelle vulgate planétaire", en: *Le monde diplomatique*, marzo de 2000, p. 6.

[29] Debray, Regis. *Cours de médiologie générale*, París, Gallimard, 1991.

[30] Borges, Jorge Luis. *Borges oral*. Madrid, Alianza Editorial, 1994.

CAPÍTULO II. LA IDENTIDAD CULTURAL

[31] Cfr. Marcovich, Miroslav. *Heraclitus*. Mérida, 1968, p. 43: "(Asimismo) de cada cosa (es posible formar una) unidad, y de (esta) unidad todas las cosas (consisten)".

[32] Locke, John. *Ensayo sobre el entendimiento humano*. Barcelona, Orbis, 1985, p. 107.

[33] Hume, David. *Tratado de la naturaleza humana*. Traducción, introducción y notas de Félix Duque, tomo I, libro primero, IV, sección 6. Ediciones Barcelona, Orbis, 1984, p. 401.

[34] Cfr. *Crítica de la razón pura*. Prólogo, traducción, notas e índices de Pedro Ribas. Alfaguara, 2000, pp. 153-156.

[35] Cfr. *Sobre la esencia*. Madrid, Alianza Editorial, 1962, pp. 249-250.

[36] Heidegger, Martin. *Ser y tiempo*. Traducción de José Gaos, México, Fondo de Cultura Económica, 1993, p. 147.

[37] Lévinas, Emmanuel. *Totalidad e infinito*. Salamanca, Ediciones Sígueme, 1977, p. 293.

[38] Freud, *op. cit.*, pp. 65 y sgtes.

[39] Erikson, Erik. *Identidad, juventud y crisis*. Buenos Aires, Paidós, 1968.

[40] Marx, Karl. "Tesis sobre Feuerbach", en: *Ludwig Feuerbach y el de la filosofía clásica alemana*. Bogotá, 1970, p. 56.

[41] Fromm, Erich. *Marx y su concepto del hombre*. México, Fondo de Cultura Económica, 1970, pp.147-148.

[42] Althusser, Louis: "Ideología y aparatos ideológicos de Estado", en *La filosofía como arma de la revolución*. Buenos Aires, Cuadernos de pasado y presente, 1977, pp. 109-110.

[43] Mead, George H. *Espíritu, Persona y Sociedad*. Buenos Aires, Paidós, 1982, p. 213.

[44] "Cultural Identity and Diaspora", en: Jonathan Rutherford (ed.),

Identity: Community, Culture, Difference. Londres, Lawrence & Wishart Límited, 1990, p. 222.

[45] "Les groupes ethniques et leurs frontieres", en: Poutignat, Ph. y Streiff-Fenart, J. *Theories de l'ethnicité*. París, PUF, 1995, pp. 203-249.

[46] "L'identité et la représentation. Eléments pour une réflexion critique sur l'idée de région", publicado en *Actes de la Recherche en sciences sociales*, núm. 35, París, 1980.

[47] *Naciones y nacionalismo desde 1780*. Barcelona, Crítica, 1991, p. 180.

[48] Bolívar, Simón. *Obras completas*, vol. I, México, 1978, p. 170.

[49] Rodolfo Kusch. *America profunda*. Editorial Bonum, 1986, pp. 89-98.

[50] Raúl Dorra, "Identidad y literatura", en: *Identidad cultural de Iberoamérica en su literatura*, Saúl Yurkiévich (coord.), Madrid, Alhambra, 1986, p. 50.

[51] Sloterdijk, Peter: "Der gesprengte Behälter. Notiz über die Krise des Heimatbegriffs in der globalisierten Welt", en: *Spiegel Spezial*, Nr. 6 (1999), S. 24-29.

[52] Cicerón. *Disputas tusculanas*. Libros I-II. Versión de Julio Pimentel Álvarez. Bibliotheca Scriptorum Graecorum et romanorum mexicana. México, Universidad Nacional Autónoma de México, 1987, p. 62.

[53] *Paris. Capitale du XIXe siecle. Le livre des passages*. París, Cerf, 1989, p. 485.

[54] Tylor, Edward B. *Primitive Culture: Researches into the Development of Mythology, Philosophy, Religion, Art and Custom,* 1871: "Cultura o civilización, tomado en su amplio sentido etnográfico, es un todo complejo que incluye conocimiento, creencia, arte, moral, ley, costumbre, y cualquier otra habilidad y hábito adquirido por el hombre como miembro de una sociedad".

[55] Freud, Sigmund, *op. cit.*, p. 88.

[56] Cfr. Lévi-Strauss, Claude. "Introduction á l'ouvre de Marcel Mauss", en Mauss, Marcel, *Sociologie et anthropologie,* París, PUF, 1950.

[57] Geertz, Clifford. *La interpretación de las culturas*, México, Gedisa, 1991.

[58] Kroeber, A.L. y Kluckhohn, C. *Op. cit.*

[59] *Genes, pueblos y lenguas*. Barcelona, Crítica, 2000, p. 169.

[60] Cfr. Edward O. Wilson, *Sociobiología. La nueva síntesis*, Barcelona, Omega, 1980; Charles Lumsden y Edward O. Wilson, *Genes, Mind and Culture: the Coevolutionary Process*, Harvard University Press, 1981.

[61] Cito la versión en español: *El gen egoísta*, México, Salvat Editores, 1976.

[62] *El error de Descartes*, Crítica, Barcelona, 2001, p. 98.

CAPÍTULO III. TRANSCULTURACIÓN, ETNOCIDIO Y MEMORICIDIO

⁶³ Jens Østergård Petersen. "Which Books did the First Emperor of Ch'in Burn? On the Meaning of Pai-chia in Early Chinese Sources", en: *Monumenta Serica* 43 (1995), pp. 1-52.

⁶⁴ Nicolas Zufferey. "Le Premier Empereur et les lettrés. L'exécution de 212 avant J.-C.", en: *Études Chinoises,* XVI: 1 (1997), pp. 59-98.

⁶⁵ Ulrich Neininger. "Burying the Scholars Alive: On the Origins of a Confucian Martyrs' Legend", en: Wolfram Eberhard, Krzysztof Galikowski y Carl-Albrecht Seyschab (eds.), *East Asian Civilizations: New Attempts at Understanding Traditions 2 Nation and Mythology,* Simon and Magiera, 1983, pp. 121-136.

⁶⁶ Cfr. Nicole Loraux. *The Divided City: On Memory and Forgetting in Ancient Athens.* Traducido por Corinne Pache y Jeff Fort. Nueva York: Zone Books, 2002; Th.C. Loening, "The Reconciliation Agreement of 403/2" en: *Athens. Its Content and Application,* Stuttgart, Hermes Einzelschriften 53, 1987;

⁶⁷ La expresión que está documentada en las fuentes romanas es *memoria damnata.*

⁶⁸ Cfr. Flower, Harriet, L. *The Art of Forgetting. Disgrace and Oblivion in Roman Political Culture.* Chapel Hill, The University of North Carolina Press, 2006.

⁶⁹ C.W. Hedrick Jr. *History and Silence. Purge and the Rehabilitation of Memory in Late Antiquity.* Austin: University of Texas Press, 2000. Varner, Eric R. *Mutilation and Transformation: Damnatio Memoriae and Roman Imperial* Portraiture, 2004.

⁷⁰ Condarco Morales, Ramiro. *Protohistoria andina.* Propedéutica. Oruro: Universidad Técnica de Oruro, 1967.

⁷¹ Desde 1796, en su lectura *Mémoire sur la faculté de penser,* el pensador Destutt de Tracy había mencionado la palabra "ideología", en el sentido de ciencia de las ideas, y años después diría: *"L'Idéologie est une partie de la Zoologie, et c'est sur-tout dans l'homme que cette partie est importante et mérite d'être approfondie"* (*Élémens d'Idéologie,* I, París, Courcier, 1817, pp. XIII).

⁷² Cfr. Silva, Ludovico. *Teoría y práctica de la ideología,* México, 1975, p. 50: "El ideólogo atribuye el subdesarrollo de los países latinoamericanos a un retraso congénito, a razones raciales, climáticas que hacen de nosotros un pueblo en desventaja, en vez de caracterizar científicamente

el subdesarrollo como una aberración histórica engendrada por leyes propias del sistema capitalista, que genera riqueza en el centro y miseria en la periferia".

[73] Aristóteles, *op. cit.,* Madrid, Centro de Estudios Constitucionales, L. IV.

[74] Cfr. Gramsci, Antonio. *Cuadernos de la cárcel,* tomo 6. México, Era/Benemérita Universidad Autónoma de Puebla. 2000; Gruppi, Luciano. *El concepto de hegemonía en Gramsci.* México, Ediciones de cultura popular. 1978.

[75] La noción de hegemonía fue planteada ya en *Notas sobre la cuestión meridional,* donde Gramsci, en 1926, todavía sustentaba las tesis de Lenin sobre el tema.

[76] Gruppi, Luciano. *Op. cit.,* pp. 124-125.

[77] De Laguna, Frederica. "[Introduction to Section VII] Method and Theory of Ethnology", en: *Selected Papers from the American Anthropologist,* 1888-1920. Washington, D.C., 1960, pp. 787-788.

[78] "Piratical Acculturation", en: *American Anthropologist,* vol. 11, núm. 8 (agosto de 1898), pp. 243-249

[79] Redfield, R., R. L. Linton y M. J. Hertskovits. "Memorandum on the Study of Acculturation" en: *American Anthropologist,* vol. 38, 1936, pp. 149-152.

[80] Herskovitz, M. J. *Acculturation. The Study of Cultural Contact.* Nueva York, Augustin Publisher, 1938.

[81] Aguirre Beltrán, Gonzalo. *El proceso de aculturación en México.* México, Instituto de Ciencias Sociales, 1970, pp. 9-12.

[82] *Op. cit.,* p. 76.

[83] Ortiz, Femando. *Contrapunteo cubano del tabaco y del azúcar,* 1940, p. 152.

[84] *Transculturación narrativa en América Latina.* México, Siglo XXI, 1982.

[85] *Axis Rule in Occupied Europe.* Washington, D.C., Carnegie Endowment for International Peace, 1944, p. 79.

[86] Jaulin, Robert. *La paz blanca. Introducción al etnocidio,* Buenos Aires, Editorial Tiempo Contemporáneo, 1973.

[87] Jaulin, Robert. *La descivilización. Política y práctica del etnocidio,* México, Editorial Nueva Imagen, 1979.

[88] Clastres, Pierre "Sobre el etnocidio" en: *Investigaciones en antropología política.* Barcelona, Gedisa, 1996, págs. 55-58.

[89] Ribeiro, Darcy. *Los brasileños.* México, Siglo XXI, 1975, p. 171.

Fuentes

AADAM, Nicolas. "The Treasure They Buried Again," *The Observer* (Londres), noviembre 12 de 1972.

AAVV. "Final Report of the *Meeting on Identification, Protection, and Safeguarding of the Archaeological, Historical and Artistic Heritage*, Sao Paulo, octubre 23-27 de 1972.

———— *Códice Florentino*, Nuevo México, 1950-1957.

———— *Comisión de Expertos de la ex Yugoslavia*, 1994.

———— *Diccionario de historia de Venezuela*, Fundación Polar, Caracas, 1998.

———— *Documentos para la historia de la cultura en México, una biblioteca del siglo XVII; catálogo de libros expurgados a los jesuitas en el siglo XVIII*, México, Impr. Universitaria, 1947.

———— *Encyclopaedia of Library and Information Science*, 53 vols., 1968-1994.

———— *Encyclopedia Britannica*, 2001.

———— *Historia general de América Latina*, París-Madrid, Trotta, vol. 2: *El primer contacto y la formación de nuevas sociedades*, F. Pease (dir.), 2000; vol. 3/1: *Consolidación del orden colonial*, A. Castillero Calvo (dir.), 2000; vol. 3/2: *Consolidación del orden colonial*, A. Castillero Calvo (dir.), 2001; vol. 4: *Procesos americanos hacia la redefinición colonial*, E. Tandeter (dir.), 2000, vol. 5: *La crisis estructural de las sociedades implantadas*, G. Carrera Damas (dir.), 2001.

———— *Historia general de España y América*, Madrid, Rialp, vol. VII: *El descubrimiento y fundación de los reinos ultramarinos hasta fines del siglo XVI*, 1988; vol. X-1: *América en el siglo XVII. Los problemas generales*, 1985; vol. X-2: *América en el siglo XVII. Los reinos de Indias*, 1984;

vol. XI-1: *América en el siglo XVIII. Los primeros Borbones*, 1983; vol. XI-2: *América en el siglo XVIII. La Ilustración en América*, 1989; vol. XIII: *Emancipación y nacionalidades americanas*, 1992.

AAVV. *La memoria y el olvido*. Segundo Simposio de Historia de las Mentalidades, México, INAH-SEP Cultura, 1985.

——— *Manuscrito de cantares mexicanos*. México, 1904.

——— *Ms. Anónimo de Tlatelolco (1528). Edición facsimilar de E. Mengin*, Copenhague, 1945.

——— *Nunca más*. Informe de la Comisión Nacional sobre la Desaparición de Personas. Buenos Aires, Eudeba, 1985.

——— *Primer Informe Relativo a la Implementación de la Convención contra la Tortura y otros Tratamientos o Penas Crueles, Inhumanos o Degradantes*. Comité contra la Tortura, Brasil, 18 de agosto de 2000.

——— *Programa de formación: acercamiento a la valoración y protección del patrimonio cultural mueble. Memorias de los cursos 2000-2002*, Bogotá, Cartagena, Medellín, Cali, Bucamaranga, Manizales, Santa Marta, Bogotá, Imprenta Nacional, 2003.

——— Varios. *Proyecto interdiocesano de Recuperación de la Memoria Histórica* (Remhi): Guatemala: Nunca Más. ODHAG, 1998.

ADAMS, Robert MCCormack. "Archaeology and Cultural Diplomacy," *Foreign Service Journal*, junio de 1968, pp. 24, 49-50.

ADORNO, Rolena. *Guaman Poma: Writing and Resistance in Colonial Peru*. Austin: University of Texas Press, 1986.

AGUILAR SOSA, Yanet. "Políticos y narcos en el robo de arte sacro", *El Universal,* sábado 28 de julio de 2007, México.

AGUIRRE BELTRÁN, Gonzalo. *El proceso de aculturación en México*. México, Instituto de Ciencias Sociales. Editorial Comunidad, 1970.

——— *La actividad del santo oficio de la Inquisición en Nueva España 1571-1700*, México, INAH, 1981.

AIGNER, Dietrich. Die Indizierung "Schädlichen und Unerwünschten Schrifttums" en *Dritten Reich*. Francfort del Meno: Buchhändler-Vereinigung, 1971.

ALDER, C. & K. Polk. "Stopping this awful business: the illicit traffic in antiquities examined as a criminal market", *Art Antiquity and Law* 7, 2002, pags. 35–53.

ALLEN, Michael Thad. *The Business of Genocide: The SS, Slave Labor, and the Concentration Camps*. Chapel Hill: U of North Carolina P, 2002.

ALMELA Meliá, J. *Higiene y terapéutica del libro*, Fondo de Cultura Económica, México, 1956.

ALVARADO Moreno, Jimmy. *Historia de la Biblioteca Nacional Rubén Darío de Nicaragua*, Managua, Palacio Nacional de la Cultura, 2001.

AMAT, Frederic. "Whose culture, whose treasure? Getting stolen cultural property back to its rightful owners is not just a question of finding the goods and catching the thieves," en *UNESCO Sources*, París, UNESCO, núm. 133, abril de 2001, pp. 21-22.

AMORES Carredano, J. B. (coord.), *Historia de América*, Barcelona, Ariel, 2006.

ANDREOPOULOS, George J. (ed.). *Genocide: Conceptual and Historical Dimensions*. Filadelfia: U of Penn P, 1994.

ANDREUCCI, Álvaro Gonçalves Antunes/Oliveira, Valéria Garcia de. *Cultura amordaçada- intelectuais e músicos sob a vigilância do Deops*. IMESP, 2002.

ANNINO, A., L. Castro Leiva y F-X. Guerra (dirs.), *De los imperios a las naciones: Iberoamérica*, Zaragoza, Ibercaja, 1996.

ANTONIN, Arnold, *La larga y desconocida lucha del pueblo de Haití*, Caracas, Ateneo, 1979.

ANZULOVIC, Branimir. *Heavenly Serbia: From Myth to Genocide*. Nueva York: New York UP, 1999.

ARENS, Richard (ed.). *Genocide in Paraguay*. Filadelfia: Temple UP, 1976.

ARGUMEDO, Alcira. *Los silencios y las voces de América Latina*. Ediciones del Pensamiento Nacional, Buenos Aires, 1996.

ARISTÓTELES. *Parva naturalia*. Alianza Editorial, Madrid, 1993.

——— *Política*, edición bilingüe y traducción por Julián Marías y María Araujo; introducción y notas de Julián Marías. Instituto de Estudios Políticos (Clásicos políticos), Madrid 1951.

ARNAU, Frank. *Three Thousand Years of Deception in Art and Antiquities*. Oxford: Alden Press, 1961.

ARRIOLA, Miguel S.V. "Depredación arqueológica en Guatemala", *Anales de la Academia de Geografía e Historia de Guatemala* 61, 1988, pp. 219-233.

ASSMANN, Aleida y Dietrich Harth (eds.). *Mnemosyne. Formen und Funktionen der kulturellen Erinnerung*. Francfort del Meno: Fischer Taschenbuch Verlag, 1991.

ATWOOD, Roger. *Stealing History : Tomb Raiders, Smugglers, and the Looting of the Ancient World.* St. Martin's Press, 2004.

BÁEZ, Fernando. *Historia universal de la destrucción de libros. Desde las tablillas sumerias a la guerra de Irak.* Debate, México, 2004.

——— *La destrucción cultural de Irak. Un testimonio de posguerra.* Con prólogo de Noam Chomsky. Alfadil, 2da. ed., 2005.

BALLESTEROS, Karin. *Destrucción del libro en Chile durante la dictadura militar 1973-1990.* Tesis de licenciatura. Chile, 2007.

BARASH, David P., *Understanding Violence.* Allyn & Bacon, 2001.

BARTLETT, Frederic. *Remembering: a study in experimental and social psychology,* Cambridge University Press, 1964.

BARTOV, OMER y Phyllis Mack (eds.). *In God's Name: Genocide and Religion in the 20th Century.* Oxford: Berghahn Books, 2000.

——— *Mirrors of Destruction: War, Genocide, and Modern Identity.* Oxford: Oxford UP, 2000.

BASTIDE, ROGER. *Las Américas negras. Las civilizaciones africanas en el Nuevo Mundo,* España, Alianza Editorial, 1967.

BATY, R.M. "Las órdenes mendicantes y la aculturación religiosa a principios del México colonial". *América Indígena,* 28/1, 1968, pp. 23-50.

BAUDOT, G. *La vida cotidiana en la América española en tiempos de Felipe II. Siglo XVI.* México, 1983.

BAUMANN, G. *El enigma multicultural. Un replanteamiento de las identidades nacionales, étnicas y religiosas.* Barcelona: Paidós, 2001.

BAZIN, Germain. *The Museum Age,* Nueva York, Universe Books, 1967.

BECEIRO, Juan Luis. *La mentira histórica desvelada: ¿etnocidio en América?* Ensayo sobre la acción de España en el Nuevo Mundo", Madrid, España, Editorial Ejearte, 1994.

BEHRMAN, Daniel. "Saving the Past from the Present," Realites, junio de 1972, pp. 42-47.

BELL, Daniel. *The End of Ideology.* Nueva York: Free Press, 1961.

——— *The Cultural Contradictions of Capitalism.* Nueva York: Basic, 1976.

BELLO, Andrés. *Gramática de la lengua castellana.* Editorial Glem, 5a. ed., Buenos Aires, 1946.

BENNASSAR, Bartolomé. *Recherches sur les grandes épidémies dans le Nord de l'Espagne a la fin du XVIe siécle,* París, 1969.

BENÍTEZ, Fernando. *El libro de los desastres,* Era, México, 2000.

BENJAMIN, Walter. *París. Capitale du XIXe siecle. Le livre des passages.* Cerf, 1989.

BERGEN, Doris L. *War & Genocide: A Concise History of the Holocaust.* Lanham: Rowman & Littlefield, 2003.

BERGIER, Jacques. *Los libros condenados,* Plaza y Janés, Barcelona, 1973.

BERGOT, S. *Quimantú, Une maison d'édition d'État durant l'Uité Populaire chilienne (1970-1973).* Francia, 2005.

BERGSON, Henri. *Materia y memoria. Ensayo sobre la relación del cuerpo con el espíritu.* Buenos Aires, Editorial Cactus, 2006.

BERNAND, C. y S. Gruzinski, *Historia del Nuevo Mundo,* México, Fondo de Cultura Económica, vol I: *Del descubrimiento a la Conquista: la experiencia europea, 1492-1550,* 1996; vol. II: *Los mestizajes 1550-1640,* 1999.

BERRIN, Katheleen y Pasztory, Esther. *Teotihuacan: Art from the City of Gods.* Londres y Nueva York, Thames & Hudson, 1993.

BETHELL, Leslie. (ed.), *Historia de América Latina,* vol. 2: *America Latina colonial: Europa y América en los siglos XVI, XVII y XVIII,* 1998, vol. 3: *America Latina colonial. Economía,* 1990, vol. 4: *America Latina colonial. Población, sociedad y cultura,* 1990, vol. 5: La Independencia, Barcelona, Crítica, 1991.

BEUCHOT, M. *La querella de la Conquista. Una polémica del siglo XVI.* Siglo XXI, Madrid, 1992.

BEVAN, Robert. *The Destruction of Memory: Architecture at War,* Reaktion Books, 2006.

BINGHAM, Hiram. *La ciudad perdida de los incas,* Zig Zag, Chile, 1953.

BOLÍVAR, Simón. *Obras completas,* vol. I, 3a. ed., México, 1978.

BORAH, Woodrow. "America as a model: the demographic impact of European expansion upon the Non-European world", en *Actas y Memorias, Congreso Internacional de Americanistas,* vol. 3, págs. 379-387, México, 1964.

BOURDIEU, Pierre-Wacquant, Loïc. "La nouvelle vulgate planétaire", *Le monde diplomatique,* marzo de 2000.

———— *Las argucias de la razón imperialista,* Barcelona, Buenos Aires, Mexico, Paidós, 2001.

BORGES, Jorge Luis. *Borges oral.* Madrid, Alianza Editorial, 1994.

BOSSIE, Florencia. *Censura a los libros en la ciudad de La Plata durante la última dictadura militar (1976-1983).* Trabajo ganador "Concurso de investigación en bibliotecología, documentación, archivística y museología", Buenos Aires, 2006.

BRAVO GUERREIRA, María Concepción (ed.). *El mundo precolombino*. Barcelona, Editorial Océano, 2001.

BRENT, Michel, "Pillaging Archeological Sites", *International criminal police review* n 448/449, mayo-junio/julio-agosto de 1994, p.33.

BRETON, Roland, *Geografía de las lenguas*,Vilassar de Mar (Barcelona), Oikos-Tau, 1979.

BRICEÑO GUERRERO, José Manuel. *América Latina en el mundo*. ULA, Mérida, 2003.

——— *El laberinto de los tres minotauros*. Monte Ávila Editores. Caracas, 1994.

——— *Europa y América en el pensar mantuano*, Monte Ávila, Caracas, 1981.

BRIDGEMAN, B. *Biología del comportamiento y la mente*. Alianza Universidad, Madrid, 1991.

BRODIE, N. y K.W.Tubb (eds.). *Illicit Antiquities: the Theft of Culture and the Extinction of Archaeology*. Londres, Routledge, 2002.

———, J. Doole y P.Watson. *Stealing History: the Illicit Trade in Cultural Material*. Cambridge, The McDonald Institute for Archaeological Research, 2000.

BRONSON, Bennet. "The Campaign Against the Antiquities Trade", Field *Museum of Natural History Bulletin*, September, 1972, pp. 2-5.

BRUCE, Albert. "Indiens Yanomami et chercheurs d'or au Brésil: le massacre de Haximu", *JSAP* 80, 1994, pp. 250-257.

BRUHNS, Karen O. "The Methods of the Guaqueria: Illicit Tomb Looting in Colombia," *Archaeology*, abril de 1972, pp. 140-43.

BRUNET, Jean Charles. *Manuel du libraire et de l'amateur de livres*. Firmin-Didot, 1860-1865.

BUJANDA, Jésus Martínez de. *Index de l'Université de Louvain, 1546, 1550, 1558*, Sherbrooke, 1986.

——— *Index de Venise, 1549, Venise et Milan, 1554*, Sherbrooke, 1987.

——— *Thesaurus de la littérature interdite au XVIe siècle: auteurs, ouvrages, éditions*, Sherbrooke, 1996.

BURNHAM, Bonnie. *Art Theft, Its Scope, Its Impact, Its Control*. New York, International Foundation for Art Research, 1978.

BURY, Richard de. *The Love of Books The Philobiblon*. Hard Press, 2006.

BUSHWELL, G.H. *The World's Earliest Libraries*, 1931.

CABANNE, Pierre. *The Great Collectors*, Nueva York, Farrar, Strauss, 1963.

CALELLO, Hugo: *Ideología y neocolonialismo,* Universidad Central de Venezuela, Edic. de la Biblioteca, Caracas, 1976.

CAMPRA, Rosalba. *América Latina: la identidad y la máscara.* Siglo XXI, México, 1987.

CAÑEDO-ARGÜELLES, Teresa. "Integración de comunidades campesinas en el Perú contemporáneo ¿Supervivencia o fin?", en *Anuario de Estudios Americanos*, CSIC, vol. XLVIII, pp. 633-658 (1991).

CAPALDI, Nicholas. *Censura y libertad de expresión*, Ediciones Libera, 1976.

CAPARELLI, Sérgio. *Ditaduras e indústrias culturais, no Brasil, na Argentina, no Chile e no Uruguai (1964-1984).* Porto Alegre, Edufrgs, 1989.

CARANDE, Ramón. *Carlos V y sus banqueros.* Madrid: Sociedad de Estudios y Publicaciones, 1967.

CARDENAL, Ernesto. *Literatura indígena americana.* Antología (traducción en colaboración con Jorge Montoya Toro). Medellín, Editorial Universidad de Antioquia, 1964.

CÁRDENAS, Héctor. "Paradise Lost; Recovering Mexico's Heritage," *Museum News*, marzo de 1972, pp. 32-33.

CÁRDENAS, Roy B. "Hallazgo de gran trascendencia en la zona arqueológica Kohunlich," diario *Novedades de Yucatán,* 17 May 1969.

CARDUCCI, Guido. *La restitution internationale des biens culturels et des objets d'art volés ou illicitement exportés: Droit commun, Directive CEE, Conventions de l'UNESCO et Unidroit,* París, L.G.D.J, 1997.

CARRERA, Magali M., *Imagining Identity in New Spain: Race, Lineage, and the Colonial Body in Portraiture and Casta Paintings,* Austin, University of Texas Press, 2003.

CARTER, Philip D. "Ruthless Pillage of Priceless Artifacts," *Washington Post*, diciembre 6 de 1971.

CASAS, Bartolomé de las, *Brevísima relación de la destrucción de las Indias* (introducción y notas de André Saint-Lu), Madrid, Cátedra, 1987.

CASAS, Bartolomé de las. *Apologética historia sumaria*, México, UNAM, Instituto de Investigaciones Históricas, 1967, pp. 333-334.

CASADO ARBONIÉS, Manuel, Castillo Gómez, Antonio, Numhauser, Paulina y Sola, Emilio (eds.). *Escrituras silenciadas en la época de Cervantes.* Alcalá de Henares, 2006.

CASAUS, Marta, *Guatemala: linaje y racismo*, Flacso, San José, 1992.

CASTILLO GÓMEZ, Antonio (Ed.). *Historia de la cultura escrita. Del próximo oriente antiguo a la sociedad informatizada*, Gijón, Ediciones Trea, 2002.

CASTRO GÓMEZ, Santiago. "No Longer Broad but Still Alien is the World: The End of Modernity and the Transformation of Culture in the Times of Globalization", en Mario Sáenz (ed.), *Latin American Perspectives on Globalization: Ethics, Politics, and Alternative Visions*, Lanham, MD: Rowman & Littlefield Publishers, 2002.

CEINOS, Pedro, *Abya-Yala. Escenas de una historia india de América*, Madrid, 1992.

CÉSPEDES DEL CASTILLO, G., *América hispánica 1492-1898*, Barcelona, Labor, 1994.

CHACÓN TORRES, Mario. *Arte virreinal en Potosí*. Sevilla, Escuela de Estudios Hispanoamericanos, 1973.

CHALBAUD CARDONA, Eloi. *Historia de la Universidad de Los Andes*, Tomo IX, MCMLXXXII.

CHALBAUD ZERPA, Carlos. *Historia de Mérida*, Talleres Gráficos, Mérida, 1983.

CHAMBERLAIN, Russell. *Loot! The Heritage of Plunder*, Nueva York, NY, Smithmark Pub, 1985.

CHAUI, Marilena de Souza. *Conformismo e resistência-aspectos da cultura popular no Brasil*. Sao Paulo: Brasiliense, 1989.

CHAUNU, Pierre. *Sevilla y América siglos XVI y XVII*. Traducción Rafael Sánchez Mantero, Sevilla, 1983.

CHESNEAUX, J. *¿Hacemos tabla rasa del pasado? A propósito de la historia y de los historiadores*, Siglo XXI, Madrid, 1977.

CHOMSKY, Noam. *Hegemonía o supervivencia. El dominio mundial de EEUU*. Norma, Bogotá, 2004.

——— *El nuevo orden mundial (y el viejo)*. Crítica, Barcelona, 2002.

CHRISJOHN, Roland, Young, Sherri y Michael Maraun, "The Circle Game: Shadows and Substance in the Indian Residential School Experience in Canada", Theytus Books Ltd, Penticton, 1997

CHRISTIER, Trevor L. *Antiquities in Peril,* Nueva York: J. B. Lippincott Company, 1967.

CHURCHILL, Ward, "A Little Matter of Genocide: Holocaust and Denial in the Americas 1492 to the Present", City Lights Press, Monroe, OR, 1997.

CHURCHILL, Ward, "Indians Are Us?: Culture and Genocide in Native North America", Common Courage Press, Monroe, ME, 1994.

CLARKE, John. *New Times and Old Enemies: Essays on Cultural Studies and America.* Londres: Harper Collins, 1991.

CLASTRES, Pierre. "Sobre el etnocidio" en: *Investigaciones en antropología política.* Gedisa, Barcelona, 1996, págs. 55-58.

CLASTRES, Pierre. *La sociedad contra el Estado.* Monte Ávila, Caracas, 1978.

CODET, Henri. *Essai sur le Collectionisme,* París, 1921.

COE, Michael D. *The Maya Scribe and His World,* Nueva York, Grolier Club, 1973.

COGGINS, Clemency. "United States cultural property legislation: observations of a combatant". *International Journal of Cultural Property* 7(1), 1998, pp. 52-68.

————— "Illicit Traffic of Pre-Columbian Antiquities", *Art Journal,* Fall, 1969, pp. 94-98.

COLOMBRES, Adolfo (coord.), *1492-1992. A los 500 años del choque de dos mundos. Balance y prospectiva,* Buenos Aires, 1991.

COLÓN, Cristóbal, *Los Cuatro Viajes Del Almirante Y Su Testamento,* Editorial Espasa Calpe, Madrid, 1977.

————— *Capitulaciones. Diario De A Bordo Y Primeras Cartas Sobre El Descubrimiento,* Ed. De Facsimil, Madrid, 1991.

COLORADO, Arturo. *Imperialismo y colonialismo,* Anaya, Madrid, 1991.

CONDARCO MORALES, Ramiro. *Protohistoria andina. Propedéutica.* Oruro: Universidad Técnica de Oruro, 1967.

CONTRERAS, J. (comp), *La cara india, la cruz del 92. Identidad étnica y movimientos indios,* Madrid, 1988.

CONWAY, M.A. (ed.). *Revovered memories and false memories.* Oxford University Press, 1997.

COOK, Sherburne F. y Borah, Woodrow. "The Historical Demography of Aboriginal and Colonial America: An Attempt at Perspective," en William M. Denevan (ed.), *The Native Population of the Americas in 1492,* Madison, University of Wisconsin Press, 1976

COTTERELL, Arthur (ed.). *Historia de las civilizaciones antiguas. 1. Egipto, Oriente próximo,* Barcelona, Crítica, 2000.

CUCHE, Denys. *La noción de cultura en las ciencias sociales.* Nueva Visión, Buenos Aires, 2004.

DABÈNE, Olivier, *América Latina en el siglo XX*, Madrid, Síntesis, 2000.

DAHL, Sven. *Historia del libro*, Alianza, Madrid, 1999[r].

DAVIS, Hester A. "Is there a future for the past?", *Archaeology*, octubre de 1971, pp. 300-6.

DE MIER, fray Servando Teresa. *Apología o memorias*, 2 vols., t. I, edición de Antonio Castro Leal. Colección de Escritores Mexicanos, 37, Editorial Porrúa, México, 1942.

DEBRAY, Régis, *Cours de médiologie générale*, Gallimard, París, 1991.

DELGADO, Rafael. *Los petroglifos venezolanos*, Monte Ávila, Caracas, 1976.

DELORS, Jacques. "Questions Concerning European Security", *Conferencia, Instituto Internacional de Estudios Estratégicos*, Bruselas, 10 de septiembre de 1993.

DENEVAN, William M. "Native American Populations in 1492: Recent Research and a Revised Hemispheric Estimate," en: William M. Denevan (ed.). *The Native Population of the Americas in 1492*, Madison, University of Wisconsin Press, 1992.

DÉOTTE, Jean-Louis. *Catástrofe y olvido. Las ruinas, Europa, El Museo*, Santiago de Chile, Editorial Cuarto Propio, 1998.

DÍAZ DEL CASTILLO, Bernal. *Historia verdadera de la conquista de la Nueva España*, 5a. ed., 1992.

DÍAZ POLANCO, Héctor. *Etnia, nación y política*. México: Juan Pablos Editor, 1987.

DORFMAN, Ariel. *Ensayos quemados en Chile, inocencia y colonialismo*. Buenos Aires. Ediciones de la Flor, 1974.

DROGIN, Marc. *Biblioclasm: The mythical origin, magical power and perishability of the written word*, 1989.

DUPREEZ, Peter. *Genocide: The Psychology of Mass Murder*. Londres: Marion Boyars, 1994.

DUVIOLS, Pierre. *Cultura andina y represión. Procesos y visitas de idolatrías y hechicerías. Cajatambo, siglo XVII*. Cusco, Centro de Estudios Rurales "Bartolomé de Las Casas", 1986.

EDGAR, Alfredo y Balsells, Tojo. *Olvido o memoria: el dilema de la sociedad guatemalteca*, Guatemala: F&G Editores, 2001.

EISENBERG, Daniel. "Cisneros y la quema de los manuscritos granadinos", *Journal of Hispanic Philology* 16, (1992), pp. 107-124.

ELIADE, Mircea. *El mito del eterno retorno*, Emecé, Buenos Aires, 1968.

ELIADE, Mircea. *Mito y realidad*, Labor, Barcelona, 1983.

——— *Lo sagrado y lo profano*. Labor, 5a. ed., Barcelona, 1983.

ELLIOT, John. *La España Imperial* (1469-1716), Vicens Vives, Madrid, 1965.

EMELINA, María, Acosta, Martín. *El dinero americano y la política del imperio*. Mapfre, Madrid, 1992.

ESCOLAR SOBRINO, Hipólito. *Historia universal del libro*, Madrid, 1993.

ESTARELLAS, Juan. "The College of Tlatelolco and the Problem of Higher Education for Indians in 16th Century Mexico", History of Education Quarterly, vol. 2, núm. 4 (diciembre de 1962), pp. 234-243.

ESTRADA JASO, Andrés. *Imágenes de caña de maíz. Estudio*, Catálogo y Bibliografía, 2a. edición. S.L.P., México, Universidad Autónoma de San Luis de Potosí, 1996.

ETCHESON, Craig. *After the Killing Fields: Lessons from the Cambodian Genocide*. Westport, CT: Greenwood Press, 2006.

EVANS, Clifford, "Archeology and Diplomacy in Latin America," Foreign Service Journal, junio de 1968, pp. 35-37, 50.

FABIÉ, Antonio María. *Vida y escritos de don fray Bartolomé de Las Casas, obispo de Chiapa* (2 vols.). Madrid: Imprenta de Miguel Ginesta, 1879.

FEBVRE, Lucien y Martin, Henri-Jean. *La aparición del libro*, Fondo de Cultura Económica, 2005.

FELICE CARDOT, Carlos. "El impacto de la inquisición en Venezuela y en la Gran Colombia 1811-1830", *Boletín de Historia y Antigüedades*, Bogotá, 624-625, octubre-noviembre de 1966.

FERNÁNDEZ BUEY, Francisco, *La gran perturbación. Discurso del indio metropolitano*, Destino, Barcelona, 1995.

FERREIRA, Jorge y Delgado, Lucilia A. N. (org.) *O Brasil Republicano, O Tempo da Ditadura*. RJ: Civilização Brasileira, 2004.

FERRO, Marc. *El libro negro del colonialismo: siglos XVI al XXI: del exterminio al arrepentimiento*. Madrid, La Esfera de los Libros, 2005.

FICO, Carlos. *Como eles Agiam. Os Subterrâneos da Ditadura Militar: espionagem e polícia política*. Río de Janeiro: Ed. Record, 2001.

FINLAY, Ian. *Priceless Heritage: The Future of Museums*. Londres, Faber and Faber, 1977.

FLEMING, Robert. "The Incredible Temple Thieves," *San Francisco Chronicle*, abril 3 de 1969.

FLOWER, Harriet L., *The Art of Forgetting. Disgrace and Oblivion in Roman Political Culture*. Chapel Hill, NC: The University of North Carolina Press, 2006.

FONTANA, Josep. "La crisis colonial en la crisis del antiguo régimen español", en Heraclio Bonilla (edit.), *El sistema colonial en la América española*, Crítica, Barcelona, 1991.

FORTOUL, J.G. *Historia constitucional de Venezuela*, Caracas, 3 vols., 1953.

FOSTER, Kevin. *Fighting Fictions: War, Narrative, and National Identity*. Sterling, VA: Pluto, 1999.

FRANCO, José Luciano. *La diáspora africana en el Nuevo Mundo*, La Habana, Cuba, Editorial Ciencias Sociales, 1975.

FREUD, Sigmund. *El malestar en la cultura*, Biblioteca Nueva, 1999.

FRÍAS LEÓN, Martha. *El libro y las bibliotecas coloniales mexicanas*. México, UNAM, 1977.

FRIEDLANDER, Henry. *The Origins of Nazi Genocide: From Euthanasia to the Final Solution*. Chapel Hill: U. of North Carolina P., 1995.

FROMM, Erich. *Anatomía de la destructividad humana*, 5a. ed., Siglo XXI Editores, 1980.

FUCHS, Elisa. *Göttinnen, Gräber und Geschäfte von der Plünderung fremder Kulturen*, Zürich, Erklärung von Bern, 1992.

FUNDACIÓN EL MONTE. *Wari: arte precolombino peruano*. Sevilla, Centro Cultural El Monte/Lima, INC, Museo Nacional de Arqueología, Antropología e Historia del Perú, 2000.

GALEANO, Eduardo. *Las venas abiertas de América Latina*, 14a. edición, 1976.

——— *Memorias del fuego*, vol. I, 2000.

GARCÍA CANCLINI, Néstor. *La globalización imaginada*. México, Paidós, 1999.

——— "Globalizarnos o defender la identidad. ¿Cómo salir de esta opción?". *Nueva Sociedad* núm. 163, Caracas, 1999, pp. 56-70.

——— *Arte popular y sociedad en América Latina*. México: Grijalbo, 1977.

——— *Consumidores y ciudadanos*. México, Grijalbo, 1995.

——— *Cultura y comunicación: entre lo global y lo local*. Buenos Aires, Universidad Nacional de la Plata, Ediciones de Periodismo y Comunicación, 1997.

366

GARCÍA CANCLINI, Néstor. *Culturas híbridas*. México, Grijalbo, 2001.

GARCÍA ICAZBALCETA, Joaquín. *Bibliografía mexicana del siglo XVI*. México, FCE, 1954.

————— *Don fray Juan de Zumárraga, primer obispo y arzobispo de México* (1881), 4 vol., Colección de Escritores Mexicanos, 41-4, Editorial Porrúa, México, 1947.

GARCIA MORENTE, Manuel. *De la metafísica de la vida a una teoría general de la cultura* (edición coordinada por Juan Miguel Palacios y Rogelio Rovira). Madrid, Facultad de Filosofía de la Universidad Complutense, 1995.

GARCÍA, Alejandro, *Civilización y salvajismo en la colonización del "Nuevo Mundo". Un ensayo sobre la penetración de la cultura europea*, Murcia, 1986.

GARCÍA, Fernando. *Delitos contra el patrimonio cultural en Chile*. Serie documentos. Editado por la Universidad Nacional Andrés Bello. Santiago 1995.

GARIBAY K., Angel María. *Historia de la literatura náhuatl*, Porrúa, México, 1977.

GASPARI, Elio. *A Ditadura envergonhada*. São Paulo. Companhia das Letras, 2002.

GELLATELY, Robert y Kiernan, Ben (eds). *The Specter of Genocide: Mass Murder in Historical Perspective*. Nueva York, Cambridge University Press, 2003.

GENT, George. "Manuscript Could Change Views on Mayan's Religion," NYT, abril 21 de 1971.

GERSTENBLITH, P. "The public interest in the restitution of cultural objects", *Connecticut Journal of International Law* 16(2), 2001, pp. 197-246.

GIMENO GÓMEZ, A. "La aculturación y el problema del idioma en los siglos XVI y XVII", Actas del XXXVI Congreso Internacional de Americanistas, III, 1966, pp. 303-317.

GIMPEL, Jean. *The Cult of Art,* Nueva York, Stein and Day, 1969.

GINÉS DE SEPÚLVEDA, Juan. *Tratado sobre las justas causas de la guerra contra los indios*, Fondo de Cultura Económica, México, 1979.

GOCIOL, Judith-Invernizzi, Hernán. *Un golpe a los libros*, Buenos Aires, 2001.

GONZÁLEZ CASANOVA, Pablo, *América Latina. Historia de medio siglo*, México, Siglo XXI Editores, 1993.

GORDON, John B. "The UNESCO Convention on the Illicit Movement of Art," *Harvard International Law Journal*, otoño de 1971, pp. 537-56.

GRAHAM, Ian. "Across the Peten to the Ruins of Machaquila," *Expedition*, verano de 1963, pp. 2-10.

GRAMSCI, Antonio. *Cuadernos de la cárcel*, t. VI. Era/Benemérita Universidad Autónoma de Puebla. México, 2000.

GRANT, Jodith. *A Pillage of Art*, Robert Hale, Londres, 1966.

GRATZ, Roberta B. "Indian Art: Big Money," *New York Post*, noviembre 29 de 1971.

GRAY, James A. "Working to Preserve Mankind's Heritage," *New York Times*, junio 13 de 1965.

GREENFIELD, Jeanette. *The Return of Cultural Treasures*. Cambridge University Press, 1989.

GREENLEAF, Richard E. *La Inquisición en Nueva España en el siglo XVI*, México, FCE, 1981.

GREGORINI CLUSELLAS, Eduardo L. *Genocidio, su prevención y represión*. Buenos Aires: Abeledo-Perrot, 1961.

GRIMSON, Alejandro y Varela, Mirta (2001), "Audiencias y culturas populares. Estudios de comunicación y cultura en la Argentina". Ponencia presentada en la III Reunión del Grupo de Trabajo, "Cultura y Poder" del Consejo Latinoamericano de Ciencias Sociales (Clacso), Caracas, 29 de noviembre al 1 de diciembre de 2001.

GROPPO, Bruno y Flier, Patricia (ed.). *La imposibilidad del olvido: recorridos de la memoria en Argentina, Chile y Uruguay*. La Plata, Ediciones al Margen, 2001.

GROUPE DE RECHERCHES sur l'Ameìrique latine Toulouse-Perpignan. *Indianidad, etnocidio, indigenismo en Ameìrica Latina*, Instituto Indigenista Interamericano: Centre d'eìtudes mexicaines et centrameìricaines, 1988.

GÜNDÜZ, Rena. *El mundo ceremonial de los huaqueros*. Perú, 2001.

GUTIÉRREZ, E. "La disputa sobre el pasado". *Nueva Sociedad*, 1999, 161, pp. 159-173.

GUTIERREZ, Ramón (ed.) *Pintura, escultura y artes útiles en Iberoamérica*, 1500-1825. Madrid, ed. Cátedra, 1995.

HADDAD, Gérard. *Los biblioclastas*. Ariel, Buenos Aires, 1993.

——— *Manger le París*. Bernard Grasset Editeur, París, 1984.

HALBWACHS, Maurice. *La memoria colectiva*. Zaragoza, Prensas Universitarias de Zaragoza, 2004.

HALBWACHS, Maurice. *Les Cadres Sociaux de la Mémoire*, Ed. Albin Michel, París, 1994.

HALL, Stuart. "Cultural identity and diaspora". En: Jonathan Rutherford (ed.), *Identity: Community, culture, difference*. Londres: Lawrence & Wishart Limited, 1990.

————— *Questions of cultural identity*. Londres: Sage Publications, 1995.

HALPERÍN DONGHI, T., *Reforma y disolución de los imperios ibéricos 1750-1850*, Madrid, Alianza, 1985.

HAMBLIN, Dora J. *Pots and Robbers*. Nueva York, Simon and Schuster, 1970.

HAMILTON, Earl J. *El tesoro americano y la revolución de los precios en España, 1501-1650*. Traducción castellana de Ángel Abad. Crítica, Barcelona, 2000.

HANKE, Lewis. *The Imperial City of Potosí. An unwritten chapter in the history of Spanish America*, La Haya, 1956.

HARING, C.H. *Comercio y navegación entre España y las Indias en la época de los Habsburgo*, México, 1979.

HARRIS, Michael H. *History of Libraries in the Western World*. N.J.: Scarecrow Press, Inc., 1995.

HAVEL, Vaclav. "The New Measure of Man", *New York Times*, 8 de julio de 1994, pp. A27.

HEATH, Dwight B. "Gold, Graves, and Greed: Professional Grave-Robbing in Costa Rica", artículo, 1971.

HEDRICK JR., Charles W. *History and Silence: The Purge and Rehabilitation of Memory in Late Antiquity*. Austin: University of Texas Press, 2000.

HEIDEGGER, Martin. *Ser y tiempo. Traducción de Jorge Eduardo Rivera*. Trotta, Madrid, 2003.

HEIZER, Robert F. *The Destruction of California Indians: A Collection of Documents from the Period 1847 to 1865 in Which are Described Some of the Things That Happened to Some of the Indians of California*. Lincoln, University of Nebraska Press, 1993.

HELLER, Agnes. *Instinto, agresividad y carácter*. Ediciones Península, Barcelona, 1980.

HERENCIA, Cristina. "Políticas históricas expresas de fabricación de identidad social en América Latina", en *Identidades nacionales en América Latina*, UCV, 2001.

HERNÁNDEZ SANDOICA, Elena. *El colonialismo (1815-1873)*. *Estructuras y cambios en los imperios coloniales*, Síntesis, Madrid, 1992.

HINTON, Alexander Laban, (ed.). *Annihilating Difference: The Anthropology of Genocide*. Berkeley: University of California Press, 2002.

HOWE, Stephen. *Empire. A very short introduction*. Oxford University Press, Nueva York, 2002.

HUMBOLDT, Alexander von. *Viajes a las regiones equinocciales del Nuevo Continente*, Buenos Aires, MEN, 1956.

———— *Ansichten des Natur*, tomo tr. Citado en Adolf MEYER-ABICH y otros, *Alejandro de Humboldt (1769-1969)*, Bad Godesberg, 1969.

HUNTINGTON, Samuel P. *El choque de las civilizaciones y la reconfiguración del orden mundial*. 1a ed. 4a reimp. Buenos Aires, Paidós, 2001.

HUSSERL, Edmund. *Texte zur Phänomenologie des inneren Zeitbewusstseins* (1893-1917). Herausgegeben und eingeleitet von Rudolf Bernet. Text nach Husserliana, Band X. Hamburgo: Felix Meiner, 1985.

ICOM. *Illicit Traffic of Cultural Property in Latin America*, París, ICOM, 1996.

—–——— *Lista roja de bienes culturales latinoamericanos en peligro*, París, 2003.

———— *Liste rouge. Stop au pillage des objets archéologiques africains: Protégeons notre patrimoine*, París, 2000.

———— *Pillage à Angkor*, París, 1997.

———— *Pillage en Afrique*, París, 1997.

INVERNIZZI, Hernán. *Los libros son tuyos*. Eudeba, 2005.

IZARD, Miquel. *América Latina, siglo XIX: violencia, subdesarrollo y dependencia*. Síntesis, Madrid, 1990.

———— *El rechazo a la civilización: sobre quienes no se tragaron que las Indias fueron esa maravilla*, Península, Barcelona, 2000.

JANKELEVITCH, V. *Forgiveness*. Chicago: University of Chicago Press, 2005.

JASPERS, K. *El problema de la culpa*. Barcelona: Ediciones Paidós, 1998.

JAULIN, Robert. *La descivilización. Política y práctica del etnocidio*, Editorial Nueva Imagen, México, 1979.

JAULIN, ROBERT. *La paz blanca. Introducción al etnocidio*, Buenos Aires, Editorial Tiempo Contemporáneo, 1973.

JENSEN, JENS. "Collector's Mania," *Acta Psychiatrica Scandinavia*, vol. 39, 1963, pp. 4-32.

JOHNSON, E.D., *History of the Libraries in the Western World*, 1970.

JOHNSON, Jerald Jay. "Archeological Sites as Non-Renewable Resources," artículo, *Society for American Archaeology*, reunión anual, mayo de 1972.

JOHNSON, Stowers. *Collector's Luck*. Nueva York: Walker & Co., 1969.

KASMERI, Zuhair. "The Rape of Culture," *The Sunday Standard*, Nueva Delhi, julio 11 de 1971.

KATZ, Steven. *The Holocaust in Historical Context*. Nueva York, Oxford University Press, 2 vols., 1994-2003.

KIMENYI, Alexandre y Otis L. Scott. *Anatomy of Genocide: State-Sponsored Mass-Killings in the Twentieth Century*: Edwin Mellen, 2001.

KIPLING, Rudyard. "The White Man's Burden", McClure's Magazine 12, febrero de 1899.

KIRKPATRICK, S.D. *Lords of Sipan: a True Story of Pre-Inca Tombs, Archaeology, and Crime*. Nueva York, Henry Holt and Company, 1992.

KONETZKE, R., *América Latina, época colonial*, Madrid, Siglo XXI, 1993.

KONOPSKA, Jean A. (ed.) *La Protection des biens culturels en temps de guerre et de paix d'après les conventions internationales (multilatérales)*, Versalles, 1997.

KRISTOL, Irving. *Neonconservatism: The autobiography of an idea*, Ivan R. Dee Publisher, 1999.

KUSCH, Rodolfo. *América profunda*. Editorial Bonum, Buenos Aires, 1986.

KUSHNIR, Beatriz. *Cães de Guarda: Jornalistas e censores, do AI-5 à Constituição de 1988*. São Paulo: Boitempo Editorial, 2004.

LARA PEINADO, Federico. *Himnos Sumerios*, Tecnos, 1988.

LE GOFF, Jacques. *El orden de la memoria*, Paidós, Barcelona, 1991.

LEÓN PORTILLA, Miguel. *Los antiguos mexicanos*, Fondo de Cultura Económica, México, 1998.

LEROI-GOURHAN, André. *El gesto y la palabra*. Venezuela, Universidad Central de Caracas, 1971.

LÉVINAS, Enmanuel. *Totalidad e infinito. Ensayo sobre la exterioridad*, Salamanca, Ediciones Sígueme, 1977.

LIGORRED, Francesc, *Lenguas indígenas de México y Centroamérica*, Madrid, Mapfre, 1992.

LIND, William S. *et al.* "The Changing Face of War: Into the Fourth Generation." *Marine Corps Gazette* (octubre de 1989).

LOENING, Th.C. "The Reconciliation Agreement of 403/2" en: *Athens. Its Content and Application*, Hermes Einzelschriften 53, Stuttgart, 1987.

LÓPEZ FARJEAT, Luis Xavier. *Dos aproximaciones estéticas a la identidad nacional. Una filosofía de la cultural desde el barroco y el surrealismo*. Universidad Autónoma de Nuevo León, 1998.

LORAUX, Nicole. *The Divided City: On Memory and Forgetting in Ancient Athens*. Traducido por Corinne Pache y Jeff Fort. Nueva York, Zone Books, 2002.

LOVEMAN, B. y Lira, E. *Las suaves cenizas del olvido: la vía chilena de la reconciliación 1814-1932*. Santiago: LOM Editores, 1999.

LUJÁN MUÑOZ, Jorge. "Dos estelas mayas sustraídas de Guatemala: su presencia en Nueva York," *Revista Universidad de San Carlos*, núm. LXVII, 1965, pp. 125-38.

LUJÁN MUÑOZ, Luis. "Nómina Provisional de sitios arqueológicos de la República de Guatemala", *Antropologia e Historia*, junio de 1968, pp. 3-12.

LUKE, C. *La protección del acervo cultural de Guatemala y la venta de antigüedades precolombinas*. XVI Simposio de Investigaciones Arqueológicas en Guatemala, Instituto de Antropología e Historia de Guatemala/Asociación Tikal, 2003.

MACHADO, Eduardo. "Los primeros asaltos del imperialismo contra Venezuela", en: Duno, Pedro. *Los mejores ensayistas venezolanos*, Cuarto Festival del Libro Venezolano, Caracas, s.f.

MACQUOWN, Norman A. "The indigenous languages of Latin America", *American Anthropologist LVII* (1955), pp. 501-570.

MAEDER, Ernesto J. A. *Misiones del Paraguay: conflicto y disolución de la sociedad guaraní (1768–1850)*. Mapfre, Madrid, 1992.

MAGÁN PERALES, José María. *La circulación ilícita de bienes culturales*, Madrid, Lex Nova, 2001.

MAGDOFF, Harry. *La era del imperialismo*. Editorial Actual, México, 1969.

——— "¿Cuál es el significado del imperialismo?", en: Renán Vega C. (editor), *Marx y el siglo XXI. Hacia un marxismo ecológico*, 1998.

MAGUIRE, Eleanor y otros. "Patients with hippocampal amnesia canoot imagine new experiences", PNAS enero 30, vol. 104, núm. 5, pp. 1726-1731, 2007.

MANGUEL, Alberto, *Una historia de la lectura*, Alianza, Madrid, 1998.

MANN, Charles. *1491*. Madrid, Taurus, 2006.

MARCONI, Paolo. *A censura política na imprensa brasileira (1968-1978)*. São Paulo, Global, 1980.

MARIÁTEGUI, José Carlos. *Siete ensayos de interpretación de la realidad peruana*. Lima: Amauta, 1928.

MARRAS, Sergio. *América Latina, Marca Registrada*. Editorial Andrés Bello, Grupo Zeta, Barcelona, 1992.

MARSHALL, D.N. *History of libraries: ancient and medieval*, 1983.

MARTÍ, Samuel. *Canto, danza y música precortesianos*, México, Fondo de Cultura Económica, 1961.

MARTÍN BARBERO, Jesús (1994) "Culturas populares e identidades políticas", en Barbero, Jesús Martín y otros: *Entre públicos y ciudadanos*. Lima, Calandria-Asociación de Comunicadores Sociales.

MARTINELL GIFRÉ, Emma, *Aspectos lingüísticos del Descubrimiento y de la Conquista*, Madrid, CSIC, 1988.

——— Emma, *La comunicación entre españoles e indios: palabras y gestos*, Madrid, Mapfre, 1992.

MARTÍNEZ MARÍN, Carlos. "Los libros pictóricos de Mesoamérica", en *Historia del arte mexicano. Arte prehispánico*, vol. 4, 2a. ed., México, SEP/Salvat, 1986.

MARTÍNEZ, José L. *Nezahualcóyotl, Vida y Obra*, FCE, México, 1980.

MATO, Daniel. *Teoría y política de la construcción de las identidades y diferencias en América Latina*. Caracas, 1994.

MATTELART, Armand. *Diversidad cultural y mundialización*. Barcelona, Paidós, 2006.

MATTHAI, Robert A. (dir. publ.). *Protection of Cultural Properties during Energy Emergencies*. Nueva York, Arts/Energy Studio and American Association of Museums, 1978.

MCEWAN, Colin, Barreto, Cristina y Neves, Eduardo (eds.). *Unknown Amazon*. Londres, British Museum Press, 2001.

MCINTOSH, Roderick J. y Schmidt, Peter R. (eds.). *Plundering Africa's Past*, Bloomington e Indianápolis, Indiana University Press, 1996.

MEDI BADI, Amir. *Les Grecs et les Barbares*, Payot, París, 1963.

MEDINA, José Toribio. *Historia del Tribunal del Santo Oficio de la Inquisición en México*, Fuente Cultural, 1952.

MELIÀ, Bartomeu, *El guaraní conquistado y reducido. Ensayos de etnohistoria*, Universidad Católica, Asunción, 1988.

MELTON, Jim. "Guatemala Sues for Statue's Return," *Houston Post*, 14 noviembre de 1968.

MENDOZA NAVARRO, Aída Luz. *Transparencia vs. corrupción. Los archivos: políticas*, Perú, 2004.

MERTON, Reginald. *Cardinal Ximenes and the Making of Spain*, 1934.

MESSENGER, P. (ed.). *The Ethics of Collecting: Whose Culture? Cultural Property: Whose Property*. Albuquerque, University of New Mexico Press, 1989.

MEYER, Karl. *El saqueo del pasado. Historia del tráfico internacional ilegal de obras de arte*. FCE, México, 1990.

MIGNOLO, W.D. "Misunderstanding and Colonization: The Reconfiguration of Memory and Space". *The South Atlantic Quarterly*, 92, 2, 1993, pp. 209-260.

MONTAIGNE, Michel de. *Ensayos*, vol. I, Ediciones Orbis, Barcelona, 1984.

MONTEJO, Víctor. *Testimony: Death of a Guatemalan Village*. Willimantic, CT: Curbstone Press, 1987.

MOREL, E. D. *The Black Man's Burden: The White Man in Africa from the Fifteenth Century to World War I*. Manchester, National Labour Press, 1920.

MORENO, Gabriel René. *Catálogo del Archivo de Mojos y Chiquitos*. La Paz, La Juventud, 1973.

MORITZ SCHWARCZ, Lilia, *A longa viagem da Biblioteca dos Reis. Do terremoto de Lisboa à Independência do Brasil*, Companhia das Letras, 2002.

MOSES, A. Dirk. *Genocide and Settler Society: Frontier Violence and Stolen Indigenous Children in Australian History*. Nueva York, Berghahn Books, 2004.

MOTOLINÍA, fray Toribio. *Historia de los indios de la Nueva España*, (estudio crítico, apéndices, notas e índice de Edmundo O'Gorman), México, Col. "Sepan cuántos..." núm. 129, Ed. Porrúa, 1990.

MOYA PONS, Frank. *Después de Colón. Trabajo, sociedad y política en la economía del oro*, Madrid, 1987.

MURILLO SELVA, Rafael. "La nacionalidad, las culturas llamadas populares y la identidad". En: Heinz Dieterich, Steffan: *1942-1992. La interminable conquista*. Editorial El Duende/Abya-yala, 1991.

MULHERN, Francis. *Culture/Metaculture*. Londres, Routledge, 2000.

MUÑOZ, Blanca. *Modelos culturales. Teoría sociopolítica de la cultura*. Barcelona, Anthropos, 2005.

MURPHY, J. David. *Plunder and preservation: Cultural property law and practice in the People's Republic of China*, Oxford, Oxford University Press, 1995.

NAVARRO GARCÍA, L., *Hispanoamérica en el siglo XVIII*, Sevilla, Universidad de Sevilla, 1991.

——— (coord.), *Historia de las Américas*, Madrid, Alhambra, Longman, 1991, vols. II, III y IV.

NEININGER, Ulrich. "Burying the Scholars Alive: On the Origins of a Confucian Martyrs' Legend," en: Wolfram Eberhard, Krzysztof Galikowski y Carl-Albrecht Seyschab (eds.), *East Asian Civilizations: New Attempts at Understanding Traditions 2 Nation and Mythology*, Simon and Magiera, 1983, pp. 121-136.

NICOLLE, David. *The Mongol warlords: Genghis Khan, Kublai Khan, Hulagu, Tamerlane*, 1990.

NIETO, Clara. *Los amos de la guerra*, Debate, Barcelona, 2005.

NOBLECOURT, A. *Les techniques de protection de biens culturels en cas de conflit armé*. París, Unesco, 1958.

NOGALES MÉNDEZ, Rafael de. *El saqueo de Nicaragua*. Ediciones Centauro, Caracas, 1981.

NORMANO, J.F. *Evolução econômica do Brasil*, vol. 152. 2a edição, São Paulo, 1975.

O'LEARY, Simón. *Memorias del general O'Leary/publicadas por su hijo Simón O'Leary*. Caracas, 1883.

OPORTO ORDÓÑEZ, Luis. *La destrucción de la memoria oficial en Bolivia*. Ensayo inédito presentado al Concurso Latinoamericano de Investigación en Bibliotecología, Documentación, Archivística y Museología "Fernando Báez", Buenos Aires, 2006.

——— "Crónica de la destrucción de la memoria de la nación". En: *Fuentes del Congreso. Boletín de la Biblioteca y Archivo Histórico del Congreso Nacional* (La Paz) 2 (5), 2002, pp. 2-3.

ORTIZ, Femando. *Contrapunteo cubano del tabaco y del azúcar*, La Habana, 1940.

OSSA, Felipe. *Historia de la escritura y la letra impresa*, Bogotá, 1993.

PALAU Y DULCET, Antonio. *Manual del librero hispanoamericano*, 2a ed., 28 v. Barcelona, 1948-1977.

PANÉ, fray Ramón. *Relación acerca de las antigüedades de los indios*, Siglo XXI, México, 1974.

PAZ, Octavio. *El laberinto de la soledad,* Fondo de Cultura Económica, México, 1980.

———. *In/mediaciones.* Seix Barral, Barcelona, 1981.

PENNYCOOK, ALASTAIR. *English and the Discourses of Colonialism.* Routledge, 1998.

PERCHERON, Nicole. "Colonización española y despoblación de las comunidades indígenas (La catástrofe demográfica entre los indios de Michoacán en el siglo XVI, según las Relaciones Geográficas de las Indias, 1579-1582)," en: Thomas Calvo y Gustavo López (eds.), *Movimientos de población en el occidente de México,* México, CEMCA, 1988.

PEREÑA, Luciano. *Genocidio en América.* Mapfre, Madrid, 1992.

PÉREZ SILVA, Vicente. "Los libros en la hoguera", *Revista Credencial Historia* 52, abril de 1994, Bogotá.

PÉREZ VILA, Manuel. "Una biblioteca pública en plena guerra a muerte", *Biblioteca Nacional* 8, abril-junio de 1960.

PETERSEN, Jens Østergård "Which books did the First Emperor of Ch'in burn? On the meaning of pai-chia in early Chinese sources", *Monumenta Serica* 43 (1995), pp. 1-52.

PHILLIPSON, Robert. *Linguistic Imperialism,* Oxford University Press, 1992.

PICÓN SALAS, Mariano. *De la Conquista a la independencia.* Fondo de Cultura Económica. México, 4a ed., 1965.

PICÓN, Juan de Dios. *Estadística y descripción geográfica, política, agrícola e industrial de todos los lugares de que se compone la provincia de Mérida de Venezuela,* 1832.

PINTO CRESPO, Virgilio. *Inquisición y control ideológico en la España del siglo XVI.* Madrid, Taurus, 1983.

PLATÓN. *El banquete. Fedón. Fedro.* Ediciones Orbis, Barcelona, 1983.

PLENDESLEITH, Harold J. "The New Science of Art Conservation", The UNESCO Courier, enero de 1965, pp. 7-10.

PLUMBE, Wilfred J. *The Preservation of Books in Tropical and Subtropical Countries.* Hong Kong, 1964.

POMAR, Juan Bautista, *Relación de Tezcoco* (ed. facsimilar de la de 1891 con advertencia preliminar y notas de Joaquín García Icazbalceta, México, Bibl. Enciclopédica del Estado de México, 1975.

PROSKOURIAKOFF, Tania. "The Lords of the Maya Realm," Expedition, otoño de 1961, pp. 14-21.

PUECH, Henri-Charles (dir.), *Movimientos religiosos derivados de la aculturación*, Madrid, Siglo XXI Editores, 1982.

PULESTON, Dennis E. "Sacred Harps for the Chosen Few: A Report on Destruction of MesoAmerican Antiquities for the Sale of Art", artículo presentado en la *AAAS Philadelphia Meeting*, diciembre de 1971.

RAMA M., Carlos. *La quema de libros en Chile*. [en línea] [consultado el 12 de septiembre de 2006]. Disponible en: "http://www.magicasruinas.com.ar/revistero/aquello/revaquello071.htm"

RAMA, Ángel. *Transculturación narrativa en América Latina*. México: Siglo XXI, 1982.

RAMOS PÉREZ, Demetrio. *El mito de El Dorado*, 2a. ed., Caracas, 1987.

RAMOS, Arthur. *Las culturas negras en el Nuevo Mundo*, México, Fondo de Cultura Económica, 1943.

RANGEL, Carlos. *Del buen salvaje al buen revolucionario*. Monte Ávila Editores, Caracas, 10a. ed., 1982.

———— *El tercermundismo*. Monte Ávila Editores, Caracas, 3a. ed., 1982.

REDFIELD, R., R. L. Linton y M. J. Hertskovits. "Memorandum on the Study of Acculturation" *American Anthropologist*, vol. 38, 1936, pp. 149-152.

REINHOLDT, Robert. "Looters Impede Scholars Studying Maya Mystery," NYT, marzo 26 de 1973.

RENFREW, Colin. "The fallacy of the 'Good Collector' of looted antiquities", *Public Archaeology* 1 (1), 2000, pp. 76–8.

———— *Loot, legitimacy and ownership: the ethical crisis in archaeology*, Londres, Duckworth, 2000.

RIBEIRO, Darcy. *Indianidades y venutopías*. Ediciones del Sol, Buenos Aires, 1988.

———— *Configuración Histórico-culturales americanas*. Calicanto, Buenos Aires, 1987.

———— *Dilema de América Latina*. Siglo XXI, México, 1971.

———— *Los brasileños*. Siglo XXI, México, 1975.

RIBOT, Théodule. *Las enfermedades de la memoria*. Daniel Jorro, Madrid, 1927.

RICOEUR, Paul. *La memoria, la historia, el olvido*. Editorial Trotta, Madrid, 2003.

———— *Temps et récit*. París: Seuil, 3 vols., 1983-1985.

RIFKIN, J. *La era del acceso. La revolución de la nueva economía.* Paidós, Barcelona, 2000.

RIVERA, M. y Vidal, M.C. *Arqueología americana.* Editorial Síntesis, Madrid, 1992.

ROA BASTOS, Augusto. *Las culturas condenadas,* Siglo XXI, México, 1978.

ROBBINS, Jack. "The Art of Catching Thieves", *New York Post,* septiembre 23 de 1972.

ROBERTSON, Donald. *Mexican Manuscript Painting of the Early Colonial Period: the Metropolitan Schools.* New Haven, 1959.

ROBERTSON, M. G. "Monument Thievery", artículo presentado a la Society of American Archeology Meeting, Norman, Oklahoma, mayo de 1971.

ROBINS, Nicholas A. *Genocide and Millennialism in Upper Peru: The Great Rebellion of 1780-1782.* Westport, CT: Praeger, 2002.

ROCKER, Rudolf. *Nacionalismo y cultura.* Ediciones La Piqueta, 1977.

RODAS ESTRADA, Juan Haroldo. *El despojo cultural: la otra máscara de la Conquista.* Editorial Caudal, Guatemala, 1998.

RODRÍGUEZ FREYLE, Juan. *Conquista y descubrimiento del Nuevo Reino de Granada.* Bogotá, 1935.

ROSAS GONZALEZ, Otilia. "La etnohistoria y el problema del cambio cultural: ¿aculturación o transculturación?" en: *Boletín Museo Arqueológico de Quibor,* 4 (1995): pp. 5-30.

ROSENBLAT, Ángel. "La hispanización de América. El castellano y las lenguas indígenas desde 1492". *Arbor* 55, 1963, pp. 87-123.

——— *El mestizaje y las castas coloniales.* Editorial Nova, Buenos Aires, t. II, 1954.

ROSSI, Paolo. *El pasado, la memoria, el olvido.* Ediciones Nueva Visión, Buenos Aires, 2003.

RUIZ GAYTÁN, Beatriz, "Las imposiciones del mundo vencido a España", en *América: hombre y sociedad/Actas de las primeras jornadas de historiadores americanistas.* Santa Fe, Granada, 11 al 15 de octubre de 1987. Granada: Diputación Provincial de Granada, Sociedad de Historiadores Mexicanistas, pp. 205-218.

RUIZ-VARGAS, José María. *Memoria y olvido.* Trotta, Madrid, 2002.

RUZ, Alberto L. "Destruction and Pillage of Mayan Archeological Zones", artículo presntado a la *Round Table on the Protection of the Na-*

tional Cultural Heritage, Mexican Academy of Culture, Guadalajara, Jalisco, Mexico, diciembre de 1968.

SAHAGÚN, fray Bernardino de. *Historia general de las cosas de Nueva España*, 1999.

SAID, Edward. *Cultura e imperialismo.* Traducción de Nora Catelli, Anagrama. Barcelona, 1996.

SALABERRÍA, Ramón. "Arde la memoria", *Educación y biblioteca* 11, 104 (1999), pp. 5-20.

SALAS, Julio César. *Tierra firme: etnología e historia*. Caracas, 1977.

SÁNCHEZ HERNAMPÉREZ, Arsenio. *Políticas de Conservación en Bibliotecas*. Madrid, Arco libros, 1999.

SANOJA, Mario y Vargas, Iraida. *Historia, identidad y poder*. Fondo Editorial Tropykos, Caracas, 1992.

SAUER, Carl O. *Descubrimiento y dominación española del caribe*, FCE, México, 1984.

SAUNDERS, Frances Stonor. *La CIA y la guerra fría cultural*. Editorial Debate, México, 2001.

SAVILLE, M.H. "Mexican Codices: A List of Recent Reproductions", *American Anthropologist*, New Series, vol. 3, núm. 3. (jul.-sep. de 1901), pp. 532-541.

SCHAVELZON, Daniel. *El expolio del arte en la Argentina; robo y tráfico ilegal de obras de arte*, Sudamérica, Buenos Aires, 1993.

———— *La conservación del patrimonio cultural en América Latina*, Instituto de Arte Americano, Buenos Aires, 1990.

SCHICK, Jürgen. *The Gods are leaving the country: Art theft from Nepal*, Orchid Press, 1998.

SCHILLER, Herbert I. y Kaarle Nordenstreng (eds.). *National Sovereignity and International Communication.* Ablex Publishing Corporation, Norwood, New Jersey, 1979.

———— *Communication and Cultural Domination*, International Arts and Sciences Press, Inc., White Plains, New York, 1976.

SCHMIDT, Hans. *United States occupation of Haïti* (1915-1934). Rutgers University Press, 1995.

SCHUCHNER, Silvina. "La familia que enterró sus libros y tardó 18 años en recuperarlos", *Clarín*, 23 de marzo de 2001.

SÉJOURNE, Laurette. *Antiguas culturas precolombinas*, Historia Universal, Siglo XXI, 5a. ed., México, 1975.

SELIGMAN, Germain. *Merchants of Art: 1880-1960* (Nueva York: Appleton-Century-Crofts, 1961).

SELSER, Gregorio. *Diplomacia, garrote y dólares en América Latina.* Buenos Aires, 1962.

SÉMELIN, Jacques. *Purifier et détruire: usages politiques des massacres et genocides.* París: Le Seuil, 2005.

SEVERO, Richard. "The Bulldozers' Assault on the Past in Mexico", NYT, abril 7 de 1972.

SHERZER, Joel. "A richness of voices." En: Alvin M. Josephy, Jr., (ed.), *America in 1492: The World of the Indian Peoples before the Arrival of Columbus.* Nueva York: Knopf, 1991, pp. 251-275 y 445-449.

SIBLEY, John. "Drive Aims to Halt Looting of Mayan Art". NYT, noviembre 15 de 1972.

SILVA, Ludovico. *Teoría y práctica de la ideología.* México, 1975.

SIMPSON, Elizabeth (ed.). *The Spoils of War: World War II and Its Aftermath: The Loss, Reappearance, and Recovery of Cultural Property,* Nueva York, Harry Abrams, 1997.

SKIDMORE, Thomas E. y Peter H. Smith, *Historia contemporánea de América Latina. América Latina en el siglo XX,* Crítica, Barcelona, 1996.

SLOTERDIJK, Peter. *El desprecio de las masas. Ensayo sobre las luchas culturales de la sociedad moderna,* Pre-Textos, Valencia, 2001.

——— "Der gesprengte Behälter. Notiz über die Krise des Heimatbegriffs in der globalisierten Welt", en: *Spiegel Spezial,* núm. 6 (1999), S. 24-29.

——— *Crítica de la razón cínica* (Reed.), Editorial Siruela, Madrid, 2004.

——— *Extrañamiento del mundo,* Editorial Pretextos, Valencia, 2001.

——— *Esferas I. Burbujas,* Editorial Siruela, Madrid, 2003.

——— *Esferas II. Globos.* Macroesferología, Editorial Siruela, 2004.

——— *Esferas III , Espumas,* Editorial Siruela, Barcelona, 2005.

SMITH, Anne-Marie. *Um acordo forçado: o consentimento da imprensa à censura no Brasil.* Río de Janeiro: Editora FGV, 2000.

SMITH, Joseph Lindon. *Tombs, Temples, and Ancient Art.* Norman: University of Oklahoma Press, 1956.

SODI, Demetrio. *La literatura de los mayas,* Joaquín Mortiz, México, 1970.

SOUSTELLE, Jacques, Vita quotidiana degli Aztechi, Il Saggiatore, Milán, 1965.

SOUSTELLE, Jacques, *Les quatre soleils*, Plon, París, 1967.

———— *Les Aztèques*, Presses Universitaires de France, París, 1970.

———— *Les Olmèques*, Arthaud, París, 1979.

———— *L'univers des Aztèques*, Hermann, París, 1979.

STAIKOS, Konstantinos. *The Great Libraries: From Antiquity to the Reinassance (3000 b.c. to 1600 a.d.)*, 2000.

STANNARD, David. *American Holocaust: The Conquest of the New World*, Oxford University Press, Oxford, 1993.

STAVRAKI, Emmanuel. *La Convention pour la protection des biens culturels en cas de conflit armé*, Ant. N. Sakkoulas, Atenas, 1996.

SUÁREZ FERNÁNDEZ, Luis. "Francisco Jiménez de Cisneros", en AAVV, *Diccionario de Historia de España*, Revista de Occidente, tomo I, 1952.

SUBERCASEAUX, Bernardo. *Historia del libro en Chile*. Lom, Santiago, 2000.

SULLIVAN, Walter. "Jungle Search Is Planned to Break Mayan Code", NYT, octubre 4 de 1969.

TAMARÍZ DE CARMONA, Antonio. *Relación y descripción del Templo Real de la ciudad de la Puebla de los Ángeles en la Nueva España y su Catedral*, 1650.

TEDESCO, Italo. *Literatura indígena de Venezuela*. Cincel Kapelusz, 1993.

THOMPSON, Edward. *People of the Serpent*. Nueva York, Capricorn Books, 1932.

TINOCO, Antonio. *Latinoamérica. filosofía, identidad y cultura*. Maracaibo, Fondo Editorial Única, 1992.

TODOROV, Tzvetan. *La conquista de América. El problema del otro*, Editorial Siglo XXI, Madrid, 1987.

TOMAN, Jirí. *La protection des biens culturels en cas de conflit armé*, París, UNESCO, 1994.

TOMKINS, Calvin. *Merchants and Masterpieces*. Nueva York, Dutton, 1970.

TOMLINSON, John. *Cultural imperialism*. The John Hopkins University Press, Baltimore, 1991.

TORRE REVELLO, José. *El libro, la imprenta. y el periodismo en América durante la dominación española*. Buenos Aires, Casa Jacob Peuser, 1949.

TREUE, Wilhelm. *Art Plunder*. Londres, Methuen, 1960.

TREVOR-ROPER, Hugh. *The Plunder of the Arts in the Seventeenth Century*, Londres, Thames and Hudson, 1970.

TRIMBLE, Mike, "Mayan Relic Is Recovered", *Arkansas Gazette*, enero 29 de 1972.

TROCHE, Miche. "L'Art Maya en France," *France Nouvelle*, febrero 15 de 1967.

TROCONIS DE VERACOECHEA, Ermila. "Los libros y la Inquisición", *Revista Nacional de Cultura*, núm. 191, enero-febrero de 1970, pp. 67-73.

TUCCI CARNEIRO, Maria Luiza. *Livros Proibidos, Idéias Malditas*. Ateliê, 2002.

TURBERVILLE, A.S. *La Inquisición española*, FCE, México, 1960.

UNESCO. *Tráfico ilícito de bienes culturales en América Latina y el Caribe*, La Habana, ORCALC, 2003.

URTON, Gary. *Signs of the Inka Khipu: Binary Coding in the Andean Knotted-String Records*, University of Texas Press, 2003.

VALERO, Jorge. *La diplomacia internacional y el golpe de 1945*. Monte Ávila, Caracas, 2001.

VAN COTT, D. L. *The Friendly Liquidation of the Past; The Politics of Diversity in Latin America*, Pittsburgh: The University of Pittsburgh Press, 2000.

VARGAS LLOSA, Mario. *Diario de Irak*, Aguilar, 2003.

VARNER, Eric R. *Mutilation and Transformation: Damnatio Memoriae and Roman Imperial Portraiture*, 2004.

VÁSQUEZ, F. *La memoria como acción social. Relaciones significados e imaginario*. Barcelona, Paidós, 2001.

VÁZQUEZ CHAMORRO, Germán. *La caída del águila. Cortés y la conquista del imperio azteca*, S.M./Sociedad Estatal Quinto Centenario, Madrid, 1990.

VERBITSKY, H. *Civiles y militares. Memoria secreta de la transición*. Editorial Sudamericana, Buenos Aires, 2003.

VIDAL, Hernán. *Política Cultural de la Memoria Histórica*, 1997.

VILA, Samuel. *Historia de la Inquisición*, CLIE, 1977.

VILLACORTA, J. Antonio y Villacorta, Carlos A. *Códices mayas*, Sociedad de Geografía e Historia, Guatemala, 1976.

VITTINGHOFF, Friedrich. *Der Staatsfeind in der römischen Kaiserzeit. Untersuchungen zur "damnatio memoriae"*. Berlín, 1936.

WACHTEL, Nathan, *Los vencidos. Los indios del Perú frente a la conquista española (1530-1570)*, Alianza, Madrid, 1976.

WALLER, James. *Becoming Evil: How Ordinary People Commit Genocide and Mass*. Oxford, Oxford University Press, 2002.

WALTER, Knut. *El régimen de Anastasio Somoza 1936-1956*. Instituto de Historia de Nicaragua y Centroamérica, 2004.

WEINE, Stevan M. *When History is a Nightmare: Lives and Memories of Ethnic Cleansing in Bosnia-Herzegovina*. New Brunswick, N.J., Rutgers University Press, 1999.

WELLES, Benjamin. "U.S. Acts to Bar the Import of Treasures Plundered from Mayan and Other Sites," *NYT*, mayo 30 de 1971.

WILLIAMS, Raymond. *Palabras clave. Una vocabulario de la cultura y la sociedad*. Buenos Aires, Nueva Visión, 2000.

WINTER, Jay. "The Generation of Memory. Reflections on the 'Memory Boom'", en *Contemporary Historical Studies*, German Historical Institut Bulletin (27), 2000.

WRAY, N. *Pueblos indígenas amazónicos y actividad petrolera en el Ecuador; conflictos, estrategias e impactos*, Quito: IBIS, Oxfam, 2000.

WRIGHT, Ronald, *Continentes robados. América vista por los indios desde 1492*, Anaya y M. Muchnik, Madrid, 1994.

YATES, Frances A. *El arte de la memoria*. Taurus, Madrid, 1974.

YURKIÉVICH, Saúl (ed.). *Identidad cultural de Iberoamérica en su literatura*. Alhambra, Madrid, 1986.

ZAHAR, Renate. *Colonialismo y enajenación*, Siglo XXI Editores, México, 1970.

ZEA, Leopoldo. *Dependencia y liberación en la cultura latinoamericana*. Editorial Joaquín García Mortiz, México, 1974.

———— *Latinoamérica. Emancipación y colonialismo*. Editorial Tiempo Nuevo, Venezuela, 1971.

_I_EK, Slavoj (con Judith Butler y Ernesto Laclau). *Contingencia, hegemonía, universalidad*, Fondo de Cultura Económica, Buenos Aires, 2003.

ZUFFEREY, Nicolas. "Le Premier Empereur et les lettrés. L'exécution de 212 avant J.-C.", *Études chinoises* XVI: 1 (1997), pp. 59-98.

APÉNDICE

Legislaciones sobre saqueo cultural

PACTO ROERICH

Protección de instituciones artísticas y científicas y de monumentos históricos (1933)

Las Altas Partes Contratantes, animadas por el propósito de dar expresión convencional a los postulados de la Resolución aprobada el 16 de diciembre de 1933 por la totalidad de los Estados representados en la Séptima Conferencia Internacional de Estados Americanos celebrada en Montevideo, que recomendó "a los Gobiernos de América que no lo hubieren hecho, la suscripción del "Pacto Roerich", iniciado por el "Museo Roerich" de los Estados Unidos y que tiene por objeto la adopción universal de una bandera, ya diseñada y difundida, para preservar con ella, en cualquiera época de peligro, todos los monumentos inmuebles de propiedad nacional y particular que forman el tesoro cultural de los pueblos", en vista de ello han resuelto celebrar un tratado, con el fin de que los tesoros de la cultura sean respetados y protegidos en tiempo de guerra y de paz, y a este efecto han convenido en los siguientes artículos:

ARTÍCULO I

Los monumentos históricos, los museos y las instituciones científicas, artísticas, educacionales y culturales serán considerados como neutrales y, como tales, respetados y protegidos por los beligerantes.

Igual respeto y protección se acordará al personal de las instituciones arriba mencionadas.

Se acordará el mismo respeto y protección a los monumentos históricos, museos, instituciones científicas, artísticas, educativas y culturales, así en tiempo de paz como de guerra.

ARTÍCULO II

La neutralidad, protección y respeto a los monumentos e instituciones mencionados en el artículo anterior se reconocerá en toda la extensión de territorios sujetos a la soberanía de cada uno de los Estados signatarios y accedentes, sin hacer distinción en razón de la nacionalidad a que pertenezcan dichos monumentos e instituciones.

Los Gobiernos respectivos se comprometen a adoptar las medidas de legislación interna necesarias para asegurar dicha protección y respeto.

ARTÍCULO III

A fin de identificar los monumentos e instituciones mencionados en el artículo I, se podrá usar una bandera distintiva (círculo rojo, con una triple esfera roja dentro del círculo, sobre un fondo blanco) de acuerdo con el modelo anexo a este tratado.

ARTÍCULO IV

Los Gobiernos signatarios y los que accedan al presente tratado enviarán a la Unión Panamericana, en el acto de la firma o de la accesión, o en cualquier tiempo después de dicho acto, una lista de los monumentos o instituciones que deseen someter a la protección acordada por este tratado.

La Unión Panamericana, al notificar a los Gobiernos de las firmas o de las accesiones, enviará también la lista de los monumentos e instituciones mencionadas en este artículo e informará a los demás Gobiernos de cualquier cambio en dicha lista.

ARTÍCULO V

Los monumentos e instituciones mencionados en el artículo I cesarán en el goce de los privilegios reconocidos en el presente tratado, en caso de ser usados para fines militares.

ARTÍCULO VI

Los Estados que no suscriban el presente tratado en la fecha abierta para firma podrán firmar o adherirse a él en cualquier tiempo.

ARTÍCULO VII

Los instrumentos de accesión, así como los de ratificación y denuncia del presente tratado se depositarán en la Unión Panamericana, la cual comunicará el hecho del depósito a los otros Estados signatarios o accedentes.

ARTÍCULO VIII

Cualquiera de los Estados que suscriban el presente convenio o que accedan a él podrán denunciarlo en cualquier tiempo, y la denuncia tendrá efecto tres meses después de su notificación a los otros signatarios o accedentes.

El presente tratado podrá ser denunciado en cualquier tiempo por cualquiera de los Estados signatarios o accedentes, y la denuncia tendrá efecto tres meses después de su notificación a los otros Estados signatarios o accedentes.

EN FE DE LO CUAL, los Infrascritos Plenipotenciarios, después de haber depositado sus Plenos Poderes, que se han encontrado en buena y debida forma, firman este tratado en nombre de sus respectivos gobiernos y colocan sus sellos en las fechas indicadas junto a sus firmas.

Convención sobre Defensa del Patrimonio Arqueológico, Histórico y Artístico de las Naciones Americanas

(Convención de San Salvador)
16 de junio de 1976

Los gobiernos de los estados miembros de la Organización de los Estados Americanos,

Visto:
El constante saqueo y despojo que han sufrido los países del continente, principalmente los latinoamericanos, en sus patrimonios culturales autóctonos, y

Considerando:
Que tales actos depredatorios han dañado y disminuido las riquezas arqueológicas, históricas y artísticas, a través de las cuales se expresa el carácter nacional de sus respectivos pueblos;

Que es obligación fundamental transmitir a las generaciones venideras el legado del acervo cultural;

Que la defensa y conservación de este patrimonio sólo puede lograrse mediante el aprecio y respeto mutuos de tales bienes, en el marco de la más sólida cooperación interamericana;

Que se ha evidenciado en forma reiterada la voluntad de los Estados Miembros de establecer normas para la protección y vigilancia del patrimonio arqueológico, histórico y artístico,

Declaran:
Que es imprescindible adoptar, tanto en el ámbito nacional como en el internacional, medidas de la mayor eficacia conducentes a la adecuada protección, defensa y recuperación de los bienes culturales, y

Han convenido lo siguiente:

ARTÍCULO 1

La presente Convención tiene como objeto la identificación, registro, protección y vigilancia de los bienes que integran el patrimonio cultural de las naciones americanas, para: a) impedir la exportación o importación ilícita de bienes culturales, y b) promover la cooperación entre los Estados americanos para el mutuo conocimiento y apreciación de sus bienes culturales.

ARTÍCULO 2

Los bienes culturales a que se refiere el artículo precedente son aquellos que se incluyen en las siguientes categorías:

a) monumentos, objetos, fragmentos de edificios desmembrados y material arqueológico, pertenecientes a las culturas americanas anteriores a los contactos con la cultura europea, así como los restos humanos, de la fauna y flora, relacionados con las mismas;

b) monumentos, edificios, objetos artísticos, utilitarios, etnológicos, íntegros o desmembrados, de la época colonial, así como los correspondientes al siglo XIX;

c) bibliotecas y archivos; incunables y manuscritos; libros y otras publicaciones, iconografías, mapas y documentos editados hasta el año de 1850;

d) todos aquellos bienes de origen posterior a 1850 que los Estados Partes tengan registrados como bienes culturales, siempre que hayan notificado tal registro a las demás Partes del tratado;

e) todos aquellos bienes culturales que cualesquiera de los Estados Partes declaren o manifiesten expresamente incluir dentro de los alcances de esta Convención.

ARTÍCULO 3

Los bienes culturales comprendidos en el artículo anterior serán objeto de máxima protección a nivel internacional y se considerarán ilícitas su exportación e importación, salvo que el Estado al que pertenecen autorice su exportación para los fines de promover el conocimiento de las culturas nacionales.

ARTÍCULO 4

Cualquier desacuerdo entre Partes de esta Convención acerca de la aplicación de las definiciones y categorías del artículo 2 a bienes específicos será resuelto en forma definitiva por el Consejo Interamericano para la Educación, la Ciencia y la Cultura (CIECC), previo dictamen del Comité Interamericano de Cultura (CIDEC).

ARTÍCULO 5

Pertenecen al Patrimonio Cultural de cada Estado los bienes mencionados en el artículo 2, hallados o creados en su territorio y los procedentes de otros países, legalmente adquiridos.

ARTÍCULO 6

El dominio de cada Estado sobre su Patrimonio Cultural y las acciones reivindicatorias relativas a los bienes que lo constituyen son imprescriptibles.

ARTÍCULO 7

El régimen de propiedad de los bienes culturales y su posesión y enajenación dentro del territorio de cada Estado serán regulados por su legislación interna.

Con el objeto de impedir el comercio ilícito de tales bienes, se promoverán las siguientes medidas:

a) registro de colecciones y del traspaso de los bienes culturales sujetos a protección;
b) registro de las transacciones que se realicen en los establecimientos dedicados a la compra y venta de dichos bienes;
c) prohibición de importar bienes culturales procedentes de otros Estados sin el certificado y la autorización correspondientes.

ARTÍCULO 8

Cada Estado es responsable de la identificación, registro, protección, conservación y vigilancia de su patrimonio cultural; para cumplir tal función se compromete a promover:

a) la preparación de las disposiciones legislativas y reglamentarias que se necesiten para proteger eficazmente dicho patrimonio contra la destrucción por abandono o por trabajos de conservación inadecuados;
b) la creación de organismos técnicos encargados específicamente de la protección y vigilancia de los bienes culturales;
c) la formación y mantenimiento de un inventario y un registro de los bienes culturales que permitan identificarlos y localizarlos;
d) la creación y desarrollo de museos, bibliotecas, archivos y otros centros dedicados a la protección y conservación de los bienes culturales;
e) la delimitación y protección de los lugares arqueológicos y de interés histórico y artístico;
f) la exploración, excavación, investigación y conservación de lugares y objetos arqueológicos por instituciones científicas que las realicen en colaboración con el organismo nacional encargado del patrimonio arqueológico.

ARTÍCULO 9

Cada Estado Parte deberá impedir por todos los medios a su alcance las excavaciones ilícitas en su respectivo territorio y la sustracción de los bienes culturales procedentes de ellas.

ARTÍCULO 10

Cada Estado Parte se compromete a tomar las medidas que considere eficaces para prevenir y reprimir la exportación, importación y enajenación ilícitas de bienes culturales, así como las que sean necesarias para restituirlos al Estado al que pertenecen, en caso de haberle sido sustraídos.

ARTÍCULO 11

El tener conocimiento el Gobierno de un Estado Parte de la exportación ilícita de uno de sus bienes culturales podrá dirigirse al Gobierno del Estado adonde el bien haya sido trasladado, pidiéndole que tome las medidas conducentes a su recuperación y restitución. Dichas gestiones se harán por la vía diplomática y se acompañarán de las pruebas de la ilicitud de la exportación del bien de que se trata, de conformidad con la ley del Estado requirente, pruebas que serán consideradas por el Estado requerido. El Estado requerido empleará todos los medios legales a su disposición para localizar, recuperar y devolver los bienes culturales que se reclamen y que hayan sido sustraídos después de la entrada en vigor de esta Convención.

Si la legislación del Estado requerido exige acción judicial para la reivindicación de un bien cultural extranjero importado o enajenado en forma ilícita, dicha acción judicial será promovida ante los tribunales respectivos por la autoridad competente del Estado requerido.

El Estado requirente también tiene derecho de promover en el Estado requerido las acciones judiciales pertinentes para la reivindicación de los bienes sustraídos y para la aplicación de las sanciones correspondientes a los responsables.

ARTÍCULO 12

Tan pronto como el Estado requerido esté en posibilidad de hacerlo, restituirá el bien cultural sustraído al Estado requirente. Los gastos derivados de la restitución de dicho bien serán cubiertos provisionalmente por el Estado requerido, sin perjuicio de las gestiones o acciones que le competan para ser resarcido por dichos gastos.

ARTÍCULO 13

No se aplicará ningún impuesto ni carga fiscal a los bienes culturales restituidos según lo dispuesto en el artículo 12.

ARTÍCULO 14

Están sujetos a los tratados sobre extradición, cuando su aplicación fuera procedente, los responsables por delitos cometidos contra la integridad de bienes culturales o los que resulten de su exportación o importación ilícitas.

ARTÍCULO 15

Los Estados Partes se obligan a cooperar para el mutuo conocimiento y apreciación de sus valores culturales por los siguientes medios:

a) facilitando la circulación, intercambio y exhibición de bienes culturales procedentes de otros Estados, con fines educativos, científicos y culturales, así como de los de sus propios bienes culturales en otros países, cuando sean autorizados por los órganos gubernamentales correspondientes;

b) promoviendo el intercambio de informaciones sobre bienes culturales y sobre excavaciones y descubrimientos arqueológicos.

ARTÍCULO 16

Los bienes que se encuentren fuera del Estado a cuyo patrimonio cultural pertenecen, en carácter de préstamo a museos o exposiciones o instituciones científicas, no serán objeto de embargo originado en acciones judiciales públicas o privadas.

ARTÍCULO 17

A fin de cumplir con los objetivos de la presente Convención, se encomienda a la Secretaría General de la Organización de los Estados Americanos:

a) velar por la aplicación y efectividad de esta Convención;
b) promover la adopción de medidas colectivas destinadas a la protección y conservación de los bienes culturales de los Estados americanos;
c) establecer un Registro Interamericano de bienes culturales, muebles e inmuebles, de especial valor;
d) promover la armonización de las legislaciones nacionales sobre esta materia;
e) otorgar y gestionar la cooperación técnica que requieran los Estados Partes;
f) difundir informaciones sobre los bienes culturales de los Estados Partes y sobre los objetivos de esta Convención;
g) promover la circulación, intercambio y exhibición de bienes culturales entre los Estados Partes.

ARTÍCULO 18

Ninguna de las disposiciones de esta Convención impedirá la concertación por los Estados Partes de acuerdos bilaterales o multilaterales relativos a su Patrimonio Cultural, ni limitará la aplicación de los que se encuentren vigentes para el mismo fin.

ARTÍCULO 19

La presente Convención queda abierta a la firma de los Estados Miembros de la Organización de los Estados Americanos, así como a la adhesión de cualquier otro Estado.

ARTÍCULO 20

La presente Convención será ratificada por los Estados signatarios de acuerdo con sus respectivos procedimientos constitucionales.

ARTÍCULO 21

El instrumento original, cuyos textos en español, francés, inglés y portugués son igualmente auténticos, será depositado en la Secretaría General de la Organización de los Estados Americanos, la cual enviará copias certificadas a los Estados signatarios para los fines de su ratificación. Los instrumentos de ratificación serán depositados en la Secretaría General de la Organización de los Estados Americanos y ésta notificará dicho depósito a los gobiernos signatarios.

ARTÍCULO 22

La presente Convención entrará en vigor entre los Estados que la ratifiquen, en el orden en que depositen los instrumentos de sus respectivas ratificaciones.

ARTÍCULO 23

La presente Convención regirá indefinidamente, pero cualquiera de los Estados Partes podrá denunciarla. La denuncia será transmitida a la Secretaría General de la Organización de los Estados Americanos y dicha Secretaría la comunicará a los demás Estados Partes. Transcurrido un año a partir de la denuncia, la Convención cesará en sus efectos para el Estado denunciante, quedando subsistente para los demás Estados Partes.

EN FE DE LO CUAL, los Plenipotenciarios infrascritos, cuyos plenos poderes fueron hallados en buena y debida forma, firman esta Convención en la ciudad de Washington, D. C., en las fechas que aparecen junto a sus firmas.

[ESTADO DE FIRMAS Y RATIFICACIONES]

ARTÍCULO SÉPTIMO

Los gastos inherentes al retorno o la restitución de bienes culturales serán pagados por el país requiriente y éste no estará obligado a pagar indemnización alguna a favor de la persona que exportó ese bien ilegalmente o lo adquirió bajo cualquier título.

ARTÍCULO OCTAVO

El Estado Parte requerido aplicará su legislación vigente a quienes dentro de su territorio hayan participado en la sustracción o exportación ilícitas de bienes culturales, los cuales al ser restituidos o retornados quedan liberados del pago de derechos fiscales.

ARTÍCULO NOVENO

La definición de bienes culturales se aplicará de conformidad con la legislación vigente de cada país. En caso de presentarse alguna duda sobre su definición, la misma será resuelta atendiendo al Artículo Primero de la CONVENCIÓN SOBRE LAS MEDIDAS QUE DEBEN ADOPTARSE PARA PROHIBIR E IMPEDIR LA IMPORTACIÓN, EXPORTACIÓN Y LA TRANSFERENCIA DE PROPIEDADES LÍCITAS DE BIENES CULTURALES, de fecha 14 de noviembre de 1970.

ARTÍCULO DÉCIMO

La presente Convención entrará en vigencia a partir de la fecha en que, al menos, tres Estados Partes notifiquen oficialmente a los similares haberla ratificado.

ARTÍCULO DECIMOPRIMERO

La presente Convención podrá ser modificada por consenso de las Partes. La modificaciones entrarán en vigencia a partir de la fecha en qu al menos, tres Estados Partes notifiquen oficialmente a sus similares haberlas ratificado.

ARTÍCULO DECIMOSEGUNDO

La presente Convención regirá indefinidamente. El Estado Parte que desee renunciar a la misma deberá notificarlo a los Estados miembros con un año de anticipación.

Firmamos en la Ciudad de Guatemala, Guatemala, el día 26 de agosto de 1995.

Declaración de San José sobre el etnocidio
(1981)

Desde hace algunos años se viene denunciando en forma creciente en distintos foros internacionales la problemática de la pérdida de la identidad cultural de las poblaciones indias de América Latina. Este proceso complejo, que tiene raíces históricas, sociales, políticas y económicas, ha sido calificado de etnocidio.

El etnocidio significa que a un grupo étnico, colectiva o individualmente, se le niega su derecho de disfrutar, desarrollar y transmitir su propia cultura y su propia lengua. Esto implica una forma extrema de violación masiva de los derechos humanos, particularmente del derecho de los grupos étnicos al respeto de su identidad cultural, tal como lo establecen numerosas declaraciones, pactos y convenios de las Naciones Unidas y sus organismos especializados, así como diversos organismos regionales intergubernamentales y numerosas organizaciones no gubernamentales.

En forma cada vez más insistente las organizaciones representativas de diversos grupos indígenas en América Latina y los especialistas en el tema de que tratamos han proclamado la necesidad de contrarrestar el etnocidio y de poner en marcha un proceso de auténtico etnodesarrollo, es decir, el establecimiento y la aplicación de políticas tendientes a garantizar a los grupos étnicos el libre ejercicio de su propia cultura.

Respondiendo a esta demanda, la UNESCO convocó a una reunión internacional sobre etnocidio y etnodesarrollo en América Latina que, con la colaboración de FLACSO, se celebró en diciembre de 1981 en San José, Costa Rica.

Los participantes en la reunión, indios y otros expertos, por tanto:

Declaramos que el etnocidio, es decir el genocidio cultural, es un delito de derecho internacional al igual que el genocidio condenado por la Convención de las Naciones Unidas para la prevención y la sanción del delito de genocidio de 1948.

Afirmamos que el etnodesarrollo es un derecho inalienable de los grupos indios.

Entendemos por etnodesarrollo la ampliación y consolidación de los ámbitos de cultura propia, mediante el fortalecimiento de la capacidad autónoma de decisión de una sociedad culturalmente diferenciada para guiar su propio desarrollo y el ejercicio de la autodeterminación, cualquiera que sea el nivel que considere, e implica una organización equitativa y propia del poder. Esto significa que el grupo étnico es unidad político-administrativa con autoridad sobre su propio territorio y capacidad de decisión en los ámbitos que constituyen su proyecto de desarrollo dentro de un proceso de creciente autonomía y autogestión.

Desde la invasión europea, los pueblos indios de América han visto negada o distorsionada su historia, a pesar de sus grandes contribuciones al progreso de la humanidad, lo que ha llegado a significar la negación de su existencia. Rechazamos esta inaceptable falsificación.

Como creadores, portadores y reproductores de una dimensión civilizatoria propia, como rostros únicos y específicos del patrimonio de la humanidad, los pueblos, naciones y etnias indias de América son titulares, colectiva e individualmente, de todos los derechos civiles, políticos, económicos, sociales y culturales, hoy amenazados. Nosotros los participantes en esta reunión exigimos el reconocimiento universal de todos estos derechos.

Para los pueblos indios la tierra no es sólo un objeto de posesión y de producción. Constituye la base de su existencia en los aspectos físico y espiritual en tanto que entidad autónoma. El espacio territorial es el fundamento y la razón de su relación con el universo y el sustento de su cosmovisión.

Estos pueblos indios tienen derecho natural e inalienable a los territorios que poseen y a reivindicar las tierras de las cuales han sido despojados. Lo anterior implica el derecho al patrimonio natural y cultural que el territorio contiene y a determinar libremente su uso y aprovechamiento.

Constituyen parte esencial del patrimonio cultural de estos pueblos su filosofía de la vida y sus experiencias, conocimientos y logros acumulados históricamente en las esferas culturales, sociales, políticas, jurídicas, científicas y tecnológicas y, por ello, tienen derecho al acceso, la utilización, la difusión y la transmisión de todo este patrimonio.

El respeto a las formas de autonomía requeridas por estos pueblos es la condición imprescindible para garantizar y realizar estos derechos.

Además, las formas propias de organización interna de estos pueblos hacen parte de su acervo cultural y jurídico que ha contribuido a su cohesión y al mantenimiento de su tradición sociocultural.

El desconocimiento de estos principios constituye una violación flagrante del derecho de todos los individuos y los pueblos a ser diferentes, y a considerarse y a ser considerados como tales, derecho reconocido en la Declaración sobre la Raza y los Prejuicios Raciales adoptada por la Conferencia General de la UNESCO en 1978 y por ello debe ser condenado, sobre todo cuando crea un riesgo de etnocidio.

Además crea desequilibrio y falta de armonía en el seno de la sociedad y puede llevar a los pueblos al supremo recurso de la rebelión contra la tiranía y la opresión y a poner en peligro la paz mundial y, consecuentemente, es contrario a la Carta de las Naciones Unidas y al Acta Constitutiva de la UNESCO.

Como resultado de sus reflexiones, los participantes hacen un llamamiento a las Naciones Unidas, la UNESCO, la OIT, la OMS y la FAO, así como a la Organización de los Estados Americanos y al Instituto Indigenista Interamericano, a que tomen todas las medidas necesarias para la plena vigencia de los principios precedentes.

Los participantes dirigen este llamamiento a los Estados Miembros de las Naciones Unidas y de los Organismos especializados arriba mencionados, para que vigilen con especial atención el cumplimiento de estos principios; asimismo, para que colaboren con las organizaciones internacionales, intergubernamentales, no gubernamentales, de carácter universal y regional, incluyendo en particular a las organizaciones indígenas, para facilitar la realización de los derechos fundamentales de los pueblos indios de América.

Este llamamiento se hace extensivo también a los responsables de los poderes legislativo, ejecutivo, administrativo y judicial, y a todos los funcionarios pertinentes de los países americanos, para que en la vida diaria procedan siempre en conformidad con los principios enunciados.

Los participantes apelan a la conciencia de la comunidad científica, y de los individuos que la conforman, sobre la responsabilidad moral que tienen a fin de que sus investigaciones, trabajos y prácticas, así como las conclusiones a que lleguen, no puedan servir de pretexto para falsificación e interpretaciones que perjudiquen a las naciones, pueblos, y etnias indias.

Finalmente, señalan a este respecto la necesidad de dar la participación debida a los representantes auténticos de las naciones, pueblos y etnias indias en todo lo que pueda afectar su destino.

SAN JOSÉ, 11 DE DICIEMBRE DE 1981

Saqueo Cultural de América Latina
de Fernando Baez
se terminó de imprimir en **Febrero** 2008 en
Comercializadora y Maquiladora Tucef, S.A. de C.V.
Venado N° 104, Col. Los Olivos
C.P. 13210, México, D. F.